W9-CHB-613

Детективы
Елены Михалковой:

НАСТОЯЩИЙ ДЕТЕКТИВ

Елена Михалкова

ВОДОВОРОТ ЧУЖИХ ЖЕЛАНИЙ

АСТ
МОСКВА

УДК 821.161.1-312.4
ББК 84 (2Рос=Рус)6-44
М69

Дизайн обложки — студия «Fold & Spine»
Дизайнер — Александр Кудрявцев

Михалкова, Елена Ивановна

М69 Водоворот чужих желаний / Елена Михалкова. — Москва: АСТ, 2013. — 381, [3] с. — (Настоящий детектив).

ISBN 978-5-17-080726-0

Макар пятнадцать лет разыскивал убийцу любимой. И вот он близок к разгадке. Удастся ли ему раскрыть тайну и отпустить боль в прошлое?

Деревенский парень Николай стал жертвой розыгрыша юных девиц. Так и появилась волшебная деревянная фигурка русалки, исполняющая желания. Но не придется ли расплачиваться за свои мечты?

Катя из любви и чувства вины готова несмотря ни на что отправиться в неприветливую столицу только чтобы спасти мужа от кредиторов. Но всегда ли можно доверять любимому человеку?

Не зря говорится — бойся своих желаний, ведь порой мы не задумываемся о том, что наши стремления могут закрутить в водоворот чужих желаний!

УДК 821.161.1-312.4
ББК 84 (2Рос=Рус)6-44

Он смотрел на экран телевизора, в котором репортер профессионально озабоченным голосом вещал о постройке нового развлекательного центра, но не слышал ни одного слова. Перед глазами стоял последний кадр предыдущего сюжета: пожилая женщина в оранжевой куртке держит в пальцах растопыренный кленовый лист, чуть растерянно глядя в камеру.

«Этого не может быть». Того, что он только что увидел, не могло быть.

Он выключил телевизор и мысленно прокрутил сюжет назад, вспоминая вопросы, которые задавал журналист женщине с кленовым листом.

«— В вашем дворе много кленов, правда?

— Да... Много... А сейчас сильный листопад. Посмотрите...»

Камера идет вверх, показывая зрителям деревья, с которых облетают красные и желтые листья.

Но женщины под кленами не могло быть.

Потому что она мертва.

Давно.

Пятнадцать лет.

Глава 1

— **Я** ее видел, — повторил Макар третий раз, игнорируя предложенную Сергеем чашку с кофе.

Бабкин коротко кивнул, подумав про себя, что не помнит Илюшина в таком возбужденном состоянии за все время, что они работали вместе.

— Кофе пей, — посоветовал он. — Остынет.

Сергей Бабкин и Макар Илюшин были частными детективами. Бабкин, в прошлом оперативник, несколько лет назад вынужден был уйти с работы, и тогда Макар пригласил его к себе помощником. Теперь они называли себя напарниками, хотя формально Илюшин по-прежнему оставался главным.

Худой, светловолосый Макар был похож на студента. Веселого и в меру наплевательски относящегося к учебе студента-очкарика, который на минуту снял очки и теперь смотрит на собеседника веселым и довольным взглядом человека, бесцельно сбежавшего с лекции. Здоровяк Сергей — высокий, крепкий, с глубоко посаженными темными глазами и коротким ежиком волос — когда-то имел у коллег прозвище Медведь. Не столько из-за внешнего сходства, сколько из-за молниеносной реакции, неожиданной в таком большом и кажущемся неуклюжим человеке.

Их не совсем обычный тандем оказался очень удачным, несмотря на то что Макар был типичным «одиночкой» и в жизни, и в работе. Один из недоброжелателей Сергея поговаривал, что Илюшин с Бабкиным работают по принципу «ум — сила», но в действительности сильной стороной первого была интуиция, а второго — добросовестность, компенсировавшая отсутствие озарений. Сергей в глубине души признавал главенство Макара, поскольку знал: Илюшин обладает тем, чего нет и никогда не будет у него самого. Добросовестности можно научиться — интуиции научиться нельзя.

Иногда Макар казался Бабкину отстраненным наблюдателем, про себя подсмеивающимся над всем, но в первую очередь — над самим собой, Макаром Илюшиным, тридцати шести лет от роду, которому окружающие редко давали больше двадцати пяти. Он никогда не рассказывал о своем прошлом, а Сергей не спрашивал. Насколько он знал, у приятеля не было родных. Макар тщательно оберегал свое личное пространство, не пуская туда никого.

«Должно было случиться что-то серьезное, если он так выбит из колеи».

— Их искали четыре дня, — неожиданно сказал Илюшин. — Мы боялись, что не найдем, потому что — сам понимаешь, девяносто третий год, люди исчезали бесследно...

Бабкин ничего не понимал, но молчал.

— Алису нашли, а ту, вторую, — нет. Но был свидетель...

Алиса Аркадьевна Мельникова и Зинаида Яковлевна Белова в теплый майский день тысяча девятьсот девяносто третьего года вышли вместе из института, в котором одна училась, а вторая работала гардеробщицей, и направились к остановке троллейбуса. Их видели другие студенты, но никто не удивился, что Алиса идет с Зинаидой Яковлевной — гардеробщица была доброй теткой и, возможно, собиралась осчастливить Алиску очередным огромным букетом пионов, привезенным ею с участка. Макар Илюшин в это время разговаривал с преподавателем по уголовному праву, выясняя крайне занимательный вопрос, и не знал, что сегодня последний раз он видел свою девушку живой.

Четыре дня, пока искали пропавших, Макар провел словно в чужом теле. Тело ело, говорило, шевелило руками и ногами, но оно было не его. И голос, которым он расспрашивал свидетелей, был не его. И проклятая интуиция, развитая у него с детства, была не его, потому что она говорила, что его кудрявой, веселой, обожаемой Алисы, вытащившей Макара на свет из темноты, в которой он существовал три года, больше нет. Он знал это, но, стоя над ее телом в морге, все равно не смог сдержаться и закричал. А потом заплакал.

Следствия не было. Официально оно велось, но никто ничего не мог сказать ни Илюшину, ни родителям Алисы, кроме того, где именно было обнаружено тело девушки. Один из юго-западных районов Москвы...

Макар уволился из фирмы, где он работал и одновременно проходил практику, и стал искать, кто убил Алису Мельникову и где может быть Зинаида Белова. Во дворе дома, где девушку ударили ножом, он нашел свидетеля.

— Мужик-инвалид, — сказал Макар Сергею, ошеломленно слушавшему рассказ друга. — До меня опрашивали всех, кто жил в том доме, но никто не признался, что видел убийц, хотя не могли не видеть: все произошло днем, около четырех часов. Он, наверное, пожалел меня, потому и решился рассказать.

Из подъезда вышли два человека, рассказал старичок-инвалид, и быстро направились к машине — у них в руках были большие спортивные сумки. Девушка и женщина завернули из-за угла дома и чуть не столкнулись с ними. Двор будто вымер, потому что незадолго до этого все слышали крики о помощи, доносившиеся из окна третьего этажа и захлебнувшиеся спустя полминуты. Один из преступников, задержавшись на несколько секунд, деловито ткнул девушку ножом, и она, даже не вскрикнув, осела на асфальт, зажимая рану.

— Перед гардеробщицей тот человек остановился, что-то сделал, и она тоже начала падать. Но ее подхватили и сунули в машину. Больше ее никто не видел. Тело Алисы идентифицировали спустя четыре дня.

— Почему так долго? — спросил Бабкин, чтобы сказать хоть что-то.

— Она лежала в морге другого района, документов при ней не было. А тело Зинаиды Яковлевны так и не нашли. Я думал, что его выбросили где-нибудь за городом или закопали. Думал так до сегодняшнего дня.

— Где ты ее увидел?

— Небольшой утренний сюжет в новостях о работе дворников, ничего особенного. Ей задали несколько вопросов, она ответила. Это Белова, можешь мне поверить. Она очень хорошо выглядит, почти не изменилась.

Бабкин кивнул. Он и не сомневался. Макар обладает прекрасной памятью, и если он говорит, что узнал человека, значит, так оно и есть.

— Я был совершенно уверен, что она — такая же случайная жертва, как и Алиса, — медленно проговорил Илюшин. — Но если это не так…

— Ты узнал, кто их убил?

— Да. Узнал.

Банду налетчиков взяли три месяца спустя. Двоих убили при перестрелке, третий пытался сбежать, но врезался в бетонное ограждение и скончался, когда его везли в машине «Скорой помощи».

— Я был уверен, что все они мертвы. — Макар посмотрел на Бабкина первый раз за все время своего рассказа. — Теперь я знаю, что это не так. Может быть, я ошибся в чем-то еще? Если они оставили одного свидетеля в живых, убив второго, может, это был вовсе не свидетель?

— Надо встретиться с корреспондентом, выяснить, по каким адресам брали интервью, — сказал Сергей, вставая и выливая остывший кофе Илюшина в раковину.

Он хотел добавить что-нибудь, что хоть немного успокоило бы Макара, но не смог. Он никогда не умел подбирать правильные утешительные слова в трудных ситуациях.

— Я тебе еще кофе сварю, — буркнул Сергей. — А ты пока позвони на тот телеканал, по которому шли новости.

. . . .

Лампочка в подъезде погасла неожиданно и бесшумно, словно на нее набросили черную тряпку. Катя встала, как вкопанная, затаив дыхание. Глаза не успели привыкнуть к темноте, и, компенсируя временную слепоту, с удвоенной силой заработали обоняние и слух. В нос ударили машинный запах лифта и кислая вонь мусоропровода в закутке возле первой квартиры. Одновременно она услышала визгливые голоса в соседней квартире, приглушенный плач ребенка… И скрип двери, открывшейся за ее спиной. Резко потянуло сквозняком, и Катя обернулась, прищурившись.

Кто-то тяжелый, шумно дышащий неторопливо вошел в подъезд и, не остановившись ни на секунду, направился к лифту. Либо он был здесь своим, либо видел в темноте — в отличие от Кати, которая без света ощущала себя слепым котенком. Вошедший поднялся по ступенькам, остановился в пяти шагах от девушки и отчетливо хмыкнул.

«Маньяк, — с тоскливым страхом подумала Катя. — Господи, закричать, что ли? Так ведь не выйдет никто...»

— Здравствуйте, — сказала она в темноту. — Вы не могли бы вызвать лифт?

— А-а-а, — проскрипели в ответ, — сама-то не видишь, да? Я-то уж привыкла, что как ни войдешь — все темнотища. Ох, поганцы, сколько раз говорено — вставьте нормальную лампочку...

Женщина безошибочно стукнула по невидимой кнопке, и где-то наверху вздрогнул и поехал лифт. Когда двери открылись, выпуская свет, Катя увидела полную одышливую соседку с пятого этажа — пожилую, неопрятную.

— Заходи, заходи, — недовольно сказала та. — Чего стоишь-то?

Катя зашла, затащила сумки. И почувствовала странное облегчение, когда двери закрылись, отсекая от нее первый этаж, которого она почему-то боялась с тех пор, как переехала в этот проклятый дом.

Дверь в квартиру открыла недовольная полусонная Седа, от которой пахло сладковатыми дешевыми духами.

— Не стой, заходи, — сказала она, не делая ни малейшей попытки помочь Кате с сумками. — Чего так поздно-то? Артур уже спать лег.

Катя хотела было ответить, что на нее свалилось много заказов, и заметить, что воспитанные люди сначала здороваются, а потом уже задают вопросы, и еще попросить Седу перестать, наконец, душиться этой невыносимой мерзостью... Но промолчала, потому что сестра мужа уже шла по коридору, виляя бедрами в спортивных штанах.

— Катерина пришла? — донесся с кухни сочный голос Дианы Арутюновны, и Катя подумала, что та опять курила в форточку, хотя она много раз просила свекровь не делать этого. — Что-то припозднилась сегодня...

В ответ раздался смешок Седы и тихое бормотание женщин. Катя стащила сапоги, бросила взгляд на натекшую с них грязную лужу и опустилась на табуретку, борясь с желанием закрыть глаза и уснуть прямо здесь, в прихожей.

— Добрый вечер, Катенька! — Свекровь выплыла в коридор, солнечно улыбаясь. — Артурчик уже спит, что-то устал он сегодня.

— Добрый вечер.

— Ой, грязи-то сколько! — свекровь заметила расплывающуюся на полу возле Катиных сапог лужу. — Сейчас тряпку принесу. Дом, Катенька, должен быть чистым, меня этому еще бабушка учила! Самое важное в доме — чистота!

Катя покорно кивнула. Она никогда не видела бабушку своей свекрови, но от всей души ненавидела эту почтенную особу. Судя по рассказам Дианы Арутюновны, при жизни старушка только и делала, что поучала внучку по любому поводу. Разнообразием в поучениях бабушка не отличалась, а потому к концу первого года знакомства с Артуром Катя знала, что самое важное в доме — это чистота, сытный ужин и довольный муж, опрятные вещи, вымытые окна... Стоило свекрови заметить что-то, нарушавшее ее представление о прекрасном, как тут же всплывал призрак ее бабушки с наставлениями о том, что самое важное в доме — это... «Нужное подставить», — говорила в таких случаях Катя. Про себя, естественно.

— Вот тебе тряпочка, Катенька, — промурлыкала свекровь, и к табуретке спланировала половая тряпка. — Не буду мешать.

И удалилась, шурша шелковым подолом.

Час спустя в квартире спали все, кроме Кати. Диана Арутюновна с дочерью храпели так, что было слышно из-за закрытой двери. Артур негромко посапывал в спальне. Катя зашла к мужу в комнату, включила ночник, постояла, глядя на его безмятежное лицо. Спит. Как там сказала Диана Арутюновна? «Устал сегодня». Разумеется. Ничего не делал и очень устал.

— Устал, значит, — повторила Катя шепотом, сдерживая желание рявкнуть на всю квартиру и разбудить Артура.

Нет, рявкать нельзя. Один раз соседи уже пригрозили, что вызовут милицию — это случилось после скандала свекрови с Седой. Тогда угроза подействовала на обеих женщин как ушат холодной воды, да и Артур высказал им все, что думает, не стесняясь в выражениях. Нельзя им привлекать к себе внимание, никак нельзя! Появится милиция — и пиши пропало, придется искать съемную квартиру, а где ее найдешь с их-то средствами...

«Так что, милая, никакого рявканья. Радуйся, что есть время посидеть в тишине».

Катя прошла на кухню, уселась на облезлый подоконник. Из пяти фонарей во дворе горел лишь один, и снежинки мелькали в желтом круге. «Завтра опять будет слякотно. Ноги в тонких сапогах уже сейчас мерзнут, а ведь еще только конец ноября. Что же мы будем делать зимой?»

Этим вопросом Катя задавалась уже третью неделю, и он стал постоянным рефреном. «Что же мы будем делать зимой?» — спрашивала она у себя по любому поводу, хотя, откровенно говоря, местоимение «мы» было в этом вопросе неуместным. Сейчас, сидя на холодном подоконнике в кухне чужой квартиры и прислушиваясь к похрапыванию трех людей в соседних комнатах, она окончательно поняла, что вопрос должен звучать иначе: «Что Я буду делать зимой?» Потому что рассчитывать на то, что Артур, его мать и сестра станут помогать ей, не приходилось. Тем более они и так считали, что помогают достаточно — например, Диана Арутюновна готовила ужины, а Седа — обеды. В общем, вносили свой вклад в их совместное выживание.

Катя подышала на стекло и нарисовала на запотевшем круге рожицу. Точка, точка, запятая. Вышла рожица смешная. Смешная, но невеселая, потому что улыбалась рожица как-то криво, одним уголком рта. Девушка вспомнила, как полгода назад перед свадьбой рисовала такую же рожицу на окне в комнате общежития, ожидая Артура. Она любила рисовать на стекле. Вот тогда рожица улыбалась до ушей. Даже мама, озабоченная предстоящей суматохой, зайдя в комнату, заметила:

— Улыбается, прямо как ты. Счастья полные штаны.

И когда Катя обернулась к ней и впрямь с точно такой же улыбкой во весь рот, мама не выдержала и чмокнула дочь в макушку, хотя была против этой свадьбы.

Если с Артуром Ирину Степановну, приехавшую на свадьбу из маленького городка под Ростовом, худо-бедно мирили его внимание и забота о невесте, то мать будущего зятя и его сестру она невзлюбила с первого взгляда. Катя, как могла, убеждала ее, что Диана Арутюновна очень хорошая женщина, сына просто обожает. И Седа тоже хорошая, просто немножко избалованная. «У тебя все хорошие! — сердилась мать. — Глупая ты, Катька, не понимаешь: чужие они нам, чужие! Ладно. Деваться-то некуда».

Эх, могла ли мама представить тогда, что ее дочери придется уехать из Ростова-на-Дону в Москву. И вот уже два месяца повторять «что же мы будем делать зимой». Что-что... Выживать, известное дело.

«Хватит паниковать, — приказала себе Катя, слезая с подоконника. — И ныть. Ничего страшного не происходит. Плохо, конечно, что приходится маме врать, но это для того, чтобы она не беспокоилась. Вот пройдет год, вернемся обратно в Ростов, и тогда...»

Что будет «тогда», Катя не могла представить. Смутно ей виделось что-то хорошее, и, стараясь верить в это, она умылась и легла спать, поставив будильник на шесть утра. Артур негромко посапывал, и лицо его было совершенно безмятежным.

Несколько месяцев назад.

Катя познакомилась с будущим мужем на общей институтской тусовке, на которой оказались и несколько «пришлых парней» — взрослых, уже закончивших институт. Он был высоким, темноглазым и темноволосым, улыбчивым, и ему очень подходило имя Артур. Такую же темноволосую, как он, смешливую Катю парень сразу выделил из остальных девчонок, дружно отплясывавших под незамысловатые попсовые напевы.

Ухаживал он очень красиво, приносил охапки пышных бордовых роз, а в ответ на Катино смущенное сопротивление только смеялся. «Катюша, я же Ашотян! Мы, армяне, по-другому не умеем!» Надписи мелом на асфальте под окнами общежития «Котенок! Ты — единственная!», чтение стихов под луной, ужины при свечах в кафе... «Катюша, я же романтик! Мы, армяне, все немного романтики!»

Очень быстро и неожиданно для Кати последовало знакомство с его родителями — точнее, с мамой, поскольку отец Артура погиб два года назад в автомобильной катастрофе. Диана Арутюновна очаровала Катю. Это была смуглая пышная женщина с гладкой персиковой кожей и нежнейшим пушком на щеках. Слушая ее рассказы, Катя вспоминала: «А как речь-то говорит — будто реченька журчит!» — голос у женщины был мягкий, мелодичный. А вот ее родная дочь Седа — маленькая, с точеной фигуркой статуэтки и глазами газели — говорила грубовато, а когда начинала волноваться, в ее речи явственно слышался акцент.

— Катюша, милая, ты мне будешь, как доченька, — улыбалась мама Артура. — Ты представить не можешь, как же мы рады за Артурчика! Правда, Седа?

Та улыбалась, кивала, перебирала длинные волнистые волосы, посматривала на Катю загадочно. Пару раз подарила ей помаду и тени — дешевенькие, правда, но Кате все равно было приятно.

— Мам, они славные, — говорила она матери, приехав к той на выходные.

— Славные-славные, — кивала мать, и в голосе ее слышался неприкрытый скепсис. — Кем, говоришь, сестренка твоего ухажера работает?

— Продавщицей. То есть консультантом. А что?

— Нет, ты говори как есть — продавщицей. А то придумали всяких консультантов... В бутике, может, консультанты, а на рынке — продавщицы.

— Мама, она не на рынке!

— Универмаг ничуть не лучше рынка, — отмахивалась мать. — А может, и хуже.

— Ну и что? Чем ее работа плоха?

— Ничем, Катюша, ничем. Ты борщик-то ешь, ешь. А мать кем работает?

— Диана Арутюновна пока никем, она работу ищет.

— Конечно, конечно. Как овдовела два года назад, так все и ищет.

— Да не придирайся ты, мам! Зато у них Артур хорошо зарабатывает, он и мать, и сестру содержит!

Здесь Ирине Степановне возразить было нечего. После гибели старшего Ашотяна парня взял в свою фирму какой-то дальний родственник, и с тех пор Артур занимался продажей машин. Катя интересовалась его работой, но Артур рассказывал о ней неохотно, скупо, уверяя, что его «бизнес», как он говорил, будет ей совершенно неинтересен. Он ездил на хорошей, хоть и подержанной иномарке, любил одеваться с иголочки, частенько водил Катю в ресторанчики, и она видела, какие щедрые чаевые Артур оставляет официантам.

— Содержит, — неохотно соглашалась Ирина Степановна. — Ой, Катюша, только не торопись, прошу тебя. Присмотрись к ним внимательнее. Будь моя воля — ей-богу, поселилась бы с тобой в твоем захудалом общежитии, чтоб не мотаться тебе ко мне за сто километров. И ты была бы под присмотром.

Катя и не собиралась никуда торопиться: до окончания института еще весь пятый курс остался, Артур никаких предложений ей не делал. «Подумаешь, с семьей познакомил! Это ни о чем не говорит».

В начале декабря, выйдя из общежития рано утром и торопясь в институт к первой паре, Катя увидела подъезжавший к остановке автобус и ускорила шаг. Ледяную дорожку, присыпанную снегом, она заметила только тогда, когда ноги уже разъехались на льду; Катя нелепо взмахнула руками и упала на спину, треснувшись затылком об лед.

— Хорошо, что есть шапка на глупой голове, — сказала она себе, глядя в пасмурное небо, откуда валил снег. — Отделаюсь синяком.

Она повернула голову вправо-влево, убедилась, что ее позорного падения никто не видел, и попыталась встать. Резкая боль, какой Катя никогда раньше не испытывала, пронзила позвоночник, и она вскрикнула.

— Господи, да что же это такое... — пробормотала Катя, смаргивая выступившие от боли слезы. — Неужели и на спине синяк?

Она сделала еще одну попытку встать, снова закричала и перевела дыхание. У нее что-то случилось со спиной, и теперь она не могла подняться.

— Мамочка... — жалобно сказала девушка. — Разве так бывает? Ничего, ничего, я сейчас полежу и поднимусь. К первой паре не успею, значит, приеду ко второй...

Она бормотала себе под нос, одновременно пробуя двигать руками и ногами, проверяя, насколько ограничены ее движения, и убеждаясь, что чувствует боль только при попытке подняться. Снег шел все сильнее, и Катя представила, как через час ее занесет.

«Получится сугробик. А если полить его водой — то горка».

Сумка при падении отлетела в сторону, и Катя, сжав зубы, попыталась дотянуться до нее. Получилось это только с третьего раза, потому что боль была невыносимой: казалось, что кто-то со всего размаху ударяет ее тупой иглой в позвоночник. Подтащив сумку, Катя долго лежала, прижимая ее к себе и тяжело, прерывисто дыша. Затем кое-как вытащила телефон и набрала номер «Скорой».

Артур примчался в больницу вечером. Долго сидел возле Кати, расспрашивал ее, потом искал врачей, допытывался у медсестры о диагнозе и прогнозах и в конце концов вернулся обратно и сел около кровати с отрешенным лицом.

— Слушай, — сказал он наконец, и в речи его прорезался акцент — совсем как у младшей сестры. — Ты, главное, не бойся. Мы тебя вылечим. Деньги найдем. Все сделаем. Главное — не бойся.

«Я и не боюсь», — хотела сказать Катя, но боль снова проткнула иглой, и она стиснула зубы. На самом деле ей было страшно. Она помнила перепуганное лицо приехавшей днем мамы, ее долгий разговор с врачом после того, как Катю осмотрели и просветили на каком-то большом гудящем аппарате, мамино заплаканное лицо. Слова Артура успокаивали Катю, и ей отчаянно хотелось, чтобы он остался. Но Артур ушел, пообещав забежать на следующий день.

Началось долгое и мучительное лечение. Катя не хотела слушать подробностей об операции, которая ей предстояла. Она не понимала, почему ее здоровое молодое тело приковано к кровати всего лишь из-за какого-то падения на лед. Она не хотела думать о том, что будет после операции. Врачи произносили слово «реабилитация» так, как будто все уже позади, но она понимала, что на самом-то деле все только начинается. Мама подолгу разговаривала с врачами и один раз призналась дочери, что собирается занять денег на работе. У Кати не было иллюзий о бесплатности отечественной медицины, но слова мамы поразили ее, и она заплакала — первый раз после падения. У кого мама будет занимать деньги? У таких же, как она сама, терапевтов, работающих в поликлинике маленького провинциального городка? Смешно.

И тогда Артур показал себя с такой стороны, что Ирина Степановна прониклась к нему горячей благодарностью и уважением. Катя ни слова не говорила ему о намерении матери занять денег, и потому для нее было вдвойне удивительно, когда в разговоре с врачом выяснилось, что Артур оплатил операцию и послеоперационный уход. После этого все завертелось так быстро, что Катя не успела опомниться — а ее уже готовили к операции, и ласковая пожилая медсестра бормотала что-то ободряющее на ухо, делая ей укол.

Полтора месяца спустя Катя вышла из больницы — сама. Ее предупреждали, что возможны осложнения, но все обошлось. Она могла ходить, бегать, и только на прыжки и любые тренировки на полгода было наложено ограничение.

Артур сделал ей предложение, когда Катя еще лежала в больнице. Она пыталась отшутиться, но он был серьезен и настойчив.

— Подумай — польза будет для всех, — убедительно говорил Артур. — Тебе лучше жить у нас, потому что ты, милая, не будешь ни готовить, ни убираться. От моего дома ближе до института. И, в конце концов, хоть это и не главное, я люблю тебя.

И улыбнулся так широко и обаятельно, что Катя не удержалась и поцеловала его. Господи, он так помог ей, а она еще о чем-то думает, сомневается! Ведь ясно же как божий день, что ей не найти человека надежнее и заботливее Артура!

Свадьбу назначили на конец апреля. От самого торжества в памяти у Кати не осталось ничего, кроме воспоминания о букете роскошных алых роз, которые привез Артур. Она боялась испачкать стеблями подол свадебного платья, взятого напрокат, и мама придумала обернуть цветы в первую попавшуюся нарядную бумагу. Это оказалась оставшаяся после Нового года упаковочная фольга, на которой олени везли в тележке упитанного Санта-Клауса, похожего на поросенка, и так с Санта-Клаусом Катя и вышла замуж.

Первые пару месяцев совместной жизни с Артуром и его семьей она чувствовала себя странно — как будто надела приличную одежду с чужого плеча: вроде бы все хорошо сидит, красиво смотрится, но «не твое». Муж работал с утра до вечера, Катя целыми днями усиленно занималась в его комнате (она так и не воспринимала ее пока как «свою»), потому что договорилась с преподавателями в институте об индивидуальной сдаче сессии, чтобы не брать академический отпуск. Дома постоянно находилась свекровь, и ее доброжелательность и забота иногда казались Кате чрезмерными. Но она тут же укоряла себя за нехорошие мысли, напоминая, что такая свекровь — золото, сокровище, которое нужно ценить. Сына Диана Арутюновна обожала, прощала Артуру все и даже готовила ради него нелюбимую ею жареную рыбу, от которой пахло на всю квартиру и лестничную клетку в придачу. Свекровь заставила и Катю научиться жарить камбалу и треску — мягко, но настойчиво приговаривая, что сама она не вечна, а жена должна уметь угождать мужу.

К ужину с работы возвращалась Седа. От нее всегда сильно пахло дешевыми сладковатыми духами, и Катя старалась не морщить нос, когда та подходила к ней поздороваться. Седа либо оживленно болтала на всевозможные темы, либо, наоборот, забивалась в кресло под торшером и молчала весь вечер, изредка кидая косые взгляды на невестку. Катя уходила в комнату мужа, однако свекровь деликатно, но твердо объяснила: у них в семье это не принято. Все женщины вечерами занимаются домашними делами и ждут главу семьи — то есть Артура. Если Кате нужно учиться, пусть занимается в зале, они с Седой не будут ей мешать. А если нет, то пусть либо помогает готовить ужин, либо делает что-нибудь полезное. Но только — вместе со всеми.

Иногда Катя пыталась пойти в гости к подружкам, но Диана Арутюновна и здесь была непреклонна: замужняя женщина должна проводить вечера либо с мужем, либо со своей семьей. А ее семья теперь она с Седой. Да и негоже девушке одной ходить поздно по темным дворам.

Катя понимала, что со своим уставом в чужой монастырь не лезут, и слушалась свекровь. Да и Артур не раз говорил ей, что у их семьи есть свои традиции, и ему было бы очень приятно, если бы Катя их уважала. Она и не думала не уважать, но каждый раз получалось, что ее желание побыть в одиночестве расценивается как посягательство на традиции. В конце концов Катя махнула рукой и стала придерживаться того порядка, который был заведен в доме Ашотянов. А с подружками встречалась днем и в выходные.

На одном она настояла еще до свадьбы, хотя Артур и его мать очень обижались на нее за это: на сохранении своей девичьей фамилии. Катя Викулова не могла представить себя Катей Ашотян. Это была фамилия папы, и отказаться от нее она не могла.

Лето прошло незаметно. К концу его Катя уже забыла о перенесенной операции и думала только о том, что впереди пятый курс и нужно постараться закончить институт с красным дипломом. Артур был по-прежнему внимателен к ней, часто приносил домой цветы, но никогда не брал молодую жену на встречи с друзьями, устраивавшиеся еженедельно.

— Котенок, маленьким девочкам там не место, — объяснял он с извиняющейся улыбкой. — Прости, малыш, но у нас чисто мужская компания, тебе там будет неинтересно.

Катя и не рвалась встречаться с его друзьями, но ей все меньше нравилось, что Артур проводит время по своему усмотрению, тогда как она должна подчиняться определенным правилам, установленным его семьей. Ощущение, что она живет не своей, а навязанной ей жизнью, не исчезло, но стало привычным. Поразмыслив, Катя решила серьезно поговорить с Артуром о том, что им нужно изменить в своих отношениях, и уже подбирала аргументы, чтобы убедить мужа переехать в съемную квартиру. И тут случилось событие, которое перевернуло их жизнь.

Звонок в дверь субботним вечером прозвучал отрывисто и оборвался — как будто тот, кто звонил, передумал и отпустил кнопку на половине звонка. Все ждали Артура, который, как обычно, встречался с друзьями, и Катя пошла открывать дверь, сама не понимая, почему ей вдруг стало не по себе.

Артур стоял, прижавшись лбом к дверному косяку, и по виску его стекал тонкий ручеек крови. На лбу наливался бордовым огромный синяк. Муж молча смотрел на Катю, и темно-карие глаза на белом лице казались провалившимися.

— Артур... Господи, что случилось?!

Она затащила мужа в квартиру, ощупала с головы до ног трясущимися руками.

— Что случилось? Артур, не молчи! Ты цел?

На шум выскочила Седа, за ней Диана Арутюновна.

— Мама... — Артур перевел взгляд на мать и быстро заговорил по-армянски. Изумленная Катя вслушивалась, не понимая ни слова: раньше муж при ней не говорил на родном языке.

Свекровь переспросила что-то недоверчиво, затем перевела на Катю тяжелый взгляд.

— Да что такое, скажите?! — взмолилась девушка. — Да скажите же вы мне, в конце концов!

Седа быстро бросила несколько слов, Артур начал горячо возражать.

— Тихо, — непререкаемым тоном остановила их мать. Добавила несколько слов на армянском, и Артур, не разуваясь, покорно пошел в ее комнату. — Катюша, ты подожди немного, девочка. Не волнуйся: видишь же, он живой. Значит, все хорошо.

Все трое исчезли в комнате свекрови, оставив Катю в прихожей.

— Все хорошо? — переспросила она у вешалки. — Неужели?

Артур и Диана Арутюновна вышли десять минут спустя, когда у Кати набралось достаточно слов, чтобы высказать их мужу и свекрови. Но Артур тремя словами выбил почву у жены из-под ног.

— Собирайся, — сказал он, нервно поглядывая в сторону окна. — Мы уезжаем.

— Куда уезжаем? — не поняла Катя. — Что происходит?

— Артур, собирай вещи и позвони Тиграну, — вступила свекровь, — а я пока с Катюшей поговорю.

Усевшись напротив невестки и взяв ее за руки, Диана Арутюновна лаконично, но исчерпывающе обрисовала ситуацию.

— Деньги на твое лечение Артур занял, — без обиняков сообщила она. — Мы не хотели тебе говорить, чтобы ты не чувствовала себя нам обязанной — ты ведь понимаешь меня, да? У него своих не хватило, ведь операция обошлась... — Свекровь замолчала на секунду, потом махнула рукой. — Ой, девочка моя, да какая разница, во сколько обошлась — главное, что ты жива-здорова! Но сейчас те люди требуют деньги обратно, да с большими процентами. У нас таких нет. Срок Артуру дали — до завтра, иначе...

— Что — иначе? — шепотом переспросила Катя.

Свекровь провела рукой по лбу, покачала головой.

— Ой, девочка, ты уже большая, сама все понимаешь. Сегодня просто побили Артура, а завтра, сказали, он так легко не отделается.

Катя попыталась собрать воедино разбежавшиеся мысли.

— Но подождите... Диана Арутюновна: зачем же уезжать? Нужно пойти в милицию, сейчас же!

Во взгляде свекрови мелькнуло нечто вроде сочувствия.

— Какая милиция, Катюша? Они и есть милиция! Где ты живешь, милая, что не знаешь — у нас милиция и бандиты — это одно и то же! Поняла? Одно и то же! А попробуешь в прокуратуру пожаловаться — так Артура удушат в камере. Еще и скажут потом: чурка, мол, нерусский, сам повесился.

— Куда же вы хотите ехать? — беспомощно спросила Катя.

Водоворот чужих желаний

— В Москву нужно податься, — веско ответила свекровь. — Известно — Москва большая, в ней любому место найдется. У родных там квартирка есть, в которой можно пожить, они нас туда пустят.

— А что потом?

— Как что? Пересидим, полгодика переждем, а там, глядишь, и посадят этих бандитов. Тогда можно будет вернуться. Ты, Катенька, не торопись с нами ехать, — добавила свекровь, глядя на смятенное лицо девушки, — может, тебе лучше здесь остаться? Мы-то люди привычные к переездам, а вот ты у нас девочка домашняя, всю жизнь за маминой спиной росла. В столице-то работать придется, а не учебники читать. До того все Артур тебе помогал, а теперь ему самому помощь нужна.

Катя вспыхнула.

— Я поеду с мужем, — отрезала она. — Когда мы выезжаем?

— Как Тигран машину пришлет, так и поедем. Если решила, собери самое необходимое, да быстренько. Вещи возьми теплые. Да не вздумай матери звонить! — одернула Катю свекровь, видя, что та направляется к телефону. — Выдашь Артура, найдут его! Из Москвы позвонишь... Да иди же, иди!

И вытолкала Катерину в ее комнату. Навстречу по коридору пробежала Седа, запихивая на ходу в чемодан первые попавшиеся шмотки.

Двое суток спустя Катя вошла в квартиру на пятом этаже — серую, с ободранными обоями и пузырящимся линолеумом. Ее качало после выматывающей поездки в раздолбанном «жигуленке», невыносимо хотелось спать. Она прошла в большую комнату, не прислушиваясь к армянской речи, на которую перешли Артур с сестрой и матерью, и осмотрелась по сторонам.

Господи, и в этой грязной лачуге им придется жить? Сколько там сказала свекровь... полгода? Над головой у

Кати раскачивалась тусклая лампочка, в углу притулился полуразвалившийся диван, от которого несло пылью и старым тряпьем. Да и во всей квартире пахло чем-то затхлым.

Кухня оказалась не намного лучше комнат. Черная раковина, остатки соды в скомканной коробке, заплесневелая корка хлеба и окурок на подоконнике. «Убожество какое. Просто убожество».

— Ну что, котенок, осмотрелась? — Артур зашел за Катей следом и ласково обнял ее за плечи. — Маленькая, тебе, наверное, тяжело пришлось в дороге. Я очень благодарен тебе за то, что ты поехала с нами. Очень-очень.

Он наклонился и поцеловал ее.

— Что мне сделать для тебя, малыш? — спросил Артур, внимательно заглядывая в темные глаза жены. — Скажи, что?

Катя ощутила себя свиньей. «Квартира ей грязная... укачало ее... А то, что Артур для тебя деньги на операцию занял и теперь за ним бандиты охотятся, тебя не волнует?»

— Ты для меня уже и так много сделал, — искренне ответила она. — Не переживай. Отдохни, а мы пока приведем квартиру в порядок.

Как объяснила свекровь, квартирой им разрешили пользоваться дальние родственники. Безвозмездно. Родственников у Ашотянов было очень много, поэтому Катя не удивилась. А вот отказ Артура, его сестры и матери выходить на улицу ее ошеломил.

— Только я? — недоуменно переспросила она, когда свекровь объяснила ей правила поведения в новом месте проживания. — Но почему? Нас здесь никто не знает!

— Тебе только так кажется, — терпеливо объяснил Артур. — Пойми, котенок, меня будут искать. Я ведь обманул этих бандитов, не вернул им проценты, и они не оставят мой побег без внимания. Вычислят все адреса, куда я мог уехать, и отправят своих людей — поспрашивать, не появлялась ли там армянская семья.

— Вот-вот, — вступила Седа. — Тут-то нас всех и возьмут. А у тебя внешность русская, хоть ты и темненькая, на тебя никто внимания не обратит.

— Они правы, Катенька, — вздохнула свекровь. — Раз уж мы их перехитрили, нужно идти до конца. Иначе Артура поймают, и тогда все будет еще хуже. Ты же не хочешь такого, правда?

Нет, Катя не хотела.

Она позвонила маме и веселым голосом сказала, что они с Артуром решили рвануть на недельку в Москву. Заверив, что учеба от этого не пострадает, пожелала удивленной Ирине Степановне беречь себя и быстренько попрощалась, сославшись на дороговизну междугородней связи.

И началась ее новая жизнь. Каждый день — да что там день, каждый час! — приносил Кате новые открытия, большинство из которых поражало ее настолько, что она воспринимала их молча, не сопротивляясь. Молниеносный ошеломительный переезд из Ростова в Москву, новая квартира — грязная, мрачная, необходимость ходить за продуктами по незнакомому району в чужом городе, а потом рассказывать Артуру о всех встреченных людях... И самое главное — теперь она должна была устроиться на работу в Москве.

— Ты пойми, Катюша, — ласково объясняла свекровь, — денежек нам хватит на месяц, не больше. А что потом? За квартиру мы не платим, но кушать-то хочется!

— Неужели вы и в самом деле считаете, что я смогу заработать на всех, не имея даже временной московской прописки и высшего образования? — резко спросила Катя. — А что в это время будете делать вы? Как я объясню происходящее маме? А подругам? Послушайте, нам нужно найти другой выход!

— Я же говорила тебе, — подала голос Седа, выразительно глядя на брата. — Она нам не помощник.

«Что значит — не помощник?!» — возмутилась про себя Катя, но тут заговорил Артур:

— Катюша, мне ведь не на кого рассчитывать, кроме тебя. — Он виновато улыбнулся и развел руками. — Ты сама понимаешь...

— Когда тебе нужна была операция, Артур не думал о том, что ему делать, — язвительно заметила Седа. — Он просто нашел деньги. Тебе же никто не предлагает проституткой работать...

Катя вскинула на нее темные глаза, и свекровь немедленно вмешалась.

— Седа! — строго одернула она дочь. — Что ты говоришь? Катенька, мы тебя не заставляем, конечно же. Просто просим. Ты умная девочка, легко найдешь работу. Нам нужно всего несколько месяцев переждать, а там вернемся в Ростов. Артур ведь для тебя старался, правда?

Смешанное чувство вины и благодарности не позволило Кате сказать свекрови, что все происходящее кажется ей нелепой постановкой, в которой она не хочет принимать участия. К тому же, подумав, она вынуждена была признать, что выбора у них нет. Если Седе и Диане Арутюновне, не говоря уже об Артуре, опасно выходить на улицу, то единственным человеком, который может зарабатывать деньги, является она сама, Катя.

Два дня она потратила на знакомство с районом, в котором они поселились. Это был северный район Москвы, выросший вокруг давно не работавших заводов, — бедный, с унылыми серыми домами-хрущевками, перемежавшимися такими же унылыми серыми девятиэтажками. В одной из этих девятиэтажек и находилась их квартира.

«Беспросветно», — вот как определяла Катя все вокруг: улицы, магазины, людей. Улицы были загазованные, грязные; магазины дешевые и грязные; люди хмурые и грязные. Октябрь выдался на редкость пасмурным, беспрестанно лили дожди, и листья под ногами образовали склизкую темную массу.

В двух продуктовых магазинах по соседству, куда наивная Катя попыталась устроиться, ее высмеяли. Так она выяснила, что есть все-таки необходимы прописка и медицинский полис. А также готовность к тому, что над ней будут смеяться.

Как получить первое и второе, подсказала опытная свекровь, и позвонив по объявлению, снятому с ближайшего фонарного столба, Катя стала владелицей свидетельства о временной регистрации где-то в Подмосковье и медицинской книжки со всеми необходимыми печатями.

Целыми днями она бегала по собеседованиям, о которых узнавала из газет. Везде требовался опыт работы, а в некоторых местах — исключительно московская прописка. Продавщица в цветочном ларьке, консультант в обувном магазине, уборщица в маленьком торговом центре, продавщица, на этот раз в хлебном отделе, секретарь в туристической фирме, консьержка в подъезде «крутой новостройки...» Повсюду она слышала отказ. От отчаяния Катя сунулась к молодому парню-таджику, подметавшему их улицу, и спросила, не нужен ли им еще один дворник, а точнее — дворничиха. Парень шарахнулся от нее в сторону, что-то пробормотал не по-русски и покачал головой. «Сомневается он, голубушка, в твоих способностях, — язвительно заметила про себя Катя. — И правильно. Как же ты с фальшивой пропиской улицу будешь подметать?»

Дома после безуспешных поисков ее ждали Артур, свекровь и Седа: первый заботливый, вторая оптимистичная, третья мрачная.

— Не расстраивайся, котенок, — обнимал жену Артур, ласково поглаживая ее по волосам. — Все получится. Пойдем, я тебе супчик разогрею.

Катя хлебала невкусный супчик, сваренный Седой, рассказывала о своих неудачах, смотрела на сочувственно кивающего мужа и ловила себя на мысли, что это она во всем виновата. Если бы она не упала, Артуру не пришлось бы занимать деньги у каких-то бандитов, и его не избили бы за то, что он не смог их вернуть с процентами в срок, и они не жили бы в чужой квартире, из которой может выйти только она. И не приходилось бы врать маме по телефону, что в Москве очень здорово, они с Артуром уже были на Красной площади, на Воробьевых горах и в Третьяковке, а завтра пойдут туда снова, потому что им очень понравилось.

Удача улыбнулась Кате неожиданно. На пятый день поисков она наткнулась на объявление о том, что фирме требуется курьер, хорошо знающий Москву. «Наличие машины не обязательно», — прочла Катя. Через час она ехала на собеседование на противоположный конец города.

А на следующее утро ехала тем же маршрутом — уже на работу.

— Ваша задача очень проста, — сказала ей полная дама, с которой Катя и встречалась для собеседования. — Вы будете развозить заказы по адресам. У нас большой сайт, люди заказывают детские игрушки, книжки. Вы приезжаете на склад, изучаете заказы — куда и что нужно везти, затем созваниваетесь с людьми — и в путь. Про квитанции и возврат товара Людочка вам объяснит. Люда!

Катя вставала рано утром, когда за окном еще было темно, собиралась, стараясь не разбудить мужа, быстро завтракала овсяной кашей и выходила из дома. Вокруг нее собирались маленькие ручейки таких же, как она, серых людей с капюшонами, закрывавшими глаза. У станции метро ручейки собирались в реку, с глухим шарканьем подошв стекавшую вниз.

Подземку Катя возненавидела после первой же поездки. Здесь оглушительно шумели поезда, и волна воздуха безжалостно срывала с головы капюшон; здесь стояли нищие с уродливыми лицами, а самые наглые ходили по вагонам, демонстрируя отрезанные и оторванные конечности; здесь так небрежно отталкивали ее от дверей вагона те, кто сильнее, словно она, Катя Викулова, была вещью, а не человеком. Здесь ее никто не замечал.

Толпа всасывала ее еще на ступеньках, ведущих в подземку, и не давала вырваться — несла с собой, проталкивала через турникет, заносила в вагон, прижимала к двери. Нельзя было выделяться из толпы. Когда Катя первый раз купила билет на десять поездок, в кассе ей выдали маленький твердый прямоугольник. Она повертела его в руках, пытаясь сообразить, что же с ним делать. Подошла к турникету, попыталась вставить билет. Ничего не получилось. Катя растерянно перевернула его, ощущая себя глупо — в конце концов, это же должно быть элементарно!

— Что встала, шалава иваньковская! — раздалось сзади, и Катю решительно оттолкнула толстая баба с двумя хозяйственными сумками. — Дай дорогу, дура!

Баба приложила свой билет к какому-то кругу, протиснулась через турникет, высоко подняв сумки, и припустила бежать к эскалатору. Древний старичок неподалеку ехидно усмехнулся, глядя на Катино лицо. Девушка повторила те же действия и прошла мимо загоревшегося зеленого кружочка, чувствуя себя оплеванной.

«Не выделяйся. Повторяй за остальными. Будь такой же, как и все».

Изо дня в день, с утра до вечера Катя перемещалась по городу, таская тяжелую сумку с заказами, выдавая игрушки и принимая мятые купюры. Но к концу рабочего дня, когда в сумке ничего не оставалось, ей казалось, что она такая же тяжелая, как и утром.

Глава 2

Лето 1984 года. Село Кудряшово

Что бы там ни кричала Фаина, Николай был не очень пьян. «Чего орать-то сразу... — возмущенно говорил он себе, спускаясь по склону оврага, — ругается, елки-палки! Выпил с мужиками, само собой. Так не напился же, а выпил! Тьфу, дура!»

Возмущение Николая было тем сильнее, что все-таки пил он не просто так, в честь дня граненого стакана, а за собственный день рожденья. Двадцать пять лет! Святая дата, елы-палы! Мужик родился, да не чужой, а ейный собственный, а Файка, баба глупая, простой вещи понять не хочет: отмечать такое дело надо не с женой и соседями, а с друзьями!

Но Фаина понимать мужа не хотела и за пьянку с Михаилом Левушиным и Колькой Котиком закатила ему такой скандал, что у Николая до сих пор в ушах звенело. Он терпел ее вопли, терпел, затем плюнул и ушел из дому.

Он брел по лесу, в котором уже сгущались сумерки, и от запаха мха и лесной земли, казалось, пьянел еще сильнее. Свернул с широкой тропы, вдоль которой переплетались листья черники, на узенькую, еле заметную тропку и побрел, раздвигая ветки, в сторону Марьиного омута, названного так из-за утопшей в нем много лет назад девицы Марьи.

— Издалека до-о-олго... Течет река Во-о-олга... — пел Николай, но вечерний лес приглушал звуки, и собственное пение наконец показалось ему настолько неуместным, что он замолчал. Тропинка пропадала в траве, потом появлялась снова, словно играя с ним, и ветки пару раз хлестнули его по щекам. Он с изумлением обнаружил, что солнце уже село («И когда успело-то? Вроде до заката еще пара часов оставалась») и на небе повисла луна — белая, круглая. «Во дубина, — подумал про себя Николай с раздражением. — Чего в лес-то поперся на ночь глядя? Перебесилась бы Файка, сейчас бы уже ужином кормила».

Он остановился в задумчивости, пытаясь вспомнить, зачем он вообще отправился к омуту, и уже совсем было решил повернуть обратно, как вдруг почувствовал по неуловимым признакам, что вода близко. Нерешительно сделав пару шагов, Николай раздвинул кусты бересклета и оказался на берегу Марьиного омута.

Черная гладь казалась матовой. На другом берегу стрекотали кузнечики, но там, куда вышел Николай, стояла тишина — тем более непривычная, что до того вечерний лес был наполнен звуками. Ивы опускали тонкие ветви к самой воде, и пронзительно-тонко пахло незнакомыми Николаю цветами.

Темное зеркало омута манило, притягивало к себе. Он спустился к самой воде и уселся в мокрую от вечерней росы траву, прищуриваясь на противоположный берег. Омут был большой, и хотя рыбачить в нем никто не рыбачил — река Голубица протекала в трех километрах, и рыба в ней водилась знатная, — ряской он не затянулся.

— Болото-болотом, — протянул Николай. — А ряски-то и нету...

Он вспомнил, как мальчишкой бегал к омуту с другими пацанятами и как отец выдрал его ремнем, узнав, что они купались в нем.

— С ума сошел! — причитала мать, бегая вокруг отца, стоявшего с ремнем в руке. — Хочешь, чтобы утопленница тебя за ноги схватила, под воду утащила? Смерти моей хочешь? Чтобы рыбы тебя под корягами объели?

Маленький Колька, крепко прижатый к лавке огромной отцовской рукой, представил собственное белое тело, объеденное рыбами, и его охватил такой ужас, что он заревел в голос.

— Да отпусти ты его, — сказала мать отцу совсем другим тоном. — Вишь, кажись, понял.

Его приятелям тогда тоже попало, и наказание крепко отбило у них охоту купаться в Марьином омуте. А без купания какой интерес? Никакого, тем более что рядом речка — хоть и маленькая, но с быстринами, крутыми берегами, с которых так здорово прыгать в холодную воду, с крупными раками, которых можно доставать из глубоких черных нор. А когда Николай вырос, он и думать забыл об омуте — подумаешь, лужа и лужа, хоть и большая. И что его сейчас сюда понесло?

— Пойду, пожалуй, — сказал он вслух, поднимаясь.

На поверхности пруда что-то блеснуло, а затем по воде разбежались морщинки. Кузнечики на другом берегу притихли.

— Ветер, — недоверчиво проговорил Николай, наклоняясь к поверхности и всматриваясь.

По воде прошла еле видная волна. Он поднял глаза — ветки ив не шелохнулись.

— Рыба? — предположил он, зная сам, что не прав. «Ерунда. Рыба такую волну не пускает».

Водоворот чужих желаний

С новой силой застрекотали кузнечики, так что он вздрогнул от неожиданности, и, подпевая их слаженному хору, под ивами раскатисто заквакали лягушки. Волна запаха от цветов накатила на Николая, и он помотал головой, пытаясь избавиться от наваждения. Какие цветы? Какой запах? Вечер безветренный, ни листочка не шелохнется. Но аромат не исчез — только теперь стал не тонким, а навязчиво-сладким, тяжелым, дурманящим.

«Искупаюсь, — решил Николай и начал раздеваться. — Что я — мальчишка малой, что ли?»

Он стащил рубаху и остановился. «Да что ж это я делаю-то, а? Куда с пьяных глаз купаться собрался?»

— Совсем задурили мне голову, — вслух сказал он, чтобы прогнать наваждение: притягивающий к себе черный омут, в середине которого медленно кружится водоворот, а в нем — белый ароматный цветок. — Чубушник, что ли, где цветет?

Под ноги ему плеснула волна, и на другой стороне омута раздался негромкий смех. Смеялась женщина.

У Николая подогнулись ноги. Вцепившись в ворот собственной рубахи, он опустился на траву, и в свете вышедшей из-за облака луны увидел женский силуэт под ивами. Женщина снова рассмеялась, изогнулась и ушла в черную воду с головой. В ветвях ивы засветились призрачные голубоватые огоньки.

Николай попытался отползти от берега, но тело не слушалось. Замерев, он следил за неподвижной гладью воды, пытаясь убедить себя в том, что ему все привиделось.

— Что, загляделся? — раздался низкий голос от зарослей рогозника в пяти шагах от него.

Она уже была там — плескалась в воде: темноволосая, с яркими зелеными глазами, цвет которых он различал даже в темноте. Глаза широко расставленные, бесовские, с диким огоньком, брови — дугой, нос тонкий, а губы пухлые, алые. Отдаленно напоминала она Оксану, жену соседа Гришки Копытина, на которую мужики со всего села заглядывались, но Оксана была недотрога, а эта, казалось, зовет к себе, просит ласки. «Красота-то какая... С ума сойти можно от такой красоты». Страх его вдруг испарился, словно и не было, и Николаю неудержимо захотелось нырнуть к ней в омут.

— Загляделся, — хрипло ответил Николай, жадно вглядываясь в лицо женщины. — Уж больно ты хороша!

Над водой снова раздался негромкий смех, затем всплеск, как от удара веслом, — и темноволосая красавица подплыла чуть ближе.

— А ты не боишься, а? — Она играла, заманивала его в свой омут, дразнила белым цветком с дурманящим запахом. — Не боишься меня, милый?

Николай не отводил от нее взгляда. Колдовские глаза манили, губы, сложившиеся в насмешливую улыбку, были такими красными, словно она ела вишню, и сок стекал по ним. «А кожа-то какая белая... Как цветок». В голове у него помутилось, он не понимал ничего, кроме одного: сказала бы сейчас, что поцелует его, так полез бы за ней хоть в омут, хоть к самим чертям.

— Не боюсь. За такую красавицу, как ты, все бы отдал.

— И жизнь бы отдал?

— И жизнь, — не задумываясь, кивнул он.

Зазвенел смех, и женщина бесшумно нырнула снова — только круги пошли по воде.

Вынырнула она на середине пруда — покачалась немного на воде, поводила тонкой белоснежной рукой вокруг себя. Волосы вились вокруг прекрасного лица, словно водоросли.

— А ты мне нравишься. — Она говорила негромко, но Николай различал каждое слово. — Не боишься меня... И смерти не боишься. Хотя что ее бояться! Правда?

— Правда! — подтвердил Николай, готовый согласиться со всем, что она скажет.

Странная улыбка пробежала по ее лицу, и женщина тряхнула головой.

— Вот и хорошо. А жизни — жизни ты не боишься? — В голосе ее появилась непонятная тоска, и Николай задумался, прежде чем ответить.

— Жизни-то? — переспросил он. — Пожалуй, что боюсь немного.

— А чего ты боишься, милый?

— Боюсь, что как-нибудь станется не по-моему, а я и сделать ничего не смогу, — он чувствовал, что неуклюже выразил то, что хотелось, но иначе не мог.

Впрочем, женщина поняла.

— Ах, вот значит, как... А хочешь, я тебе помогу? Я сегодня добрая, хорошая, мне хочется славное дело сделать. — Она глуховато рассмеялась, в глазах снова промелькнули зеленые огоньки.

Николай не понял, как она может ему помочь, но кивнул.

— Только тебе и самому придется потрудиться. — Голос с середины пруда становился тише, так что Николаю теперь приходилось прислушиваться, чтобы разобрать слова. — Запомни меня. Запомни, слышишь?

— Вернись! — взмолился он.

Луна зашла за облака, и он больше не видел ее лица — только силуэт на воде.

— Запомни! — прозвучало снова, но он не был уверен: просит ли об этом прекрасная темноволосая женщина с зелеными глазами, или ему только чудится.

— Я запомню, — пообещал он, ощущая, что вдруг стало тяжело дышать. — Только не уходи сейчас, дай еще на тебя посмотреть, хоть секундочку!

В следующий миг она вынырнула из воды возле него, и Николай, вздрогнув, наклонился к ней. Обхватив его за шею холодной рукой — он чувствовал, как стекают капли воды по спине, — она зашептала ему в лицо:

— Посмотрел? Нарисуй меня такой — красивой. Или из глины слепи. А еще лучше — из дерева вырежи. Дерево — оно живое, всю красоту мою сохранит. Запомни, милый: если я у тебя буду, то любое желание выполню.

«Выполню, выполню, выполню...» — отдавалось у него в голове.

Губы близко-близко, белоснежная кожа пахнет тиной, и глаза — как омуты.

— Хочешь — возьми молодую иву, что на том берегу, а старую не трогай. Молодая тебе нужна...

«Нужна, нужна, нужна...» Сладкий запах обволакивает, мысли в голове путаются, и белый цветок уже не манит на середину омута, а отражается в зеленых глазах.

— Только смотри, сделай меня красивой! Получится — загадывай, что хочешь...

«Хочешь, хочешь, хочешь...»

Цветок закрутился, завертелся бешено, вдруг стал огромным — больше луны, больше омута — и опустился на Николая, словно закрыл его белым сладким одеялом. Холодные руки отпустили его шею, и, вскрикнув, он упал без сознания на росистую траву.

— Слышь, Рай, Колька-тракторист что вытворяет?

— Файки-счетовода муж? Не, не слышала.

— Говорят, до того напился вчера, что жена его только под утро отыскала. В лесу валялся под кустами да кричал чего-то непонятное!

— Ой, попадет ему от Михал Дмитрича!

— Может, обойдется. Все ж выходной сегодня, прогула у него нету. Да и праздник у парня как-никак. Ой, а Фаина-то его по мордасам отлупила, слышала?

— Да ну?!

— Вот тебе и «да ну»! Отходила, говорят, ветками, так что теперь Колька и на улицу показаться не может — вся рожа располосована.

— Пойду Машке Кропотовой расскажу, она небось и не слыхала. Ох, мужики-мужики... Знают, что водка до добра не доводит, — и все равно пьют! Колька, поди, сейчас похмельем мается.

Николай Хохлов не маялся похмельем. Голова его была ясной, и вот уже два часа он занимался очень странным, с точки зрения его жены, делом: вырезал из дерева какую-то игрушку.

Для этого он сходил к Марьиному омуту, срубил молоденькую иву, притащил домой, обтесал от веток и долго рассматривал оставшийся обрубок. Наконец, пробормотав что-то себе под нос, отрубил самую широкую часть и начал вырезать.

Фаина ходила вокруг мужа кругами, но Колька — исключительный случай! — на ее упреки не реагировал, а только молчаливо кивал, и лицо у него было замкнутое и отрешенное. Сплетники врали: ни под каким кустом Фаина Николая не находила и ветками его не хлестала, поскольку повода не было: муж пришел домой хоть и поздно, но сам, разговаривать с супругой не стал и сразу лег спать, отвернувшись к стене.

И вот с утра занимался сущей ерундой, пользуясь тем, что на работу не нужно идти.

— Как будто у него по дому дел нет! — громко ворчала Фаина. — Заняться ему нечем: нашел себе игрушку! В детство впал от водки, что ли? Машинку себе стругаешь?

Николай не отвечал. По совести говоря, его молчание и необычное поведение начали настораживать жену: вместе они прожили три года, и Фаина прекрасно знала, что муж за словом в карман не лезет.

— Коль, ты чего делаешь-то, а? — более миролюбивым тоном спросила она, тихонько подходя сзади и рассматривая фигурку женщины. — Господи, никак портрет мой?

Фаина расхохоталась, но подавилась смехом, поймав взгляд мужа. Тот резко обернулся и смотрел на нее взглядом не то презрительным, не то злым.

— Чего это ты на меня так вылупился, а? Чего? Сидит, бабу строгает, еще огрызается!

Николай спрятал заготовку в карман, собрал инструменты и ушел на дальний двор — за погреб. Фаина только головой покачала — нет, вы посмотрите на него!

За погребом он достал фигурку и долго вглядывался в нее. Затем продолжил работать — увлеченно, самозабвенно, забыв обо всем. Николай отродясь ничего не вырезал и не замечал за собой таких способностей, но в это утро в него словно вселилось что-то: он чувствовал дерево, и ему казалось, что нож сам движется в его руках. Он знал, где нужно снять слой толще, а где тоньше, как провести линии, чтобы появились очертания лица. Николай видел, что кукла получается грубоватой, что нос еле намечен, а глаза, наоборот, чрезмерно усилены, вырезаны глубокими провалами — но это было не важно. Самое главное, что в фигурке начало проступать сходство с ночной красавицей, и с каждым движением руки оно становилось все явственней.

Николай пропустил обед, отмахнувшись от жены, — сейчас он воспринимал ее как почти незнакомую назойливую бабу, мешающую закончить фигурку, — никак не отреагировал на появление Мишки Левушина, пришедшего разузнать, как дела у приятеля. Николай краем уха слышал доносившиеся до него отголоски скандала — Фаина визгливо выговаривала Левушину что-то об алкоголиках и смерти под забором, — но они задевали Хохлова не больше, чем гавканье собак через пять дворов. Единственное, что имело значение, — фигурка в его руках. Она оживала. Линии ее тела были почти совершенны. Он чувствовал, что получается то, что должно получиться, и его охватывало странное ощущение счастья и тоски одновременно.

К вечеру он закончил. И первый раз за весь день поднял голову, огляделся вокруг.

Солнце садилось, и от деревьев протянулись длинные тени. Вдалеке на дороге мычали коровы, и слышалось пощелкивание кнута Васьки-пастуха.

— Коров гонят… — протянул Николай. — Это ж который час?

— Да не гонят, а пригнали! — Из-за погреба показалась Фаина. — Я уж и Зорьку подоила, пока ты тут… баловался.

Поведение мужа испугало Фаину, и она, подумав, решила не продолжать ссору. Кто его знает, чего ему в голову взбредет!

— Мне-то покажешь, что сделал?

Голос у жены был веселый, почти ласковый, и Николай, поколебавшись секунду, протянул открытую ладонь с лежащей на ней фигуркой.

— Русалка?! — Фаина не верила своим глазам. — Колька, ты что, весь день русалку вырезал?

Ответ был очевиден: на ладони мужа лежала деревянная фигурка русалки — длинные волосы, изгибающийся кверху рыбий хвост, тонкие руки, которыми женщина-рыба обнимала себя. Фаина взяла фигурку, Николай, к ее удивлению, безропотно отдал результат своей работы.

Жена смотрела на игрушку. Нет, это была не игрушка! На первый взгляд грубоватая, маленькая деревянная скульптура поражала красотой и силой, исходившей от нее. В ней чувствовалось что-то языческое — выразить это словами Фаина не умела, хотела сказать «древняя», но споткнулась на полуслове. От русалки пахло свежим деревом и почему-то едва уловимой нежной сладостью.

— Зачем она тебе? — спросила Фаина наконец. — На выставку, что ль, какую?

— Выставку? Да нет, это я так... для себя.

Он протянул руку, и Фаина с большой неохотой отдала фигурку. Она сама не могла объяснить, что ей не нравится, но чувствовала себя так, будто в ее доме появилась чужая баба — молодая, красивая, наглая.

— А ты, оказывается, по дереву вырезать умеешь. Не знала. Руки-то, Коль, у тебя золотые... — Фаина попыталась подластиться к мужу, но тот не ответил: все разглядывал свою русалку. — Смотри, приревную, — полушутя-полусерьезно пригрозила она.

Николай рассеянно глянул на нее, кивнул и пошел к дому.

— Ужинать когда будем? — крикнул он от дверей. — Есть хочется.

— Да вот сейчас и будем, — пробормотала в ответ жена, думая о странной скульптуре. «Ох, не к добру Колька затеял все это».

«Если буду я у тебя — любое желание выполню...»

На село опустилась ночь. Николаю не спалось. Жена уснула, и он осторожно встал, подошел к открытому окну, из которого тянуло ночной прохладой.

— Куда, Коль? — недовольно пробормотала сонная Фаина.

— Спи. Покурить захотелось.

Оделся и вышел на крыльцо. Сторожевой Черныш удивленно поднял голову, посмотрел на хозяина, глухо проворчал и снова положил лобастую башку на лапы.

— И ты спи, — сказал ему Николай, доставая из кармана русалку. «Вот ведь... придумал себе глупость...»

Водоворот чужих желаний

«Разве глупость? — спросил внутренний голос. — Ты ж ее видел своими глазами».

— Так коли глаза были пьяные, много ли с них спросу?

«А как обнимала она тебя — помнишь? Или тоже спьяну почудилось?»

Ощущение холодных рук на своей шее Николай помнил очень хорошо.

— Желанница ты моя... — прошептал он, проводя пальцем по волосам деревянной русалки. — Как проверить-то, а? Как?

Он задумался. Дожив до двадцати пяти лет, Николай имел желания простые и в целом легко осуществимые: чтобы еда была, когда кушать хочется, чтоб было, что выпить с мужиками, да всегда хорошая баба под рукой. Ну, неплохо, конечно, если б работы было поменьше, но Николай понимал: без работы — никуда. Да и машины он любил с детства, а к трактору своему относился едва ли не лучше, чем к жене.

Получалось, что все его желания уже исполнены.

— Как же так? Неужели мне и хотеть нечего? Так не бывает.

Он снова провел рукой по деревянной фигурке и, едва пальцы коснулись ее лица, вспомнил. Оксана! Оксана Копытина, красавица неприступная — вот кого он хотел. Файка ее ненавидела, даром что соседки, запрещала Кольке и голову поворачивать в ее сторону, но дурного слова сказать не могла: все знали, что Оксана своему Гришке не изменяет и держит себя с мужиками строго. Ни глазками поиграть, ни ресницами взмахнуть, ни повернуться игриво.

— Ну, русалка моя, выполняй обещание, — попросил Николай, и веря себе, и не веря. Поднес фигурку к губам и шепнул: — Хочу, чтобы Оксана согласилась... — И несколько слов совсем уж тихо пробормотал.

Ничего не случилось. Николай усмехнулся, покачал головой и сделал несколько нерешительных шагов в сторону соседского дома. Черныш направился было за ним, но хозяин шикнул на него и, как только пес вернулся на свое место, быстро пошел в глубь двора.

Несколько минут спустя он уже стоял возле задней калитки Гришкиного двора. Открыть ее не составило труда — у Копытиных он бывал не раз. Без единой мысли в голове Николай приближался к темному дому, крепко сжимая в руке деревянную русалку.

Лай, раздавшийся слева, чуть не заставил его пуститься в бегство, но тракторист вовремя опомнился. Зверь был в двух шагах от него и уже готовился прыгнуть, но тут Николай негромко позвал:

— Раздор, Раздор!

Тот застыл на месте, наклонил черную голову и с подозрением смотрел на человека.

— Да ты что, Раздорушка, не узнал меня? Иди, иди, обнюхай. Вот молодец, вот хороший пес! Тихо, тихо, не шуми.

Появление собаки привело Николая в чувство. «Как же я забыл про Раздора-то, а? Во дурак! Ох и хорош бы я был, если б он меня искусал. Мое счастье, что сам Гришка из дому на лай не вышел».

От этой мысли у Николая пробежал по спине холодок. Здравый голос рассудка приказал ему немедленно уходить, приласкав на прощанье чужого сторожевого пса, по глупости и лености не искусавшего соседа, нарушившего неприкосновенность территории. Стоило Николаю принять такое решение, как дверь дома открылась, и на крыльцо шагнул человек.

Только осознание того, что собака все же бросится на него, если он побежит, остановило парня — первым его побуждением было метнуться к калитке. Вышедший человек сошел со ступенек и направлялся в их сторону; Раздор, помахивая хвостом, стоял на месте, и Николай решился: потрепал собаку за ушами, подтолкнул ее к дому — мол, беги, возвращайся — и бесшумно, стараясь не выходить на освещенные луной участки, отбежал к кустам смородины и присел за одним из них. Русалка оттягивала карман, и Николай ругался матерными словами и на себя — за глупость, и на нее — за обман.

Человек подходил все ближе, пока не остановился неподалеку от кустов. «Ой, выдаст меня Раздор, — с тоской и страхом думал тракторист. — Придумать бы хоть что-нибудь...»

Придумать он не успел.

— Раздорка, зачем шумел? — спросил нежный женский голос. — Что случилось, а?

Пес подошел к хозяйке, обернулся на кусты.

— Зачем меня разбудил? Шалишь? Или...

Оксана осмотрелась вокруг, но ничего подозрительного не заметила. Тихий ночной ветер пробежал по кустам, шурша листвой, и она с удовольствием подставила ему лицо.

— Хорошо-то как! — невольно выдохнула она, а в следующую секунду заметила мужчину, поднимающегося из-за куста смородины.

Оксана негромко вскрикнула, но мужчина шагнул на освещенную луной тропинку, и она узнала соседа, Николая-тракториста. Он молча смотрел на нее — рубашка расстегнута, штаны перепачканы в земле, в руке крепко сжимает что-то. Короткие светлые волосы взлохмачены, как шерсть на загривке у Раздора.

— Коля, ты что здесь? — тихо спросила Оксана и тут спохватилась, что сама она в одной ночной рубашке, даже платок сверху не накинула. — Ой!

Она испуганно отступила назад, не сводя глаз с приближающегося соседа. Что-то странное было в его лице... и то, что он молчал... Второй порыв ветра принес с собой сладость — у кого-то из соседей вовсю благоухали цветы, и она глубоко вдохнула зачаровывающий, тревожащий запах.

Почуяв что-то, Раздор глуховато заворчал, но хозяйка провела рукой по его спине, и он успокоился.

— Тише, тише, — шепнула Оксана.

Сосед уже был рядом с ней — высокий, красивый, непривычно незнакомый в свете луны. Она молчала, только попыталась прикрыть руками грудь, которую почти не скрывала легкая ночная рубашка. Николай убрал в карман то, что до этого сжимал в руке, неторопливо, но властно отвел ее руки, мягко провел ладонью по белоснежной коже, обнажил полную, красивую грудь. Оксана стояла не двигаясь, вдыхая его запах, словно опьянев от ночи, ветра, аромата цветов и мужчины, ласкавшего ее. Он снял с нее рубашку — или она сама сняла ее? — сбросил свою — или она раздевала его? — мягко заставил опуститься вниз. Ощутив сильное мужское тело, Оксана закрыла глаза и негромко застонала, выгибаясь.

Раздор постоял немного, глядя на белые обнаженные фигуры людей и прислушиваясь к их стонам, и, зевнув, улегся на траву.

Когда Николай вернулся домой, его трясло мелкой дрожью. Усилием воли он заставил себя успокоиться хотя бы внешне, но внутри бушевала буря.

«Получилось! Все получилось!»

Он не мог выпустить из рук русалку, все поглаживал фигурку, а в памяти всплывала Оксана с запрокинутым лицом, полуоткрытыми влажными губами.

«Сбылось! Только загадал — а оно сразу же и сбылось... Господи, вот счастье-то привалило. Вот счастье-то...»

Он поглядел на мирно спящую Фаину — полноватую, с русыми волосами, выбившимися из косы, которую она всегда заплетала на ночь. Некстати вспомнилось ему, как яростно она требовала называть ее бухгалтером после того, как Нина Никитична взяла ее помощницей в бухгалтерию сельсовета, и очень обижалась на «счетовода».

«Пообижайся еще на меня, — злорадно думал Николай, — Мигом загадаю что-нибудь... эдакое. Я теперь все могу! Все, что ни захочу, — все сбудется! Эх, жизнь-то настанет красивая, счастливая. Хотя вроде бы она и сейчас неплохая...»

Он сел возле окна и задумался. Жизнь у него, как ни крути, и в самом деле неплохая. На первый взгляд. Мужик он молодой, красивый. Дом есть, жена имеется, с кем выпить — тоже. Чего еще можно пожелать? Чтоб председатель лаялся меньше? Чтоб Фаина стала поспокойнее, перестала его под каблуком держать? Чтоб отец с матерью скандалить, наконец, прекратили? Так они люди взрослые, сами разберутся. Может, чтоб Файка мальчишек ему родила? Так это и без всяких желаний осуществиться может, дело нехитрое.

Смутно казалось Николаю, что думает он не о том, и от этого он сердился на самого себя. «Неужели нечего мне загадать русалке? Получается, я счастливый человек?»

«А тебе нравится, как ты живешь? — шепнул неясный голос внутри. — И ты ничего не хотел бы поменять? Так до старости и хочешь — с утра до вечера на тракторе, с вечера до утра — на Фаине? И все?»

Николай поднял глаза — небо начинало светлеть, над горизонтом пролегла светло-золотистая полоса. Длинное розовое облако замерло над ней. Ему представилось, что он плывет на корабле и видит очертания незнакомой земли, и его охватило необычное чувство — что-то сродни упоению жизнью, какое он испытывал подростком и давно уже позабыл. Он представил себе вышину, на которой жило облако, и неожиданно осознал, как убоги его желания, ограниченные представлениями о родном селе и колхозе, в котором он работал с утра до вечера.

— Антарктида, — произнес Николай запомнившееся еще со школы, пробуя слово на вкус и ощущая в нем ледяную колючесть снега. — Гренландия.

Деревянная русалка нагрелась в его руке и своей тяжестью напоминала о том, как быстро сбылось загаданное им всего несколько часов назад. Границы его мира раздвигались, и хотя Николай и не мог оформить свою мысль в слова, но понимал — можно загадать желание, которое перевернет всю его жизнь. Всю!

— Эверест покорить, — бормотал он, не отрывая глаз от облака. — Бросить все, уехать, зажить новой жизнью.

«А Фаина? — спросил внутренний голос. — А Мишка Левушин? А мать, отец?»

Николай задумался, но только на секунду, и этой секунды ему хватило, чтобы понять: он готов бросить их всех, выкинуть из головы, зажить так, как и должен жить мужик — чтобы дело было стоящее, мужицкое, чтобы бабы вокруг падали, чтобы деньги текли рекой. И не один колхоз при селе Кудряшове знал Николая Хохлова, а многие сотни людей. Да что сотни — тысячи!

«А что плохого? — горячо говорил он самому себе. — Славы хочется? Так кому ее не хочется! Ведь дожил же я до двадцати пяти лет, ни о чем таком не думал, и тут — на тебе! Может, затем оно все и случилось, чтобы я прославился, знаменитым человеком стал? Разве я не могу? Могу ведь! Могу!!!»

Первый раз за все время, прошедшее со встречи возле Марьиного омута, Николай улыбнулся, и в его улыбке было предвкушение счастья.

Глава 3

Когда она вышла из подъезда, Илюшин окончательно уверился в том, что никакой ошибки не было. Зинаида Яковлевна Белова, которую все считали погибшей, стояла возле дома с ведром в руке, живая и, по всей видимости, невредимая.

Ей было около шестидесяти. Полное одутловатое лицо, которое хорошо помнил Макар, и в самом деле мало изменилось за пятнадцать лет — только постарело и еще больше располнело. Жидкие седые волосы заколоты ободком, на ногах — разношенные уличные тапочки, на спортивную куртку сверху для тепла надета шерстяная кофта. «Для журналиста она принарядилась, потому и выглядела хорошо, — понял Макар. — А теперь вернулась к привычной одежде».

— Зинаида Яковлевна! — позвал он, выходя из тени дерева.

Она вздрогнула, испуганно посмотрела на него. А затем недоумение в ее взгляде сменилось узнаванием, и Белова сделала то, чего Илюшин совершенно не ожидал, — отбросив ведро с загремевшим в нем совком, тяжело и неуклюже побежала обратно к подъезду.

Секунду Макар, замерев, смотрел ей вслед, словно увидел что-то неприличное, а затем рванул за ней.

Елена Михалкова

И не зря — Белова успела набрать код на двери и уже пыталась открыть ее. Когда она услышала шаги за спиной, то вскрикнула и обернулась, прижавшись спиной к захлопнувшейся двери и выставив перед собой руки, словно защищаясь от удара.

— Здравствуйте, Зинаида Яковлевна, — сказал запыхавшийся Макар, останавливаясь в шаге от нее. — Вижу, вы меня узнали.

— Иди... — прошептала она. — Иди отсюда! Не знаю тебя, никогда не видела!

— Видели, видели. Напомнить, когда? Когда я вам одежду отдавал в институте каждое утро. Я — друг Алисы Мельниковой, которую убили в девяносто третьем году. Помните ее, Зинаида Яковлевна? А как ее убивали, помните? Как ее ножом ударили?!

Она отчаянно замотала головой. Ободок слетел. Макар, не задумываясь, наклонился, чтобы поднять его, и Белова внезапно обрушилась на него сверху всем весом — вслепую замолотила по его голове кулаками, прижимая Илюшина к асфальту. Тот вывернулся, и женщина упала и осталась сидеть, всхлипывая и прижимая руки к лицу.

— Это вы убили Алису? — спросил Макар, вытирая кровь, закапавшую из носа, — Зинаида Яковлевна исхитрилась сильно ударить его по переносице.

Он не удивился бы, если б Белова кивнула в ответ. Он уже ничему не удивлялся. Бабкин выяснил, что старик-инвалид, свидетель преступления, давно умер, а значит, они не могли проверить, правду ли он сказал Илюшину. Теперь, увидев гардеробщицу живой, Макар не исключал, что вся история с бандитами и случайными жертвами оказалась выдумкой.

— Уйди, а? — попросила женщина. — Не убивала я никого! Уйди!

— А кто убил? — Илюшин присел рядом с ней на корточки. — Зинаида Яковлевна, кто убил Алису?

50

И как вы остались живы? Кстати, вас по-прежнему зовут Зинаидой Яковлевной?

Она бросила на него взгляд, в котором страх смешался с ненавистью, и Макар не выдержал.

— Или вы рассказываете мне, как было дело, — сухо сказал он. — Либо я сдаю вас милиции. Пойдете соучастницей преступления.

Он не очень верил в то, что слова о соучастии подействуют. Но оказался не прав.

— Нет... не было никакого соучастия, — выдавила Белова сиплым голосом. — Я их боялась... думала, что убьют. Потому и уехала.

— Кого вы боялись?

— Их... Всех троих. С них бы сталось. Они с детства...

— Кого?!

Белова перевела взгляд Макару за спину, лицо ее исказилось, и она начала медленно заваливаться на бок. Губы ее посинели, руки судорожно дергались, пытаясь найти что-то рядом...

— Где лекарство? — быстро спросил Илюшин, наклоняясь к ней, но Белова уже ничего не могла ответить.

Быстро обхлопав ее карманы и убедившись, что никакого лекарства в них нет, Илюшин выхватил телефон и набрал номер «Скорой помощи».

— У нее сердечный приступ, — сообщил Макар, вернувшись из больницы, куда увезли Белову.

Бабкин нахмурился, покачал головой.

— И она ни при чем, — добавил Илюшин.

— Почему ты так решил?

— Она всех панически боится. А больше всего — тех, кто убил Алису.

— Подожди... Ты говорил, что все участники банды погибли.

— Вот то-то и странно. Я не успел ничего узнать у Беловой, но одно очевидно: она знала нападавших. Ска-

зала, что с них бы сталось, потому что они с детства...
А что с детства, сказать не успела. Понимаешь?

Сергей кивнул:

— Это могло бы объяснить, почему ее оставили в живых. Она знала убийц, и по какой-то причине те ее пощадили.

Он походил по комнате, раздумывая, затем повернулся к Илюшину, сидевшему с непривычно серьезным выражением лица.

— Надо поднимать архивные материалы по той банде, — сказал он. — И узнавать, где жила и чем занималась Белова. Этим я займусь. Извини, Макар, тебе придется пока ждать результатов — это будет не скоро.

Илюшин помолчал, поднял на Сергея серые глаза.

— Спасибо, Серег. Я тебе очень благодарен. Чем я могу помочь?

«Ты можешь стать прежним довольно вредным Макаром, — мысленно ответил Бабкин. — Говорить мне «мой неторопливый друг» и всячески подчеркивать свое превосходство. Мне, оказывается, легче иметь дело с таким Илюшиным, чем с тем, который сидит сейчас передо мной и проживает заново то, что случилось пятнадцать лет назад».

— Ты можешь вспомнить все, что знаешь о Беловой, — вслух сказал он. — Это пригодится при поисках.

. . . .

Получив в конце месяца зарплату и произведя нехитрые подсчеты, Катя почувствовала себя человеком, сражающимся со снежной бурей. Как будто мигом закрутило, завыло, темнотой заволокло небо, а она попыталась поставить перед метелью нехитрую преграду. Скажем, фанерку. И спрятаться за ней в надежде, что все обойдется.

«Лучше бы голову сунула в песок, как страус, — зло говорила себе Катя, плетясь очередным промозглым московским утром на работу. — Господи, что же придумать?»

Придумать что-то было необходимо, потому что денег, заработанных ею, еле-еле хватало на еду. Расписав вместе со свекровью предстоящие расходы, Катя ужаснулась: сколько же ей надо зарабатывать, чтобы обеспечить им жизнь? Мысль о том, что молодая девушка вряд ли может с первого месяца работы получать достаточно, чтобы прокормить, кроме себя, своего мужа и его родственников, не пришла ей в голову.

Седа предложила сэкономить на еде и покупать быстрорастворимые супы и каши, но Катя покачала головой: тогда спустя короткое время к их тратам добавится дополнительная — на врача. К тому же Артур — мужчина, ему нужно мясо. А еще они должны платить за электричество, купить ей, Кате, обувь, приобрести проездной... Как же люди выживают на такую зарплату?

— Тебе нужно найти другую работу. — Седа решала проблему просто. — И не транжирить деньги на орехи. Мы, в отличие от тебя, изюм с курагой не едим!

Катя потеряла дар речи. Дело было в том, что ей пришлось придумать, чем перекусывать на работе, чтобы к концу дня не терять сознание от усталости и голода. Обед в кафе по понятным причинам отпадал. Пару раз она пыталась покупать беляши у торговок, но после того, как ее чуть не стошнило от мерзкого запаха и вкуса жирного теста, с которого на пальцы стекало масло, отказалась от этой затеи. В конце концов Катя приспособилась: купила на развес орешки и сухофрукты, разделила на семь порций, разложила по пакетикам. Один пакетик, из которого она таскала свои беличьи припасы в течение дня, позволял ей не чувствовать себя голодной. Катя очень радовалась своей идеей и пару дней назад рассказала об этом мужу. Получается, Седа слышала их разговор.

— И чем же ты мне предлагаешь обедать? — спросила наконец Катя.

— Ты можешь брать с собой суп. Купи термос, вот и все.

Стряпню Седы Катя терпеть не могла, а перспектива самой варить суп, придя с работы, ее не прельщала. Представив же себя, сидящей на мокрой скамейке и хлебающей пластиковой ложкой суп из термоса, она засмеялась. Сестра мужа вскочила и быстро вышла из комнаты, хлопнув дверью.

Утром Катя брела к метро, размышляя, где еще можно заработать денег. При ее графике работы получалось, что больше негде.

— Антуанетта, не ходи туда, малышка, — услышала она и обернулась. — Там грязно, девочка моя.

В трех шагах от Кати бегала малюсенькая собачка, похожая на ожившую игрушку. Тельце ее укутывал малиновый комбинезон, волосики на голове были собраны в хвостик и перехвачены малиновой же резинкой. Лапки у собачонки дрожали, она нервно водила мордочкой и принюхивалась.

— Ах ты маленькая! — восхитилась Катя, присев на корточки возле игрушечного зверька. — Замерзла?

К собачке семенил такой же маленький и аккуратный старичок. Голова у него была вытянутая, как яйцо, и совершенно лысая. «И не холодно ему без шапки в такую погоду?» — подумала Катя.

— Антуанетта! — строго сказал он. — Ты опять нападаешь на людей?

— Что вы, она не нападает! — Катя не сдержалась и фыркнула, представив существо в малиновом комбинезоне нападающим на нее.

Собачонка ткнулась Кате в ладонь мокрым носом.

— Надо же, — удивился ее хозяин. — Здоровается! Вообще-то она у меня строптивая особа.

— А что это за порода?

— Йоркширский терьер. Подарили мне ее, и теперь не знаю, что делать. Требует прогулок два раза в сутки, мелочь эдакая! Хоть и маленькая, а все ж собака, тем более — терьерчик! Вечером я с ней гуляю, и даже не без удовольствия, но вот утром... — Старик поежился, сдержал зевок. — Хочется сидеть дома. Пить кофе, греть старые кости, а не ловить эту мадемуазель по всем дворам.

Собачка забавно сморщила нос и чихнула.

— Будьте здоровы, Антуанетта, — улыбнувшись, сказала Катя и встала, собираясь уходить.

— А еще все эти стрижки, тримминги, — продолжал ворчать старик. — Мастер для того, мастер для этого... Кормить ее, видите ли, надо особенным кормом! Витамины покупать и поводок не абы какой, а удобный! Но все бы ничего, если бы не прогулки.

— До свидания, — вежливо сказала Катя старику и кивнула собачке. — Может быть, еще увидимся.

— А вы где-то неподалеку живете?

— Вот в этом доме, в первом подъезде, — показала Катя и сразу испугалась, не сказала ли чего лишнего.

Тем более что старик наклонил голову и смотрел на нее с любопытством.

— Неужели? Отчего же я вас раньше не видел?

— Я только недавно переехала, — пробормотала девушка. — А не видели, наверное, потому, что я работаю. Утром рано выхожу из дома.

— И во сколько же вы выходите?

— Около восьми. — Голос Кати прозвучал сдержанно, потому что расспросы и вовсе перестали ей нравиться.

Старик помолчал, провел рукой в черной замшевой перчатке по своей лысине.

— А что вы скажете, если я предложу вам выгуливать Антуанетту? — неожиданно спросил он. — Найму вас, так сказать, на работу? А?

Опешившая Катя посмотрела на него. Хозяин собачонки не шутил.

— Будете забирать ее из моей квартиры, скажем, без двадцати восемь, и к восьми возвращаться. Но обязательно каждый день, и в выходные тоже!

— А... а сколько вы хотите платить? — осторожно спросила Катя.

— Сколько хочу? — старичок неожиданно расхохотался басом. — Я, конечно, нисколько не хочу. А вот сколько буду... Положим, тысячу в неделю. Вас устраивает?

Катя секунду подумала и кивнула. «Тысяча в неделю! Еще бы меня не устраивало!»

— Вот и отлично. Жду вас завтра, милая...

— Катя.

— Милая Катерина, в восьмидесятой квартире. Восьмой этаж. А подъезд ваш, разумеется. Я тоже там живу.

Он хихикнул, сделал прощальный жест рукой и, подхватив йорка, направился к дому.

Днем, доставив очередной заказ, Катя позвонила маме и вдохновенно наврала, что они с Артуром нашли в Москве институт, в который можно перевестись из ее собственного, ростовского. Мама удивлялась, ахала, не верила, но в конце концов дочь убедила ее.

— Ты там поосторожнее, в Москве-то, — попросила мать. — Как ты там? Так быстро уехала, звонишь раз в неделю...

— Мамочка, так дорого же! А тут столько всего интересного! Мне здесь очень нравится!

— Ну слава богу. Все, Катюша, деньги экономь. Звони сама! Целую.

— Целую, — повторила девушка в трубку, из которой уже неслись гудки.

Быстро идя по переходу метро, в котором под ногами хлюпала грязь, Катя повторяла про себя, как мантру: «Мне здесь очень нравится. Мне здесь очень нравится». Вокруг нее быстро шли серые люди, и лица идущих навстречу были такими же мрачными, как у тех, кому только предстояло спуститься в подземку.

Катю толкнули в плечо, и она выронила сумку. Клапан раскрылся, изнутри вывалились записная книжка, расческа, пакетик с остатками орешков и сухофруктов, ключи, еще что-то... Ахнув, Катя присела на корточки и принялась выуживать из грязного месива свои вещи. Мир вокруг нее теперь состоял из одних ног — некоторые огибали ее, некоторые не давали себе труда изменить маршрут. Кто-то прошелся по ее сумке, кто-то случайным движением ноги отшвырнул кошелек к стене...

— Да смотрите же вы, куда идете! — не выдержала Катя.

На нее никто не обратил внимания. Толпа двигалась в том же темпе, и Катя только пару раз поймала на себе брошенные вскользь безразличные взгляды. Собрав, наконец, все вещи и перепачкав куртку и джинсы, Катя отошла в сторону, сдерживаясь, чтобы не расплакаться. Что за мерзкий, равнодушный город! Что за отвратительные, равнодушные люди!

Проходящий мимо пожилой человек с удивлением взглянул на красивую темноволосую девушку, сжимавшую в руках перепачканную сумку и бормотавшую себе под нос:

— Я не стану такими, как вы. Я никогда не стану такими, как вы.

Диана Арутюновна потушила сигарету, открыла форточку. «Пусть проветрится. Катька придет, опять начнет нос морщить, а от нее слишком многое зависит, чтобы сердить девчонку по пустякам. Достаточно Седы — и так, бедная, еле сдерживает раздражение».

Диана Арутюновна тяжело вздохнула — она могла понять дочь, вынужденную сидеть взаперти целыми днями. Выехать никуда нельзя, прогуляться нельзя. Седа, правда, от безделья особенно не страдает, целыми днями волосы расчесывает да распевает или с братом болтает. Вот Артуру их добровольное заключение куда больше в тягость, но он парень взрослый, понимает: сам виноват, самому и расхлебывать.

— Ничего, ничего, — себе под нос пробормотала женщина. — Не так много времени нужно, а пока Тигран что-нибудь придумает.

Из окна она увидела группу подростков, стоявших возле подъезда. Черные куртки, капюшоны на головах. Один из парней поднял голову вверх, и она увидела неприятное лицо — с глазами, глубоко сидящими под надбровными дугами, кривым тонкогубым ртом. Подросток сплюнул, и Диана Арутюновна поспешно пряталась за занавеску.

«Слишком часто они стали здесь собираться. Хорошо, что Артур не выходит из дома».

«А Катерина?» — спросила ее собственная совесть.

«А что Катерина? Она русская, выкрутится, если пристанут. Убежит в крайнем случае».

Успокоенная этим соображением, совесть Дианы Арутюновны затихла.

Со следующего дня, а точнее, утра, Катя начала гулять с йоркширским терьером Антуанеттой, а попросту — Тонькой. Она специально зашла к хозяину собачонки пораньше, чтобы получить инструктаж, но старик тут же выпроводил ее на прогулку. Зато двадцать пять минут спустя Катя получила приглашение на чашку горячего кофе и с удовольствием приняла его. Заодно познакомилась ближе со своим новым работодателем.

Олег Борисович Вотчин представился коллекционером-любителем. Одевался он своеобразно: вельветовые брюки, коричневый замшевый пиджачок, шелковый платок песочного цвета вокруг короткой шеи, на которой сидела яйцеобразная голова. Лицо у Олега Борисовича было гладким, несмотря на почтенный возраст («Мне ведь, Катерина, шестьдесят восемь лет не так давно исполнилось»). Такой же гладкой была и блестящая лысина. Весь он напоминал перележавший на солнце кабачок, который потемнел, словно его покрыл загар, и нарастил толстую кожуру. «Кабачок в пиджачке», — подумала Катя, с интересом наблюдая за Вотчиным.

Он был очень подвижен, быстро перемещался по квартире и требовал, чтобы Катя ходила за ним со своей чашкой кофе. Катя охотно согласилась и слушала Олега Борисовича, открыв рот. Таких квартир она никогда не видела. На стенах висели картины — без всякого порядка, без подсветки, и Вотчин то и дело хватал одну из них со стены, подносил к окну и что-то показывал, горячо объяснял. Многочисленные полки были заставлены статуэтками, расписными блюдцами и блюдами, шкатулками, фигурками необычных зверей и птиц... В одной комнате вся стена была увешана иконами в темных окладах, и Катя, приглядевшись, поняла, что иконы очень старые.

— Откуда у вас это все, Олег Борисович? — спросила она.

— Собирал, Катерина, долгие годы собирал! Я ведь эксперт по реставрации памятников архитектуры периода... А впрочем, вам это неинтересно.

— Что вы, как раз наоборот! Очень интересно!

Она взглянула на часы и спохватилась: пора выходить. Заметив ее взгляд, старик понимающе закивал.

— Я вас совсем заболтал. Если завтра зайдете чуть пораньше, покажу вам кое-что очень, очень интересное. Ручаюсь, многих вещей вы не только никогда не видели, но даже и не представляли, что такие бывают.

Уже в дверях Катя вспомнила кое-что и обернулась.

— Олег Борисович, а вы не боитесь показывать мне вашу коллекцию? Ведь вы меня совсем не знаете, только вчера встретили... И сразу предложили с Антуанеттой гулять. А вдруг я мошенница? Недобросовестный человек?

Тот рассмеялся и пренебрежительно махнул рукой.

— Да что с того, что только вчера! У вас, деточка, все на лице написано. Я, уж простите за нескромность, научился в людях разбираться за целую жизнь. А если бы и не научился...

Он сделал эффектную паузу.

— Тогда что? — не выдержала девушка.

— Тогда она бы мне обо всем рассказала.

Он кивнул вниз. Под ногами у Кати стояла Антуанетта и смотрела на нее выпуклыми карими глазами.

— До завтра, ваше высочество, — Катя наклонилась и погладила шелковистую шерстку.

— Бегите, бегите на службу! Жду вас утром, не опаздывайте. А, кстати, кем вы работаете?

— Курьером.

— Курьером? Да что вы? Такая молодая воспитанная девушка — курьером? Нет, я ничего не понимаю в этой жизни!

— Почему же, Олег Борисович?

— Вам, милая девица, нужно работать в солидной фирме как минимум секретарем. Или, как сейчас принято говорить, референтом. У вас образование имеется?

— Неоконченное высшее, — кивнула Катя.

— По-русски пишете грамотно?

— Конечно.

— Так ищите приличную работу. А то — курьером! — Он фыркнул, поправил желтый платок. — До свидания, Катерина.

Вечером Катя возвращалась домой, и из головы у нее не выходили слова нового знакомого: «Ищите приличную работу...»

У соседнего подъезда ошивалась компания парней. До Кати донеслись мат и смех. «Олег Борисович кажется вполне состоятельным человеком. Интересно, почему же он живет в таком ужасном районе?» Она ускорила шаг и со страхом заметила, что при ее приближении парни замолчали. Один из них что-то негромко сказал вполголоса, ему ответили, и снова засмеялись. «Пройти бы поскорее».

Катя шмыгнула в свой подъезд, закрыла тяжелую дверь с кодовым замком и перевела дух. «Действительно, нужно устроиться на новое место. И не курьером, а на нормальную офисную работу. Тогда мы сможем снять квартиру в другом районе, и мне не придется шарахаться от таких компаний. Надо посоветоваться с Артуром».

К большому Катиному удивлению, муж ее решение не одобрил.

— Сдалась тебе такая работа, — пробормотал он с акцентом. — Секретарша! Ха!

— Не секретарша, а секретарь. Почему «ха»?

— А то ты не знаешь? — Артур прищурился, и его лицо стало злым.

— Не знаю. Объясни, пожалуйста.

— Объяснить? А ты у нас такая маленькая, сама не понимаешь? Хорошо. Потому что секретарш все...

Он сказал, что делают с секретаршами, и Катя покраснела. Она не слышала раньше, чтобы муж матерился.

— Артур, что с тобой! Ты так говоришь, будто я собираюсь проституткой работать!

— Разве есть разница?

Катя помолчала, затем встала и вышла из комнаты. Из гостиной доносились голоса Седы и Дианы Арутюровны, поэтому она ушла в кухню, села на свое привычное место — на подоконник — и принялась рисовать рожицы на стекле. Когда она пририсовывала третьей печальной рожице заячьи уши, в дверях появился Артур.

— Котенок, не обижайся, — попросил он. — Мне и представить страшно, что ты будешь чужим мужикам приносить кофе и их распоряжения выслушивать. Ревную я тебя, понимаешь? Дорогая моя, мне так тяжело от мысли, что ты станешь для кого-то девочкой на побегушках!

Он улыбнулся, но на сей раз его улыбка не достигла цели.

— А сейчас тебе не тяжело от мысли, что я девочка на побегушках, которая с утра до вечера носится по Москве и развозит заказы? — поинтересовалась Катя без улыбки. — А, милый?

— Это совсем другое!

— Да, — покладисто согласилась она. — Это совсем другое. Сейчас я курьер. Я — никто. Мне негде поесть, у меня мерзнут ноги и попа, я за день посещаю два десятка чужих квартир. Я таскаю на плече тяжеленную сумку с детскими пирамидками и деревянными барашками. Ругаюсь, когда нет сдачи, и бегу разменивать хозяйские купюры в ближайший магазин. Если меня возьмут работать в офис, я забуду об этом, как о страшном сне. И мне плевать, кем — хоть уборщицей! А если согласятся принять секретаршей, я буду просто счастлива!

Она сама не заметила, как повысила голос.

— Не кричи на меня, ты!

Катя закрыла рот и посмотрела мужу в лицо. Артуру показалось, что карие глаза жены потемнели.

— Я тебе не «ты»! — отчеканила она, спрыгнула с подоконника и ушла в их комнату.

Артур вполголоса выругался на родном языке. Вот что Москва с людьми делает! Привез девочку — мягкую, уступчивую, ласковую... И что спустя месяц? Пререкаться начала, да? На мужа голос повысила, огрызается!

Он походил по маленькой кухне, припоминая все, чем раздражала его Катя последнее время. Вспомнил: «По ночам не любовью с мужем занимается, а к стене отвернется — и засыпает за две секунды. Я, конечно, понимаю: устает на работе, тяжело ей. Но и она меня понять должна: я мужик молодой, мне женщина нужна! А теперь, значит, надумала в секретарши пойти...» Заведя себя перечислением прегрешений жены, Артур решительно направился в комнату, где беседовали мать с сестрой.

Катя услышала из-за двери сначала возмущенный голос мужа, быстро говорившего что-то по-армянски, затем короткую фразу Седы и сразу — успокоительное бормотание Дианы Арутюновны. Она не понимала ни единого слова, но не сомневалась, что ее свекровь увещевает собственного сына. Артур воскликнул что-то, и вдруг бормотание его матери из успокоительного стало угрожающим. Она повысила голос, затем раздался хлопок по столу. Седа что-то пискнула, но тут же замолчала.

«Да что у них там? Неужели скандалят?»

Но голоса уже затихли. Катя прислушалась и услышала шаги. Дверь распахнулась.

— Я подумал. И вот что решил, — бесстрастно сказал Артур. — Ты права. Попробуй найти новую работу. Спокойной ночи.

Он поколебался, но в конце концов подошел к кровати и наклонился, чтобы поцеловать жену. Катя очень обрадовалась, что их странная короткая ссора закончилась, обняла его, потянула к себе, начала раздевать, быстро целуя то в шею, то в подбородок. Артур скинул джинсы, забрался под одеяло, прильнул к ней худощавым мускулистым телом, положил ладони на Катину грудь. Ее кольнула неприятная мысль о том, что муж не сам принял решение о примирении, а его заставила мать, но в следующую секунду Катя прогнала ее. Какая разница? Главное, что они помирились.

. . . .

Олег Борисович заварил себе кофе, приласкал Антуанетту, остановился у окна. Что за погода стоит последние годы! Видно, не врут о глобальном потеплении. Что ни осень, так сюрпризы, а про весну и говорить нечего.

Он глянул на часы — скоро придет Катерина. Подумав о девушке, Вотчин довольно усмехнулся. Приятно пустить пыль в глаза, что ни говори! Девочку-то он еще две недели назад заприметил, вот только она не обращала на него внимания. Бежит на работу чуть свет, возвращается поздно. Одета бедненько, хоть и чистенько — курточка одна и та же, ботиночки одни, джинсы старые, потертые на коленях. А личико у девушки славное — скуластая, темноволосая, глаза большие и темные, как вишни. Очень хорошенькая девушка, что тут говорить! И разговаривает вежливо.

«Бедненькие чистенькие порядочные девушки — это просто сокровища!»

— Где бы я лучшую кандидатуру нашел, скажи на милость? — обратился Вотчин к собачке. — Вот то-то!

А самое главное — ты ее одобрила, моя прелесть! Да, умница моя. Антуанетточка!

Звонок в дверь возвестил о том, что его сокровище пришло вовремя.

Приведя Антуанетту с прогулки, Катя снова получила приглашение на чашку кофе. Она уже поняла, что хозяин одинок и ему нравится показывать свою коллекцию, составленную по непонятному принципу. А может, ему просто хотелось хотя бы короткое время не быть одному. Как бы то ни было, Олег Борисович Кате нравился, да и слушать его было интересно.

— Если у вас есть пять минут, юная леди, то посмотрите внимательнее на эту картину. Меня, как я вам говорил, интересовали не просто редкие или ценные предметы искусства, но обязательно предметы с историей. Вы, может быть, подумали, что я просто приобретал все мало-мальски ценное, что встречалось мне в моих поездках? Подумали, я же вижу! Но вы ошиблись, Катерина, ошиблись! Вот послушайте об этом пейзаже...

Пока хозяин рассказывал о картине, Катя стояла возле полки, на которой были расставлены разнообразные деревянные статуэтки. День с утра выдался на удивление солнечным для осени, и лучи освещали причудливые фигурки, добавляя им жизни. Ее внимание привлекла одна из них — даже не статуэтка, так, игрушка. Очень просто вырезанная русалка, обхватившая себя руками. Фигурка была размером чуть больше Катиной ладони. Она наклонилась к фигурке, на секунду перестав слушать Олега Борисовича и всматриваясь в темные впадинки глаз. «Странно. Такое ощущение, будто у русалки есть глаза, и она меня видит».

Катя совсем перестала слышать Вотчина, удивленная игрой собственного воображения. Нос не вырезан, а чуть намечен двумя линиями, губы тоже прорезаны как будто небрежно. И при том создается впечатление, что русалка улыбается, и улыбается именно ей. А волосы? Копна мокрых вьющихся волос («Темно-каштановых», — почему-то решила Катя) — но ведь ее нет, этой копны. Есть только волнистые очертания.

— Ах, вот чем вы заинтересовались! — сказал Олег Борисович прямо над ее ухом. Катя вздрогнула и чуть не стукнулась головой о верхнюю полку — она и не заметила, что наклонилась к русалке так близко! — Да, вот уж эта красавица и впрямь с историей, да с такой, что не сразу поверишь. К тому же она магическая.

— Магическая?

— Ну да, — кивнул старик. — Исполняет желания. Что вы так на меня смотрите, Катерина? Это самая настоящая кукла-желанница — вы слышали о них?

Катя отрицательно покачала головой, думая, не сбежать ли ей от старика, сошедшего с ума среди своих сокровищ, или все-таки дождаться первой заработанной тысячи и только потом исчезнуть.

— Признаться, это единственная желанница в моей коллекции и к тому же единственная когда-либо виденная мною деревянная кукла. Ведь по обычаю желанниц мастерили из берестяных палочек. Обматывали тряпочками, тряпочки перевязывали ниточками — вот и готова вещица. И ни в коем случае не пользовались иголками при изготовлении!

— А... зачем их делали?

— Как зачем? Чтобы желания исполняла.

Посмотрев на Катино лицо, Вотчин рассмеялся.

— Дорогая моя, я не сошел с ума! Но неужели вы и в самом деле не знаете об этой старой традиции? Это кукла-оберег, ее прятали и никому не показывали. Желанница должна быть тряпичной, потому что для исполнения желания ее украшали — бусинкой, красивой ниточкой. Потом подносили к зеркальцу или к воде, чтобы она увидела свое отражение, и приговаривали что-то вроде: я тебя украсила, а ты исполни мое желание. Обязательно представляли сбывшуюся мечту во всех подробностях. И ждали, когда она и в самом деле сбудется. Но чтобы желанницу вырезали из дерева — это я только в Кудряшове видел.

— Почему же вы решили, что русалка — именно желанница? Может быть, просто кто-то вырезал из дерева куклу, вот и все.

Олег Борисович стал серьезным.

— Нет, Катерина, не все. Этой русалке люди желания загадывали, и она их исполняла — об этом мне достоверно известно.

— Так-таки исполняла? — усомнилась Катя.

Старик усмехнулся.

— А вы попробуйте. Пожалуйста, пожалуйста... Раз вы не верите... Сами убедитесь.

Катя осторожно взяла деревянную фигурку в руки.

— И что нужно сделать? — улыбаясь, спросила она. — Произнести заклинание? Трижды плюнуть через левое плечо? Вырвать волосок из брови и порвать на сто четыре кусочка?

— Думаю, произнести желание будет вполне достаточно. Сам-то я никогда ничего не загадывал, но прежний владелец именно так мне и объяснял.

Девушка провела пальцем по гладкому дереву. Задумалась на секунду, затем представила, что она нашла новую работу, и мысленно попросила русалку помочь ей. «У меня самой не получится, — словно оправдываясь перед фигуркой, сказала Катя. — Помоги, пожалуйста!»

Осторожно положила фигурку обратно на полку с ощущением, будто только что сделала большую глупость и выставила себя смешной перед Вотчиным. И тут спохватилась:

— Подождите, Олег Борисович! Вы сказали, что никогда не загадывали желание этой русалке?

— Нет, никогда.

— Так все-таки вы не верите в нее? — Катя укоризненно покачала головой, ожидая насмешки от хозяина.

— Верю, — старик был совершенно серьезен. — Как ни странно, верю. И те люди, которым она принадлежала, тоже верили.

— Но тогда... почему?

Вотчин помолчал, затем неохотно признался:

— Вы можете смеяться надо мной, юная леди, но я берегу свое желание. Смотрю иногда на эту красавицу и мечтаю — загадать бы что-нибудь эдакое! А потом думаю: вдруг она только одно желание исполняет? И что тогда? Волосы на себе рвать буду, что не приберег его!

Он комичным жестом вырвал воображаемый клок волос из блестящей лысины, и Катя рассмеялась. Она так и не поняла, шутил Вотчин или говорил всерьез, но до конца дня вспоминала ощущение в ладони, когда она держала русалку.

Ей казалось, что фигурка была теплой.

Глава 4

Бывший коллега Бабкина сработал быстрее, чем ожидалось, и теперь данные лежали на столе перед Сергеем и Макаром.

— Девять налетов за три месяца? — протянул Сергей. — Восемь смертей... И попались на какой-то глупости. Странно.

Илюшин молча кивнул.

Документы, поднятые из архива, рассказывали, что банда, состоящая из трех человек, с марта девяносто третьего года по май того же года совершила девять нападений в разных районах Москвы. Грабители действовали во всех случаях одинаково нагло: двое из них днем приходили в выбранную квартиру, звонили в дверь, представлялись залитыми соседями снизу и, дождавшись, когда им откроют, заталкивали хозяев внутрь. Затем очень быстро изымали имеющиеся ценности и убегали. Третий сообщник ждал внизу, в машине. Если хозяин оказывал сопротивление или не признавался, где хранит деньги, его убивали: в трех квартирах были найдены тела пенсионеров, забитых до смерти.

Налеты продолжались до тех пор, пока двое из банды не были расстреляны при нападении на продуктовый магазин, а третий не погиб при попытке скрыться.

69

Преступниками оказались трое молодых людей, за полгода до этого вернувшихся из армии: Никитин Александр Васильевич, Коряк Федор Федорович, Кузяков Степан Иванович. Их тела опознала одна из выживших жертв ограбления, и дело закрыли.

Архивные документы рассказывали обо всем подробно, с фотографиями, со свидетельствами очевидцев... Но Макар им не верил.

— Чушь собачья, — озвучил его мысли Бабкин, разобравшийся в деле. — Посмотри на обстоятельства нападений: из девяти случаев четыре — на квартиры пенсионеров, все из одного района — того, где у Никитина жила сестра. Кстати, они у нее и останавливались, по-видимому. А машина принадлежала ее мужу. Еще пять налетов — в разных районах Москвы, но их объединяют жертвы: во всех квартирах проживали коллекционеры. Что там у них пропадало? Ага, иконы, деньги... Понятно. Во всех случаях ограблений квартир пенсионеров хозяева были дома. Думаю, потому так и шли, нахрапом, чтобы старики дверь открывали. А там, где жертвами становились коллекционеры, в трех квартирах во время нападения были их домашние, а две другие квартиры пустовали, и двери попросту вскрыли. Скажу тебе прямо: не вяжется у меня забивание стариков палками, а также тупая попытка ограбления магазина с кражей икон. А вот и нож начал фигурировать в деле, — добавил он, вчитываясь. — Хозяин квартиры, из которой вынесли деньги и редкие инкрустированные шкатулки, пытался оказать сопротивление, и был заколот одним ударом. Довольно профессионально. Это тебе не палками стариков бить.

— Есть еще кое-что, — заметил Илюшин. — Посмотри на данные о тех троих, Никитине, Коряке и Кузякове. Они все родились и выросли в разных местах: один в Подмосковье, второй в Луганске, третий — во

Владимире. И встретились только в Москве. Где бы ни жила Белова, она не могла знать всех троих, а значит, не могла и сказать, что «они такие были с детства».

— Повесили на отморозков все, что смогли, — подытожил Сергей. — Обычная практика. Значит, настоящих преступников не нашли, однако нападения на коллекционеров прекратились. О чем это говорит? Вряд ли эти убийцы тоже погибли — в такое совпадение я не верю. Значит, в мае случилось что-то, что заставило их остановиться.

— Есть и другой вариант, — сказал Макар, набрасывая на листе бумаги три фигурки с кривыми страшными лицами. — То, что заставило их остановиться, случилось во время последнего ограбления. Либо…

Он замолчал, быстро рисуя непонятные Сергею закорючки вокруг фигурок.

— Что?

— Они грабили не просто так, а что-то искали. И в конце концов нашли.

Макар Илюшин шел к кирпичному зданию больницы, во дворе которой прогуливались пациенты с посетителями, и думал о том, что смерть Беловой может поставить точку в их расследовании. Ему была совершенно безразлична судьба бывшей гардеробщицы: для него женщина имела значение лишь потому, что могла вывести на след.

Все эти годы он ошибался, считая, что убийца Алисы либо погиб в перестрелке, либо разбился в машине. Возможно, он жив до сих пор. И тогда Макару необходимо его найти. Илюшин не произносил слова «месть», потому что оно отдавало коррридой, графом Монте-Кристо и стилетами — чем-то театральным, напыщенным. А в его бесстрастном желании убрать человека, убившего девушку, которая составляла жизнь двадцатилетнего Макара, не было ничего театрального.

Елена Михалкова

Белова лежала с закрытыми глазами на продавленной койке и не открыла их, когда Илюшин подвинул стул и присел рядом, не обращая внимания на заинтересованные взгляды других больных.

— Кто они? — негромко спросил он. — Зинаида Яковлевна, кто они?

Женщина чуть шевельнула губами, и он наклонился к ней.

— Зачем тебе? — еле слышно проговорила она. — Столько лет прошло...

— Вы знаете, где они сейчас?

Она наконец открыла глаза. Из угла правого, ближнего к Макару, потекла мутная слеза.

— Не знаю, — обреченно выдохнула она. — Не видела никого из них. Я сама-то столько лет пряталась, дома отсиживалась. А семь лет назад не выдержала: чувствую, не могу больше, задыхаюсь в деревне. Вот и вернулась. А жить-то все равно страшно!

— Я хочу найти их и убить, — обыденно сказал Макар вполголоса. — Они мне нужны. Расскажите, Зинаида Яковлевна, прошу вас.

— Свидетель не соврал, а ошибся, — бросил он Бабкину с порога, вернувшись из больницы. — Ему показалось, что грабитель ударил Зинаиду Яковлевну ножом, и та начала падать. Однако видеть этого он не мог — Белова стояла к нему спиной. На самом деле ей стало плохо, когда она поняла, что произошло, и ее затащили в машину. Затем сказали, чтобы она убиралась из города, иначе убьют.

— И где она спряталась?

— Говорит, в родной деревне.

— Разумно. «От бандитов прячься в глуши, от ментов — в столице».

— Именно так. Но ей больше и некуда было ехать, а в деревне родственники. Девять лет назад у них слу-

72

чился большой пожар, и после него она соврала, что все ее документы в нем-то и сгорели. В суматохе-неразберихе ей выдали новые, на новую фамилию. Точнее, на старую — Белова она по покойному мужу. Зинаида Яковлевна осмелела и вернулась обратно, устроилась дворником. И до сих пор боится, что те трое ее найдут.

— Кто они, Белова сказала?

— Да. Поэтому исследовать ее биографию нам больше не нужно. Ищем вот этих людей. — И Макар положил на стол записную книжку, открытую на странице с одной-единственной фамилией.

Лето 1984 года. Село Кудряшово

Несколько дней Николай ходил, погруженный в себя. Со стороны он выглядел чуть более задумчивым, чем обычно, но в мыслях его возникали и рушились целые миры, в центре которых был он, простой тракторист Коля Хохлов. Николай опасался любопытных расспросов и внезапного пристального внимания жены, которая с недоверием поглядывала на русалку, а потому старался контролировать себя на людях. Ни к чему ему сейчас расспросы.

Словно человек, поймавший золотую рыбку и обдумывающий три желания, Николай прикидывал, о чем попросить русалку так, чтобы желание его устроило. Он боялся, хотя красавица из Марьиного омута об этом ничего не говорила, что количество желаний будет ограничено, и старался как можно полнее и лаконичнее сформулировать их в уме.

— Просто сказать — жизнь изменить, — бормотал он под шум работающего трактора. — Нужно еще объяснить, как именно менять. Значит, сначала надо самому понять.

После трех дней раздумий и примерок на себя разных судеб Николай решил окончательно: в Кудряшове он не останется. Поедет в Одессу. Почему именно в Одессу, он не мог бы толком объяснить, но знал, что хочет туда — к морю, чайкам, кораблям в порту и небрежно сплевывающим морячкам, видевшим полмира. Оставалось решить вопрос с родней и Фаиной. Николай не знал, может ли русалка сделать так, чтобы он исчез из их жизни, как будто его и не было, но предполагал, что не может. «Просто так исчезнуть — нельзя, не по-человечески это. Файка убиваться станет... да и родители. Что ж придумать-то такое?»

Он вспомнил Оксану, которую не видел с той ночи, и на миг прикрыл глаза. Эх, а может, не надо ему никакой Одессы? Загадать желание: пусть все устроится, чтобы Оксана стала его женой, а Фаина... А Фаина — Гришкиной. Пусть. Он бы даже и не ревновал, если б так все случилось. Нарожала бы ему Оксанка детишек, и жили бы они припеваючи. А то и в самом деле — в Одессу с ней вдвоем. Ох, елки, как же лучше-то придумать?

От мыслей его отвлек Колька Котик — прибежал, жестами заставил заглушить машину и проорал:

— Фаина просила тебя до магазина дойти — там, говорят, конфет привезли. А она сама не успевает!

— В обед дойду! — крикнул в ответ Николай. — Каких конфет-то?

— Я почем знаю?

В перерыве Николай вспомнил о просьбе жены и, чертыхаясь, поплелся к магазину. Солнце припекало, и по дороге он успел десять раз мысленно сказать Файке все, что думает об ее глупой просьбе: «Сладкого ей захотелось! Сейчас еще в очереди стоять, слушать, как старухи языки чешут...»

В магазине было не протолкнуться: Николай даже внутрь заходить не стал, присел в теньке на деревянные ступени. Из-за приоткрытых дверей слышались молодые женские голоса — девчонки стояли возле выхода, и от Николая их отделяла только стена. Голоса были незнакомые, и тракторист удивился: «Кто такие? Откуда?»

Насмешливо брошенная фраза заставила его вздрогнуть и прислушаться.

— Люба, как купалось-то ночью? Водяные за пятки не хватали?

— Зря вы со мной не пошли! В город вернемся — всем расскажу! А вы чем будете хвастаться? Как сорняки на колхозных полях пололи?

Дружный смех.

— Ну почему... — возразил другой голос, тоненький. — Вон, Верка себе красавца в селе приглядела!

— Так Любаша тоже красавца нашла, только молчит, как партизанка.

— Люб, признавайся, кого ночью выловила?

— Да ну вас! За очередью смотрите, а то без конфет останетесь! А ты, Верка, болтушка...

— Ну а что я? — снова смешки. — Разве нельзя говорить? Смешно же вышло с тем парнем, правда?

— Люба, расскажи!

— Расскажи, все равно делать нечего!

— Ой, краснеет! Девочки, вы посмотрите — краснеет!

И снова смех.

— Давайте я расскажу, раз Любка молчит. В общем, девчата, взбрело в голову нашей Любочке искупаться ночью. Между прочим, нагишом!

— Не может быть!

— Ну, Любовь Витальевна, ты даешь!

— Не перебивайте, слушайте дальше. И кого, вы думаете, она встретила на берегу?

— Корову!

— Водяного!

— Председателя сельсовета!

— Хи-хи-хи! И говорит Любка председателю сельсовета страшным голосом...

— Нет, лучше председатель говорит Любке страшным голосом: исполни три желания, золотая рыбка!

— Ладно, пусть дальше сама излагает.

— А что излагать-то? Подумаешь, рыбака немножко подурачила! Ой, у него такое лицо смешное было — вы бы видели! Только Володьке не говорите, хорошо?

— Вот прямо сейчас пойдем и выложим все твоему Володьке!

— Точно! Он, наверное, сразу рыбачить ночью побежит.

— Чтобы и ему русалка попалась!

— Или председатель сельсовета! Ха-ха!

Николай сидел с каменным лицом. Затем встал, зашел в магазин, остановился около дверей. Оглядел всю стайку.

Им было лет по семнадцать-восемнадцать, не больше. Все тоненькие, как спички, в перепачканных штанах и футболках, белокожие. Одним словом — городские, хоть и косынки на головах повязаны.

Она стояла в середине — темноволосая, зеленоглазая, с пухлыми яркими губами. Очень юная — он даже удивился, как мог принять ее за женщину. Хотя... темно ведь было, да. Сейчас он видел, что не красавица, а просто очень симпатичная девчонка, единственная из всех с хорошей фигурой: высокой крепкой грудью, покатыми бедрами.

Николай смотрел на нее, и она залилась краской, опустила глаза.

— А вам... вам что надо? — с вызовом, за которым скрывалась робость, спросила одна из девчонок — маленькая, рыжая, с забавными хвостиками, рожками торчавшими из дырочек в косынке.

— Русалка, значит? — спросил Николай каким-то чужим, скованным голосом.

Та кивнула, не поднимая глаз.

— Вот оно что. Русалка.

Он покивал как заведенный, стоя на месте, и по тишине, воцарившейся вокруг, понял, что нужно уходить. Мимо него протиснулась старая Нонна Иванова, подмигнула, в шутку толкнула в плечо.

— Что киваешь-то, словно телок, а? — Громкий голос ее разнесся по всему магазину, на них стали оборачиваться. — Вишь, каких ягодок к нам прислали сорняки полоть? Вот! Посмотрел — и иди своей дорогой, чай, у тебя жена имеется!

В магазине засмеялись, стали переговариваться. Николай повернулся и вышел, пошел прочь от магазина. Вслед ему что-то крикнул женский голос, но он не обернулся. Вот оно что, значит. Русалка.

Ощущение было такое, будто он лежал под солнцем весь день, а потом его заставили встать. Перед глазами то и дело вспыхивали черные пятна, и в конце концов Николай вынужден был сесть в траве возле забора, прислониться к нему спиной. Пятна пропали.

Он восстанавливал в памяти все произошедшее и теперь не находил в нем ни одной детали, которую нельзя было бы объяснить. На все, на все находился до омерзения банальный и рациональный ответ, и неожиданная уступчивость Оксаны обернулась всего лишь тягой похотливой бабы, воспользовавшейся удобным случаем.

Николай сидел в траве, невдалеке от него прохаживались куры, и совершенно черный блестящий петух с красным гребешком поглядывал на него настороженно и одновременно воинственно. Но кур Николай не видел. Он видел, как рушится любовно придуманная им для себя жизнь — новая, совсем другая, с чистого листа.

«Не будет тебе Одессы. Не будет моря. И жены Оксаны тоже не будет. Ничего ты не начнешь, Коля Хохлов, — чудес-то не бывает! А ты хотел русалку сделать, чтоб она тебе желания исполняла? Во дурень-то, а! Посмотрите на дурачка, пока он в лес не убежал! Из дерева вырезал... старался... чтоб как живая, чтоб такая же красавица. Вон она, твоя красавица — в магазине за конфетами стоит!»

Николай обхватил голову руками и застонал, раскачиваясь. «Господи, а ведь я поверил — поверил от души и всю жизнь свою уже мысленно перекроил! Как же так...» Он достал из кармана русалку. Деревянная фигурка лежала в его ладони, и он поразился, как похоже удалось ему передать то, что он увидел в симпатичной городской девчонке, решившей побаловаться ночью.

— Талант прорезался, — с циничной насмешкой протянул он и сплюнул в сторону петуха.

Тот возмущенно закудахтал и отошел в сторону.

— Так и буду до старости на петухов любоваться.

Николай провел пальцем по фигурке и еле сдержался, чтобы не зашвырнуть ее за забор. Что-то остановило его. Он поднял заслезившиеся глаза к небу, увидел рядом с солнцем облако — большое, пышное — и оно напомнило ему, как он сидел утром перед окном и представлял себя на корабле, плывущем к неизведанным берегам. Поднявшийся ветер погнал облако по небу, и десять минут спустя оно растаяло, оставив после себя белые разводы.

Николай некоторое время сидел неподвижно, свыкаясь с мыслью, так легко пришедшей к нему, затем усмехнулся и встал.

Мишку Левушина он нашел на колхозном подворье.

— О, Колька! — удивился тот. — А чего не работаешь? Сейчас Михал Дмитрич увидит тебя, сам знаешь, что будет...

Тракторист молчал, смотрел на него, прищурившись, и взгляд у него был такой, что Левушину стало не по себе.

— Коль, ты чего? С Фаиной поругался, что ли?

— Я тебе подарок хочу сделать, — сказал Николай бесстрастно, игнорируя вопрос о жене. — Сказать честно, выкинуть хотел или сжечь, да рука не поднялась. Держи.

Он протянул Левушину деревянную скульптуру. Удивленный Мишка взял ее, повертел в руках, пригляделся и присвистнул.

— Ба! Русалка! Ничего игрушка, забавная. Откуда она у тебя?

— Сам сделал.

— Шутишь?

Николай помолчал, затем добавил, по-прежнему без выражения:

— Она желания исполняет.

— Чего? — не понял Левушин.

— Желания исполняет. — Он вдруг начал смеяться странным смехом. — Понял, Мишка? Загадываешь ей желание, а она — раз! — и исполняет. Вот только бы — ха-ха-ха! — знать, что загадать!

— Тьфу! Да ты пьяный!

— Ей-богу, Мишка! Загадай, что хочешь, она тебе и исполнит! Одно-то точно исполнит! А там уж как сложится.

Он вытер слезы, выступившие от смеха, повернулся и пошел прочь. Время от времени плечи его сотрясались, как будто он начинал смеяться, но быстро успокаивался. Левушин проводил его взглядом, посмотрел на фигурку в своей руке и пожал плечами.

— Ничего сделано... Ленке покажу — порадуется.

Русалка смотрела на него темными глубокими глазами, и на секунду Левушина снова охватило то же неприятное чувство, которое он испытал, увидев Николая.

— Вот же черт... как живая! Ну, Колька, ну талант!

Только теперь, присмотревшись, он увидел, как необычно выточена фигурка — вся, от гривы распущенных волос до кончика рыбьего хвоста, изгибающегося вверх. Казалось, она вот-вот изогнется и спрыгнет с его руки, так что Мишка непроизвольно сжал пальцы и обхватил фигурку. И чуть не вздрогнул — она была теплая.

— Совсем дурак! — раздраженно бросил он себе. — Ее Колька в руке держал — вот и теплая!

Покачав головой, он сунул фигурку в карман, напомнив себе вечером показать ее жене. Да и мамаше ее можно — пусть позавидует. И вернулся к работе, постаравшись не думать о странном поведении приятеля.

Вечером Левушину было не до Николая — теща, старая стерва, снова устроила скандал. «Пользуется, гадина, тем, что дом еще не достроили». Мишка доживал последнее лето у родителей жены, и мать Ленки давно стояла ему поперек горла.

Ленка, как всегда, заняла сторону мамаши, потом к ним подтянулся тесть, и в конце концов разозленный Мишка выскочил во двор — голову проветрить, чтобы не наговорить чего-нибудь лишнего. Покурив, он собирался вернуться домой и тут нащупал в кармане деревянную фигурку.

«Ничего Ленке показывать не буду, — решил он со злости. — Обойдется. Да и вообще надо бы вернуть Кольке эту...» Он поискал слово для обозначения того, что лежало у него в кармане, но не нашел.

Размышления его прервал странный звук — не то вой, не то плач. Звук приближался, и Мишка слышал, как распахиваются двери и раздаются голоса в соседних домах. Он вскочил, быстрыми шагами пошел к калитке и увидел на крыльце жену — Ленка стояла, прижав руки ко рту, и глаза у нее были отчаянные.

— Что стряслось? — спросил Левушин, гоня от себя страшную догадку.

— Батюшки! Колька! Колька Хохлов!.. Ой, Фаина-то как убивается!

— Что Колька Хохлов?! — рявкнул Мишка. — Говори, дура!

— Нашли его... — Ленка всхлипнула. — Нашли его в Марьином омуте. Утонул наш Колька!

．．

На следующий день Катя начала действовать. До вчерашнего вечера ей казалось, что вот-вот случится маленькое чудо: позвонит какой-нибудь дядя Тигран и скажет, что им можно возвращаться в Ростов-на-Дону, потому что все бандиты сидят в тюрьме. А те, которые не сидят, обливаются слезами раскаяния. И тогда она вернется в институт и все станет, как прежде, а Москву она забудет как страшный сон.

Или, например, Артур объявит: «Все! Уезжаем из этой жуткой квартиры, в которой мы сидим, как в тюрьме. Я решу все проблемы». И одним движением руки действительно все решит. Как именно — Катя не хотела представлять, потому что это уже был пошлый реализм, не совместимый с чудесами.

Но разговор с мужем открыл ей глаза: Катя вдруг поняла, что чуда не случится, и более того — никто ничего не решит, кроме нее самой. Теперь она отвечает за то, чтобы обеспечивать свою новую семью.

После бурного секса накануне, во время которого они оба старались сдерживать стоны, Артур тотчас уснул, а Катя лежала без сна, прислушиваясь к шуму труб в старом доме. Муж был сначала груб с нею, а затем пришел, помирился, согласился со всем, что она предложила... «Но ведь он согласился не сам, — сказал трезвый голос внутри. — Его заставила мать. А сам он предпочел, чтобы я по-прежнему работала курьером, и его даже не волнует, что нам не хватает денег на жизнь. А что вообще его волнует?»

Катя перевернулась на живот, пристально посмотрела на спокойное лицо мужа. Артур красив, ничего не скажешь. И девчонки из института не раз ей об этом говорили. Брови широкие, прямые, ресницы длинные, а кожа — как у ребенка.

Он вздохнул во сне, губы его искривились, придав лицу обиженное выражение.

«Я совсем не знаю своего мужа, — произнес в Катиной голове кто-то холодно-отстраненный, куда более взрослый, чем она сама. — То есть я знаю, что ему нравится из еды, как он любит заниматься любовью, что предпочитает в одежде. Но я не знаю, о чем он думает. И не знаю, чего ждать от него».

Эта мысль ее испугала. Нет, так нельзя! Это все тяготы последнего месяца виноваты — она стала выискивать врагов в родных людях! «Самый родной человек у тебя — мама, — безжалостно произнес тот же голос. — А вовсе не твой муж, за которым ты замужем меньше года».

— Но он меня спас! — возразила голосу Катя. — Он помог тогда, когда было необходимо! В этой квартире мы все оказались из-за меня — если бы я не упала, Артур не стал бы занимать деньги неизвестно у кого, и ничего страшного бы не случилось!

Катя уцепилась за эту мысль, потому что она расставляла все по своим местам.

— Сейчас я делаю то, что обязана делать! Нельзя платить злом за добро и быть неблагодарной свиньей!

Внутренний голос молчал, и Катя успокоилась. Просто они все очень устали. «Ничего, все наладится. Завтра я что-нибудь придумаю».

На следующее утро, толкаясь в метро, она составляла план действий. Странный эпизод в квартире Вотчина почему-то придал ей уверенности в том, что у нее все получится. Она отпросилась с работы и поехала на станцию метро, возле которой видела вывеску «Интернет-кафе».

Спустя два часа у нее имелись вакансии пятнадцати различных фирм, две из которых располагались неподалеку от ее района. Всем им нужен был либо секретарь-референт, либо офис-менеджер. Катю неприятно поразило, что во всех объявлениях обязательными требованиями к кандидату были знание английского языка, московская прописка и высшее образование. У нее не было ни первого, ни второго, ни третьего. Если бы Катя увидела эти вакансии двумя днями ранее, ей бы и в голову не пришло рассматривать их всерьез. Но сейчас, после того как она держала в руках легкую деревянную фигурку со странным названием «желанница», ей казалось, что все не так страшно.

Разговор по первым пяти объявлениям ее обескуражил: люди на том конце провода задавали короткие вопросы, на которые она правдиво отвечала, и, выслушав ее, отказывали в собеседовании. Безусловно, очень вежливо. Очень коротко. Очень равнодушно. Следующие четыре звонка ничего не дали, потому что кандидат уже был найден. Еще два быстрых разговора по телефону — и Катя покачала головой: теперь ей самой не нравились люди, с которыми она разговаривала. Категорически не нравились. «Что значит — готовы ли вы к совместным выездам на природу?»

Еще один неудачный звонок — и Катя задумалась. Почти четыре часа потраченного времени — и никакого результата! Точнее, отрицательный результат. «Значит, я что-то делаю не так».

Позвонив по следующему номеру, она попробовала изменить ответы, и на стандартную просьбу прислать резюме, ответила извиняющимся голосом:

— Знаете, у меня небольшие сложности: вышел из строя компьютер, а все данные и резюме — там. Я понимаю, что это несерьезно, — заторопилась она, поняв по молчанию, что собеседник сейчас попрощается, — но надеюсь, что завтра компьютер починят, и к вечеру я смогу прислать резюме. Вас устроит, если мы проведем собеседование утром? Может быть, по его результатам и резюме не понадобится...

Женщина на том конце провода многозначительно помолчала.

— Ну что же... Раз у вас действительно временные проблемы... — Она подчеркнула слово «временные».

— Действительно! — горячо заверила ее Катя. — Действительно временные!

— В таком случае подъезжайте завтра...

И продиктовала адрес.

Только повесив трубку, Катя сообразила, что не знает, как отпроситься с работы, и ей не в чем идти на собеседование. «Ничего! Я что-нибудь придумаю!»

Вечером она позвонила начальнице и предупредила, что заболела. В ответ пришлось выслушать раздраженное ворчание, но цель была достигнута. Затем подошла к Седе и выпросила у нее взаймы белую рубашку. Сестра Артура недовольно поморщилась, но рубашку дала, попросив вернуть ее в целости и сохранности. Третьим шагом был разговор с Артуром. Катя хотела посоветоваться, как лучше держаться на собеседовании, но, увидев спокойно ужинающего мужа, она неожиданно передумала. «Сама решу. В конце концов, не маленькая».

Однако подходя в назначенное время к высокому серому зданию, на дверях которого висели вывески двух десятков фирм, она чувствовала себя именно маленькой. Маленькой и очень глупой.

— Господи, что я делаю? — с ужасом спросила себя Катя, поднимаясь вверх в зеркальном лифте.

Неправильный был этот лифт и злой. Вместо молодой, уверенной в себе девушки, у которой одна-единственная проблема — сломавшийся компьютер, он показывал в своих зеркалах бледную девчонку с неаккуратной стрижкой, в дешевой белой рубашке и очень дешевых брюках. Лицо у девчонки было не то замученное, не то испуганное.

— Мне никого не удастся обмануть!

Она прикрыла на секунду глаза, думая, не нажать ли на кнопку «стоп», чтобы не позориться на собеседовании, и перед ее мысленным взглядом сама собой возникла русалка. Она улыбалась, одобрительно помахивала хвостом — совсем как собачонка Антуанетта, — и Кате стало смешно.

«Что я паникую? — спросила она у самой себя, неожиданно обретая уверенность. — Подумаешь, пять минут позора! Неужели это страшнее, чем давиться беляшами из котят?»

Двери лифта открылись, Катя сделала шаг и оказалась на красной ковровой дорожке.

«Ваш выход, госпожа Викулова! — издевательски громко объявил кто-то у нее в голове. — Вот сейчас-то мы и выясним, что лучше — беляши с котятами или позор на собеседовании».

Двадцать минут спустя Катя знала точно — беляши с котятами победили по всем статьям. Мягкое тесто, насыщенный сладковатый вкус мяса, лучшее рафинированное масло, в котором беляши плавают, пропитываясь до самой середины...Что может быть лучше беляша! Она готова была рекламировать беляши с котята-

Елена Михалкова

ми бесплатно, если бы это помогло ей избавиться от дальнейшего унижения.

— Я вас больше не задерживаю, — дама, проводившая собеседование, даже не смотрела на Катю. — Вы отняли у нашей компании достаточно времени.

— Не у компании. У вас, — Кате зачем-то очень нужно было, чтобы дама оторвала взгляд от документов и все-таки посмотрела на нее.

— Что вы сказали?

— Я сказала, что отняла время у вас, а не у вашей компании.

— Вы думаете, госпожа Викулова, что наглость — второе счастье? — Дама подняла на нее глаза. — Я — сотрудник компании, и мое время — это время компании. Вон в том кабинете сидит наше руководство, с которым вы беседовали бы, если бы я одобрила вашу кандидатуру. И в таком случае время, потраченное на вас, также было бы временем, отнятым у компании. Поэтому не нужно огрызаться, тем более что вы и так показали себя не с лучшей стороны. Врать некрасиво.

«Некрасиво, — молча согласилась Катя, вставая и снимая сумку со спинки стула. — А есть беляши с котятами невкусно. И вредно. Но это мои проблемы, я знаю». Она повесила сумку на плечо и уже собралась попрощаться, как вдруг в голову ей пришла безумная мысль. Катя бросила взгляд на даму, подчеркнуто не замечавшую ее, и быстро пошла к той двери, где должно было сидеть начальство.

Она стремительно пересекла коридор, толкнула белую дверь и влетела в просторный светлый кабинет. Сзади раздался возмущенный голос, и Катя молниеносным движением захлопнула дверь и повернула ключ, торчавший в замке. Дама ударилась о закрытую дверь, закричала об охране и затихла. Катя выдохнула и обернулась к тем, кого назвали начальством.

В кабинете сидело трое — мужик, похожий на бульдога, светловолосый парень лет тридцати с двухдневной щетиной и в пижонских очках без оправы и женщина — маленькая остролицая брюнетка в элегантном сером костюме. Все трое не сводили с Кати глаз.

— Здравствуйте, — сказала та и сглотнула. — Вы начальник.

Она обращалась к бульдогу, не спрашивая, а констатируя факт. Бульдог кивнул, сохраняя невозмутимое лицо. Впрочем, они все держались крайне невозмутимо. Ни один не вскочил, не ахнул, не закричал: «Что вы себе позволяете!»

— Вам нужен офис-менеджер. Я хочу у вас работать. Из меня получится хороший сотрудник. Но у меня нет прописки. И законченного высшего. Поэтому я обманула вашу сотрудницу. И она хотела меня выгнать. Пожалуйста, возьмите меня на испытательный срок. Я знаю, что поступила некрасиво. Но мне нужен был шанс.

Она замолчала. Бульдог по-прежнему бесстрастно смотрел на нее. «Охрану ждет, — поняла Катя. — Господи, что я делаю?!»

— Я смогу хорошо работать. Пожалуйста, проверьте меня.

— Вы всегда говорите рублеными предложениями? — неожиданно спросил щетинистый очкарик.

— Нет. Обычно я говорю нормально. Просто сейчас я очень волнуюсь.

— Это вполне понятно, — вежливо сказал очкарик. — Не каждый день, наверное, вы запираете себя с начальниками всяких контор, чтобы объяснить им, какой бесценный сотрудник из вас получится.

Катя возненавидела его сразу же и бесповоротно — за еле слышную насмешку в интонации, за совершенное спокойствие, за расслабленную позу и за пижонские очки — до кучи. «Типичный зажравшийся москвич».

Елена Михалкова

— Нет. Не каждый, — сказала она, пытаясь подражать его бесстрастной манере и ожидая, что вот сейчас дверь за ее спиной вышибет охрана, а затем ее поведут в отделение милиции. — Вообще-то я практикую это по понедельникам.

— Сегодня среда, — подал голос бульдог.

— Для вашей фирмы я сделала исключение.

Снова наступило молчание, прерванное каким-то бульканьем. Изумленная Катя поняла, что булькает бульдог — точнее, не булькает, а смеется. Смеялся он от души, и брыли его тряслись от смеха.

— Исключение, значит, — сказал он, отсмеявшись. — Наталья Ивановна, вы слышали? Для нас сделали исключение. Что вы на это скажете?

— Я лучше спрошу, — элегантная брюнетка присматривалась к Кате, и девушка постаралась выдержать ее испытующий взгляд. — Простите, как вас зовут?

— Екатерина. Екатерина Викулова.

— Уважаемая Екатерина, на место офис-менеджера в «Эврике» претендуют девушки с московской пропиской и законченным высшим образованием. Хорошим образованием. У многих из них деловой английский. У вас есть деловой английский?

— Нет.

— Разговорный?

— Нет.

— У вас имеется опыт работы в данной сфере?

— Нет.

Женщина понимающе кивнула.

— Тогда назовите мне, Екатерина, хоть одну причину, по которой на место офис-менеджера Игорь Сергеевич должен взять вас, а не одну из тех претенденток, которые отвечают всем требованиям? Мне действительно интересно.

Катя поняла, что сейчас ни в коем случае нельзя говорить о том, как нужно ей это место. К тому же бить на жалость казалось ей недостойным. Она подумала пару секунд и ответила:

— Во-первых, я обучаема. Да, у меня нет трехлетнего опыта работы. Но мне хватит очень небольшого времени, чтобы разобраться в своих обязанностях. Во-вторых, я очень добросовестна. В-третьих, я умею нестандартно подходить к решению сложных задач.

— Да, мы заметили, — снова подал голос очкарик.

— Но должность, на которую вы претендуете, не предусматривает нестандартного решения задач. Она требует исполнительности, пунктуальности, ответственности. И, само собой, опыта работы в данной сфере. На вас придется потратить время, обучать... Зачем?

— В результате из меня получится хороший сотрудник, — сказала Катя, отчаянно стараясь убедить их всех.

— Который уйдет на более высокую зарплату, как только подвернется такая возможность? — Женщина смотрела на Катю приветливо, но за ее внешней мягкостью чувствовался железный характер. — Я сталкивалась с подобными случаями. И не мотайте головой — жизнь у всех складывается по-разному, вы не можете гарантировать, что не переедете в другой район и не станете искать работу ближе к дому. Вы хотите сказать, что я не права?

— Не хочу. Вы правы.

— Тогда скажите, зачем же вы ворвались в кабинет и закрыли дверь, если у вас нет ни одного преимущества перед остальными кандидатами? В чем вы хотели нас убедить?

Катя помолчала, затем посмотрела почему-то не на женщину, а на очкарика и негромко проговорила:

— Я хотела использовать все шансы. Даже самые небольшие.

Брюнетка пожала плечами, и Катя поняла, что собеседование закончено.

Она согласно кивнула, признавая свое полное поражение, и тут начальник сказал непонятное:

— А что говорят ваши знаки, Наталья Ивановна?

— Действительно, — поддержал его очкарик, и теперь в его голосе не было и намека на насмешку — только уважение и интерес. — Может быть, ваша система сработает и в нашем случае?

Женщина усмехнулась, покачала головой.

— В том-то и дело, что ничего нет. Вы бы сами увидели или услышали, не сомневайтесь.

И в ту же секунду заиграла музыка — громко, радостно, на весь кабинет. Вздрогнули все, кроме брюнетки.

«Ра-а-асцвета-али яблони и груши, — вывел женский голос, и Катя поняла, что это всего лишь звонок телефона, — па-аплыли-и-и туманы над рекой!»

— Опять Лелька в настройках ковырялась! — прорычал начальник, ныряя куда-то под стол. Вынырнул он с поющим телефоном и нажал на кнопку, не дослушав, кто же выходил на берег. — Да! Я!

Пока он бросал короткие реплики, Катя протянула руку к двери, из-за которой раздались громкие голоса, и повернула ключ. Дверь распахнулась, в комнату ворвались два охранника и фурия, в которой она опознала даму, проводившую собеседование.

— Вот она! — фурия ткнула пальцем в Катю.

— Спокойно, Алла Прохоровна! — Бульдог закончил разговор и быстро прекратил суматоху. — Все в порядке. Ребята, вы можете быть свободны, ложная тревога. И вы, Алла Прохоровна, не беспокойтесь.

— Да как же...

— Не беспокойтесь, Алла Прохоровна, — снова повторил мужик, и Катя услышала в его голосе настойчивость. Видимо, фурия тоже услышала ее, потому что молча повернулась и вышла.

— Видите, Игорь Сергеевич, — сказала брюнетка, и Катя увидела, что она улыбается. — Вот знак и появился. Похоже, я ошибалась, и готова это признать.

— И вы полагаете... — Бульдог выглядел несколько смущенным.

— Да, никакого сомнения. Для меня — однозначно, а вы решайте сами.

Мужик устремил вопросительный взгляд на очкарика.

— Капитошин, что мы решим?

— По-моему, все очевидно, Игорь Сергеевич. Пусть выходит на берег. На высокий берег на крутой.

Все они повернулись к Кате, чувствовавшей себя зрителем в японском театре.

— Что? — не выдержала она. — Что такое? При чем здесь берег?

— В конце концов, — задумчиво протянул очкарик с забавной фамилией Капитошин. — Что мы теряем?

— Правильно, Капитошин. Тогда отведи девушку к Шалимовой, пусть оформляет испытательный. Заодно проверим систему нашей уважаемой Натальи Ивановны.

— Сколько?

— Ну... пусть будет три месяца. А там посмотрим.

Бульдог кивнул оторопевшей Кате, не верящей собственным ушам, а женщина снова улыбнулась.

— Спасибо, — произнесла Катя, боясь поверить окончательно, что ее приняли.

— Пожалуйста. Благодарите госпожу Гольц, а не меня. Да, Наталья Ивановна, к слову о благодарности...

Катя вышла и не слышала продолжения разговора. Капитошин вышел за ней, остановился посреди коридора, широким взмахом руки обвел вокруг:

— Добро пожаловать в компанию «Эврика».

И улыбнулся, прохвост.

Глава 5

Лето 1984 года. Село Кудряшово

О самоубийстве тракториста в селе судачили долго. Никто не мог понять, почему молодой здоровый парень покончил с собой без всяких видимых причин. В конце концов решили, что жизнь Хохлову отравляла жена, и на том успокоились.

Все, кроме Мишки Левушина. Со дня смерти приятеля он не расставался с маленькой деревянной русалкой. Игрушку Мишка никому не показывал, но, оставшись один, вынимал ее из кармана и рассматривал, проводил пальцем по светлому дереву. Он хорошо помнил, как пришел к нему Колька и сказал о том, что русалка исполняет желания, и даже догадывался, что именно в этом скрыта причина его самоубийства.

«Если желание исполнилось, зачем же Хохлов топиться решил? Что он такое загадал?»

Русалка не давала Мишке покоя. Казалось бы — чего проще: загадай желание да жди, сбудется или нет. Но Левушин чего-то опасался. Он по природе был пуглив и осторожен, а сейчас, после самоубийства тракториста, и подавно трусил. Несколько раз он повторял себе, что ерунда это все, бабьи сказки, что в наш век, когда люди в космос полетели, никаких глупостей вроде волшебных русалок быть не может... Затем доставал русалку, смотрел на нее, прятал обратно в карман. И боялся загадать желание.

Как ни странно, определиться с желанием Мишке помогла очередная ссора со свекровью. Елена Митрофановна была бабой вздорной, скандальной и на зяте отрывалась по полной программе. Левушин не мог не вестись на ее провокации, и дело обязательно заканчивалось стычкой. Его собственная супруга Ленка начинала подпевать матери, Левушин оскорблялся до глубины души и уходил заливать горе с Колькой Котиком.

«Угомонить бы тещу, — мечтал Мишка. — Показать ее место! Пусть знает Левушина!»

Мечты эти были несбыточны. Теща знала свое место и место Левушина, а потому с удовольствием топталась по его самолюбию. Пару раз в неделю Мишке была обеспечена хорошая взбучка.

После одной из таких взбучек красный как рак Левушин зашел в сарай, достал русалку и, выдохнув, проговорил:

— Я... это... решил, в общем. Сказать вслух, что ли?

Он почесал в затылке, помахал фигуркой в воздухе.

— Че сказать-то надо, а? Даже и не знаю как...

Мишка почувствовал себя дураком. Если Ленка придет и застанет его тут, размахивающего деревяшкой, без объяснений не уйти. Вот тогда-то они над ним вволю посмеются! Да и все село в придачу.

— Короче, чтоб Елена Митрофановна угомонилась маленько. Теща это моя. Чтобы притихла, точно. Ну, вроде и все.

Он растерянно сунул фигурку в карман, потоптался на месте и вышел из сарая.

На следующий день, вернувшись домой, он первым делом прислушался. Когда теща откапывала топор войны, первым признаком надвигавшейся атаки был шум посуды. Елена Митрофановна начинала переставлять горшки, кастрюли, по три раза яростно перетирала полотенцем сухие ложки, стуча ими друг о друга. «Так и есть. Шумит».

Со злорадным чувством Мишка разделся, вымыл руки, прошел в комнату. «Сейчас мы посмотрим, как тебя угомонят. Давай-давай, попробуй пошуметь!»

Теща не заставила себя ждать.

— Где шлялся-то? — спросила она, бросая косой взгляд на зятя. — Опять с дружками-лоботрясами пиво пил?

В другой раз Левушин отмолчался бы, трусливо наблюдая, как разгорается пламя святого тещиного гнева. Но сегодня был особенный день. День исполнения желания.

— Ну, пил, — лениво сказал Мишка. — И что? Мужику после работы пива нельзя попить, что ли? Чай, не водка! А вы-то сразу — «шлялся...» Да и мужиков ни за что ни про что обидели — лоботрясами обозвали. Прямо жизни никакой с вами нет! Чуть шаг в дом сделал — так сразу помоями меня облили! Сколько ж можно такого страдания, а? — продолжал он, распаляясь. — Или добиваетесь, чтобы я за Колькой Хохловым в омут сиганул?!

Он сам не знал, откуда ему на ум пришла последняя фраза. Однако эффект на Елену Митрофановну она произвела нешуточный. Теща выронила полотенце, всплеснула руками.

— Ты что же, Миша, говоришь-то, а? Да неужто ты подумать мог, что Ленка или я тебе такого желаем? Нет, ты скажи — подумал?

— Ну... — промямлил Левушин, не понимая толком, как ему реагировать. — Вы, Елена Митрофановна, вроде как ругаете меня, все укоряете за что-то.

— Так то я — любя! Если слово обидное скажу, не со злости, сгоряча! Ты уж не обижайся на меня, Мишенька. Садись за стол, садись. Сейчас Ленка придет, поужинаете — у меня ведь сегодня блины.

Левушин сел за стол, поморгал, встал. Теща выскочила в другую комнату и шумела посудой там, но теперь этот шум воспринимался им совсем по-другому.

— Елена Митрофановна! — крикнул Мишка. — Пойду Ленку позову!

— Позови, Мишенька, позови. Спасибо тебе.

Мишка вышел на крыльцо.

— Во дела! Ну дает! Эх, черт, сработало!

От избытка чувств он перемахнул через крыльцо, прошелся колесом по двору.

— Ленка! Пошли, мать зовет! Блинов, говорит, напекла! Золотая у тебя мамаша!

Однако после ужина воодушевление Мишки куда-то делось. Он и сам не понимал, в чем дело, но чувствовал себя не в своей тарелке. Хоть Левушин и говорил себе, что ему нужно радоваться, но радость ушла. Послонявшись без дела по комнатам и не получив замечания ни от тещи, ни от жены, он неожиданно понял, что ему так мешает.

Мишке до ужаса хотелось уйти из дома. Хотелось, чтобы его обидели, и он, оскорбленный, обиженный, непонятый, пошел бы жаловаться на жизнь Кольке Котику. Бессловесная Колькина жена принесла бы закуску под водочку, и они бы хорошо посидели, а наутро он бы выпил тещиного помидорного рассольчика — не оттого, что голова болит, а просто так, для вкуса. Но без повода Левушин не мог уйти из дома, а теща повода не давала. Значит, прощай закуска, водочка, рассольчик!

— Пойду прилягу, что ли, — хмуро сказал Мишка со слабой надеждой, что теща не сможет упустить такого шанса и устроит-таки ссору. — Голова заболела.

— Ложись, ложись, — захлопотала Елена Митрофановна. — Ты, часом, не заболел?

Мишка мысленно сплюнул и свалился на кровать в глубокой тоске.

С тех пор тоска не отпускала его. Теща по вечерам встречала его улыбчивая, радушная, но ее радушие было Мишке не в радость. Ему не давали почувствовать себя жертвой! Он снова уходил из дома в сарай, но теперь по другой причине.

«Кто ж мог подумать, что так все обернется? — зло думал он, вертя в руках русалку. — Загадал, понимаешь, на свою голову! Что теперь делать-то?»

Задним умом Левушин понял, что нисколько не страдал от скандалов с тещей. Наоборот — получал удовольствие, и с исчезновением ссор пропал и тот азарт, который он испытывал, возвращаясь по вечерам домой. «Поскандалит — не поскандалит? Пьем сегодня с Котиком — не пьем?» Внутреннее оправдание для попоек с Котиком было необходимо, потому что без него Мишка не чувствовал свою правоту. А быть виноватым Левушин не любил.

Он попробовал пару раз напиться с Котиком просто так, но ощущения были не те. Подумаешь — напился и напился. Ну, жена поругалась. Голова болела наутро. Но чувства удовлетворения-то не было!

— А все ты, чурка деревянная, — сказал он русалке. — Напортачила, понимаешь... Может, отменишь желание обратно, а? Хочу, чтоб все стало, как было.

Однако «как было» не стало. Как ни старался Мишка вывести Елену Митрофановну из себя, та, испуганная угрозой об омуте, закрывала глаза на нахальное поведение зятя. «И вправду, одно желание исполняет, стерва хвостатая, — думал Мишка, кляня себя за опрометчивую просьбу об укрощении свекрови. — Эх! Отдать, что ли, ее... Зачем она мне теперь, раз пользы от нее никакой?»

Водоворот чужих желаний

Он стал мрачен, начал огрызаться на всех без причины, и семья, видя такое изменение в характере трусоватого мужа и зятя, стала еще осторожнее и бережнее обращаться с ним. «Кто его знает, дурака, — думала Елена Митрофановна, — и в самом деле стукнет ему в голову, он возьмет да утопится. Или повесится не дай бог. А Ленке потом с этим жить. Да и мне тоже. Вон, Фаина-то Хохлова не выдержала, собирается уехать — говорят, в город к родственникам подастся. А что делать, если довели пересудами? Нет уж, пусть Мишка чудачит. В конце концов, мужик — он на то и мужик, чтобы характер изредка показывать».

На этой успокоительной мысли теща Михаила Левушина окончательно решила беречь зятя.

. . . .

Алла Прохоровна неодобрительно наблюдала, как Викулова носится по офису. Бешеная тарашка! Профурсетка! Бешеной тарашкой дразнил Викулову Капитошин, а профурсеткой называла ее она сама. Полтора месяца работает, а носится, как в первый день. Тьфу, смотреть противно!

На самом деле Катя не носилась, а просто очень быстро передвигалась по офису «Эврики». У Шаньского в картридже закончился порошок, Эмма Григорьевна просила посмотреть, что с лампами дневного света в бухгалтерии, Снежана второй день жаловалась на уборщицу, плохо моющую пол в ее кабинете, а к Кошелеву сегодня должна прийти Наталья Ивановна Гольц. И зеленый чай, как назло, почти закончился! Не говоря о том, что для Натальи Ивановны требовались ореховые пряники, а остатки пряников с прошлого совещания забрал Капитошин.

— Андрей Андреевич! — Катя заглянула к Капитошину и застала его, пьющего чай с теми самыми ореховыми пряниками, которые так любила Наталья Ивановна. — Где вы их покупаете?

— На рынке, уважаемая Катерина. — Тот моментально понял, о чем его спрашивают. — Отправьте шофера, Володю, он купит.

Катя благодарно кивнула, метнулась исполнять следующее дело. И услышала вслед язвительный голос:

— Советую вам поторопиться. Госпожа Гольц обещала быть к двенадцати, а она никогда не опаздывает.

Найти Володю, отправить его на рынок, заказать порошок для картриджа, а заодно бумагу, блокноты, файлы, и ручки, поговорить с уборщицей, распечатать для Снежаны договоры... Воду должны были привезти час назад, и до сих пор — ни слуху ни духу. Да, и хороший зеленый чай для госпожи Гольц! И цветы, обязательно цветы...

— Катя, кофеварка сломалась!

— Екатерина, что с лампами? Невозможно работать под этот треск!

— Катюша, где мои договоры?

— Распишитесь за воду, пожалуйста.

Катя стремительно поставила закорючку, схватила лист бумаги, на который записывала список дел. Каждый час список пополнялся на несколько пунктов. Листок был испещрен Катиными записями и пометками, рядом с частично выполненными делами стояли галочки. Схематичная виселица веселенького розового цвета рядом с нарисованной ромашкой и надписью «чай!» символизировала, что сделает с ней начальник, если Наталья Ивановна Гольц не увидит любимых цветов, когда придет в офис, и не получит зеленого чая.

— Викулова! Где хризантемы для Гольц?!

Водоворот чужих желаний

Катя перезвонила в службу доставки и убедилась, что хризантемы вот-вот пришлют. Встретила шофера, прибывшего с пряниками и зеленым чаем, сделала внушение уборщице по поводу плохо убранного кабинета Кочетовой, созвонилась с техником и договорилась, что тот посмотрит лампы до обеда. Затем отнесла Снежане распечатанные экземпляры договоров и вернулась на свое место как раз вовремя для того, чтобы получить охапку свежих, белых хризантем.

Кате нравилось украшать кабинет к приезду госпожи Гольц. Ей хотелось сделать приятное женщине, благодаря которой месяц назад она получила работу в «Эврике».

Фирма занималась поставкой компьютеров и комплектующих к ним, которые везли из Китая. Возглавлял ее Игорь Сергеевич Кошелев — бывший инженер, успешно освоивший профессию руководителя. Руководитель из Кошелева получился и в самом деле хороший: радеющий не только о прибыли, но и о репутации и с уважением относящийся к собственным сотрудникам. Текучка кадров в его фирме была минимальная: за два года уволилась одна-единственная сотрудница, и то в связи с переездом в другую страну. Именно на ее место и взяли Катю.

Низкорослый, коренастый, как французский бульдог, с глубоко посаженными темными глазами и ярко выраженными складками по обеим сторонам рта, Кошелев и вправду был похож на сурового пса невысокого роста, но грозного характера. Катя его побаивалась — впрочем, как и все остальные сотрудники, кроме Капитошина — но Капитошин, похоже, вообще никого не боялся.

«Ему хорошо! — с завистью думала о пижоне-очкарике Катя. — Устроился на теплое местечко! Незаменимый товарищ, понимаете ли...»

На самом деле она прекрасно понимала, что никакого теплого местечка под Андреем Капитошиным не имеется. Не зря в фирме его прозвали «таможенник» — задачей Андрея Андреевича было налаживание связей и короткое общение с таможней. В подчинении у него было два парня, Славик и Леша, которых все звали мальчиками. Точно так же двух молодых женщин из бухгалтерии, которых главный бухгалтер безжалостно муштровала, звали девочками.

Поначалу Катя решила, что единственной функцией очкарика является дача взяток, и преисполнилась к нему презрением. Но вскоре ей объяснили, что давать взятки за каждую партию компьютеров — денег не напасешься, да и глупо. Растолковал это Кате не кто иной, как Юрий Альбертович Шаньский, менеджер по продажам.

— Вы, Катенька, недооцениваете нашего Андрея Андреевича. И, кстати, оставьте эти глупые мысли — ах, приехал Капитошин с чемоданом денег из «Эврики», раздал каждому таможеннику по пачке купюр, забрал груз и уехал. Нет, все совсем не так! Его задача — отслеживать все приходящие партии, подавать таможенные декларации — а вы представляете, какая это груда документов? — разбираться с проблемами... Само собой, Андрея на таможне знают. А как же без этого? Он умеет... обаять! — Как ни старался Шаньский скрыть легкую зависть, она все же прозвучала в его голосе.

И Катя его понимала. Если бы не Капитошин, титул «самого-самого» мужчины в «Эврике» с гордостью носил бы Шаньский. И, нужно сказать, вполне заслуженно.

Юрий Альбертович был красавец-мужчина. Его так все и звали.

— Наш красавец-мужчина уже здесь? — кокетливо спрашивала Снежана, пробегая по утрам на высоких шпильках мимо Кати. — Он обещал мне кое-что...

— Красавец-мужчина ушел обедать? — интересовалась главный бухгалтер Эмма Григорьевна. — Он мне нужен.

Шаньский всем что-то обещал и потому кому-нибудь обязательно был нужен. Высокий сорокалетний брюнет, при взгляде на которого Кате в голову приходило слово «статный», Юрий Альбертович обладал военной выправкой и к тому же был попросту красив. Высокий лоб, прямой точеный нос, темные глаза («Жгучие!» — говорила Снежана Кочетова)... Правда, в чертах Шаньского не доставало той легкой неправильности, которая делает красивое лицо интересным. На вкус Кати, он был пресноват. Пару раз ей в голову закрадывалась предательская мысль, что пресноват Шаньский не сам по себе, а именно на фоне обаятельного Капитошина, но Катя гнала ее прочь.

К моменту их знакомства Юрий Альбертович был дважды разведен. Он доверительно вздыхал, что, видно, суждено ему прожить остаток жизни одиноким, и поднимал на Катю выразительные («жгучие!») глаза. Поварихи в столовой млели от Шаньского, продавщицы в магазине млели от Шаньского, а две девушки пожилого возраста из соседнего офиса при каждой встрече осведомлялись у Кати, как здоровье господина Шаньского.

Катя про себя подсмеивалась над ним. Она заметила, что Юрий Альбертович специально старается говорить низким голосом, и как-то раз, когда никто не слышал, не сдержавшись, попыталась пародировать его.

— Ах, дружочек, я так одинок! — басила Катя, подпирая ладонью подбородок и одновременно томно закатывая глаза. — Найдется ли та, кто согласится скоротать со мной дни?

— Что с вами, Викулова?

Резкий голос заставил Катю вздрогнуть и выпрямиться. Алла Прохоровна Шалимова, конечно! Бывшая завуч в общеобразовательной школе, по профессии — учитель географии. Начальник отдела кадров в «Эврике», хотя весь отдел кадров — она одна. По совместительству — юрист, а при необходимости — и бухгалтер. Рабочая лошадь, которая может пахать за двоих и считает, что вся фирма держится только на ней. Невысокая, массивная, предпочитающая в одежде темно-синий цвет всем остальным, Алла Прохоровна передвигалась по офису удивительно бесшумно, и Катя иногда представляла ее крадущейся по школе с указкой и подстерегающей нерадивых учеников, чтобы стукнуть их по глупым стриженым затылкам.

— Здравствуйте, Алла Прохоровна!

Шалимова кивнула так, что ее кивок с равным успехом сошел бы и за приветствие, и за нервное подергивание вторым подбородком, на котором росла бородавка с двумя жесткими, похожими на рожки волосками. Катя вздохнула. Алла Прохоровна была единственным человеком в фирме, ненавидевшим нового офис-менеджера и не считавшим нужным это скрывать. Исполнительность и обязательность Кати не имели для нее никакого значения — их перевешивала наглость этой провинциальной выскочки, посмевшей захлопнуть дверь кабинета начальника перед ее, Аллы Прохоровны, носом!

После решения принять Катю на испытательный срок Шалимова ходила к Кошелеву и пыталась убедить его не совершать опрометчивого шага. Ругалась, просила и, кажется, даже попробовала разжалобить, ссылаясь на то, что для нее оскорбительно видеть бессовестную девицу. Но Игорь Сергеевич проявил упорство, и Катя знала почему. Из-за маленькой худощавой брюнетки из Санкт-Петербурга. Натальи Ивановны Гольц.

К Наталье Ивановне все относились с большим уважением, несмотря на некоторые ее странности. Юрист Снежана Кочетова говорила просто:

— Гольц тетка неплохая, но со своими закидонами. Муж ее на руках носит, хотя посмотреть-то там не на что: ни кожи ни рожи!

Водоворот чужих желаний

Сама Снежана была высокой крашеной блондинкой с белоснежными зубами и постоянным ровным загаром из солярия. На Гольц она смотрела сверху вниз с высоты своих ста семидесяти шести сантиметров, дополненных шпильками, — тем и объяснялось ее пренебрежение. Но Катя с Кочетовой согласиться никак не могла.

Наталья Ивановна, удачно вышедшая замуж за сына бизнес-леди, после трагической гибели свекрови фактически взяла ее дело в свои руки. Сеть парикмахерских салонов «Элина» под ее управлением не только не развалилась, как предсказывали многие, но и процветала. В дополнение к основному бизнесу госпожа Гольц неожиданно вышла на компьютерный рынок и с помощью мужа повела дело так грамотно, что открыла два престижных магазина, специализировавшихся на дорогостоящей технике. Теперь Наталья Ивановна планировала расширить бизнес и именно поэтому регулярно встречалась с Кошелевым — «Эврика» была нужна ей для совместного проекта.

Все знали, что многие важные решения Гольц принимает только после того, как видит «знак». Знаком могло быть все, что угодно. В Катином случае это был звонок сотового телефона Игоря Сергеевича, по чистой случайности наигравший песню с ее именем. Но то, что для Кати было случайностью, для Натальи Ивановны было знамением, и Кошелев, давно с любопытством наблюдавший за системой потенциальной бизнес-партнерши, решился на эксперимент. И принял в фирму сотрудника без опыта работы, образования и прописки.

Катя делала все, чтобы он не пожалел об этом. Она приходила раньше всех и уходила позже; она не стеснялась выспрашивать у сотрудников о разных мелочах; она потратила «продуктовые» деньги на книжку «Компьютер для чайников» и читала ее по пути на работу и обратно, запоминая, как нужно работать в различных программах, и стараясь как можно быстрее применить полученные знания на практике.

Жизнь ее разделилась на две части. В офисе «Эврики» Катя чувствовала себя нужной, она общалась с интересными и приятными ей людьми, а на шипение Аллы Прохоровны не обращала внимания. Она зарабатывала деньги! Однако дома начинался ад.

Артур так и не смирился с тем, что его жена работает офис-менеджером. Иначе, как «секретутка», он ее не называл, и это оскорбительное гадкое словечко подхватила от него и Седа. Вечерами он дожидался Катю мрачный, озлобленный и с порога начинал выплескивать плохое настроение.

У Кати не хватало сил на то, чтобы огрызаться, ставить мужа на место, призывать его к порядку. К тому же вокруг вилась свекровь, быстро бормоча сыну что-то на армянском, и Артур постепенно успокаивался. Он даже сидел с Катей, пока она ужинала, но говорить им было не о чем: он целыми днями не выходил из дома, а слушать ее рассказы о работе категорически отказывался.

— Катюша, ты не сердись на мальчика, — уговаривала свекровь, отловив Катю в коридоре. — Он ревнует, понимаешь? Кровь такая, что поделаешь, — горячая кровь, да!

Однако стоило девушке заикнуться, что «горячая кровь» могла бы почаще вспоминать, что она работает не ради своего удовольствия, а для заработка, как свекровь тут же осадила ее:

— Ты и сама почаще вспоминай, почему мы здесь оказались! Я Артура не защищаю, но и ты не забывай: он в этой квартире, как зверь в клетке. А Седе и того хуже: она девочка молодая, горячая. А из-за кого все? Держи это в своей голове!

И приставила к Катиному виску пухлый смуглый палец с остро заточенным ноготком.

Водоворот чужих желаний

При Артуре Седа старалась держать себя в руках — Катя была уверена, что только под влиянием матери, — но наедине не упускала случая поддеть жену брата. В тот день, когда Катя вернулась домой с книжкой, фыркнула ей в лицо, прочитав название:

— Думаешь, научишься чему-нибудь и продержишься испытательный срок? Ну-ну!

— Если не научусь и не продержусь, тебе, милая, не на что будет кушать! — не сдержалась Катя.

— А мы и так из-за тебя живем, словно на помойке! Из дома выйти не можем, едим паршиво, дохнем со скуки!

Катя хотела возмутиться, но сил на это у нее не было. Постоянные напоминания о том, что это она виновата в их теперешней скверной жизни — и от мужа, и от свекрови, и вот сейчас от Седы, — убивали в ней способность трезво рассуждать и сопротивляться агрессии домашних.

— Ты никогда не жила на помойке, — сухо сказала она, отбирая у Седы книжку. — А если бы и жила, никогда не сравнила бы эту квартиру с помойкой. Не гневи бога.

Небольшой отдушиной для Кати были лишь утренние короткие разговоры с Вотчиным. Она по-прежнему выгуливала Антуанетту, справедливо рассуждая, что деньги за прогулки лишними не будут. Коллекционер искренне порадовался за нее, узнав, что Катя устроилась на приличную работу.

— Не будете, Катерина, с утра до вечера по разным районам носиться. Опять же, деньги совсем другие.

— Скажите, Олег Борисович, а почему вы не переезжаете из этого района? Он далеко не лучший... Грязный, и люди такие... разные...

Она не стала добавлять, что каждый вечер старается побыстрее пройти мимо подъезда, возле которого собирается компания бритоголовых подростков, разбивающих пивные бутылки о стену дома. И каждый вечер ей кажется, что они вот-вот побегут за ней следом.

— Не могу, душенька, — вздохнул Вотчин. — Родовое гнездо не пускает. Маменька моя умерла в этой квартире, а я ее очень любил! Представить не могу, что я из этих стен уеду в другое место!

Катя украдкой оглядела стены. «Видимо, сильно Олег Борисович любил маменьку. Я бы из этого района удрала куда глаза глядят, даже если бы в этих стенах урны с прахом моих предков были замурованы».

— К тому же денег нет, — другим тоном добавил Вотчин. — Переезд, агентства, новый район... Можно, конечно, но тогда придется продать часть коллекции. А я к этому не готов. Она мне так дорога!

— А вы не боитесь за нее? Вдруг к вам кто-нибудь заберется?

— Когда? Я практически постоянно дома. А дверь открываю только своим знакомым. Так что — исключено, Катерина, совершенно исключено. Если же ко мне полезут ночью, то — открою вам ма-аленькую тайну — квартира на охране. Так что приедут доблестные стражи правопорядка — и вуаля! Преступники схвачены и водворены в тюрьму!

Катя рассмеялась: так элегантно у Вотчина получилось схватить преступников и посадить их в тюрьму.

— А вот вам, милая моя, нужно быть осторожнее, — прибавил тот. — Почему вас не встречают по вечерам?

Катя немедленно вспомнила, что она опаздывает на работу, и таким образом избежала скользкой темы. Достаточно того, что Артур каждый день подозрительно выспрашивает, не приставал ли к ней Олег Борисович, и на него не действуют объяснения, что старика интересуют только его сокровища и терьерчик по кличке

Антуанетта. И свекровь повторяет, как заклинание: «Никому ничего не рассказывай! Никому ничего не рассказывай!»

Катя и не рассказывает.

Однако в одно пасмурное зимнее утро Катя нарушила правило не откровенничать с посторонними. Произошло это неожиданно для нее самой. На прогулке с Антуанеттой, задумавшись и уйдя в сторону от обычного маршрута, она услышала громкий лай и увидела подпрыгивающий комочек, несущийся к ним по утреннему снегу.

— Надо же... еще один йоркширский терьер. Привет, лохматый! Мы тебя раньше не видели.

Лохматый подпрыгивал вокруг Антуанетты, обнюхивая ее.

— Вот ты где, шмакодявка! — раздался женский голос, и Катя, подняв голову, разглядела подходящую к ним женщину в зеленой куртке.

Она рассмеялась.

— Почему же шмакодявка?

— А кто же еще? Не собака, а одно название. Ладно, прохвост, иди поиграй.

Женщина приветливо улыбнулась. Она была стройная, сероглазая и рыжеволосая, и кончики пушистых рыжих волос торчали из-под капюшона. У нее было нежное, какое-то нездешнее лицо. «Несовременное, — сформулировала для себя Катя. — Как будто с картин Боттичелли сошла».

— Я вас раньше не видела, — сказала Катя, — в смысле вашего песика. А я почти всех собак в этом районе знаю.

— Он у нас недавно. Это не наша собака, а родственницы. Она уехала погостить в другой город, а Бублика нам оставила.

— Бублика?

— Вообще-то по паспорту он Вильгельм-Какой-то-там-Милорд, но мой сын его сократил. Наш Вильгельм, конечно, выражал недовольство, но мы ему предоставили выбор: или Бублик, или Шмакодявка, или Пшел-вон-с-дивана. Он подумал и согласился на Бублика.

Катя искоса взглянула на собеседницу и снова рассмеялась. Лицо у той было непроницаемо серьезным, но по ямочкам на щеках, по интонации, по тому, как она глядела на собачонку, становилось понятным, что песика в их доме не обижают, даже если посмеиваются над ним.

— А как вашу красавицу зовут?

— Я зову ее Тонька, а хозяин — Антуанетта. Это не моя собака, а соседская. Я с ней гуляю для приработка.

Женщина пристально посмотрела на Катю и кивнула, ничего не сказав. Из-за ее понимающего кивка, из-за ее молчания и от того, что ямочки на ее щеках пропали, Катя вдруг стала рассказывать, как приехала сюда, как устроилась на одну работу, затем — на другую, как боится она ходить по вечерам по этому району, как тяжело ей привыкать к Москве, и маму надо обманывать два раза в неделю, а подруги, кажется, что-то подозревают, хотя она и им звонила... И спохватилась только тогда, когда чуть не произнесла имя мужа. «Господи, что я делаю?! — ужаснулась она. — Зачем я вываливаю свою жизнь на эту чужую женщину?!» Катя уже собралась извиниться, как вдруг незнакомка ласково провела по рукаву ее куртки ладонью — погладила, как собаку.

— Ничего, ничего, — сказала она. — Все наладится. Кстати, меня Маша зовут.

Она протянула тонкую узкую ладонь, и Кате бросилось в глаза обручальное кольцо на безымянном пальце. Катя торопливо стянула перчатку и пожала протянутую руку, про себя удивляясь непривычной для женщин манере здороваться.

— А меня — Катя. Простите, я совсем не хотела грузить вас своими проблемами.

— Грузить проблемами? — Маша чуть заметно усмехнулась. — Меня всегда удивляло это выражение. Сразу представляются проблемы, похожие на булыжники — такие большие, неподъемные. А мне кажется, что наши проблемы — как грязная холодная лужа: наступил и провалился. Или зачерпнул воды и вылил кому-нибудь за шиворот.

— Не лужа. Водоворот. Шагнул — и тебя затянуло.

— Водоворот? Да, пожалуй. Хорошее сравнение, — Маша поежилась и одернула рукава куртки, так что они закрыли ладони. — Мы с Бубликом будем гулять в этом дворе каждое утро. Присоединяйтесь к нам, если хотите.

— Да... мы хотим, конечно!

— Вот и замечательно. До завтра! Бублик, ко мне!

Катя подхватила Антуанетту под мышку, и, помахав новой знакомой, заторопилась к дому. Маша смотрела ей вслед.

«Красивая девочка. И, похоже, у нее неприятности. Как она испугалась, когда заговорила про свою семью! Но чего?»

Она погладила песика, склонившего голову набок.

— Водоворот, значит... Пойдем домой, малыш. Наши заждались.

Утренняя встреча выбила Катю из колеи. Она, привыкшая скрытничать, не ожидала от себя такой откровенности с первой встречной симпатичной и благожелательной женщиной. «Еще не хватало для полноты картины уткнуться в ее зеленую куртку и разрыдаться! И Антуанетта бы мне подвыла... Артур прячется от бандитов, а я незнакомой собачнице выкладываю все, как на духу. Совсем с ума сошла!»

Из состояния самоедства ее вывел вопрос Эммы Григорьевны. Эмма Орлинкова была главным бухгалтером «Эврики», женщиной высокой, полной, с красивыми крупными чертами лица. Даже мясистый нос с широкими ноздрями ее не портил. Короткие волосы она красила в сливовый цвет и старательно укладывала волосок к волоску, так что на голове получалось нечто вроде фиолетового шлема. Катя ее побаивалась, и, чтобы избавиться от страха, представляла Эмму Григорьевну в тунике, легких плетеных сандалиях и со щитом в руке. Получалась престарелая Афина, располневшая на жертвоприношениях.

— Катерина, ответь мне на один простой вопрос, — Орлинкова подошла к Катиному столу и облокотилась на него, постукивая грубоватыми пальцами с короткими квадратными ногтями без лака. — Меня мучает любопытство. Как ты решилась на тот фортель — помнишь, когда удрала от Аллы Прохоровны?

Катя подняла голову и заметила, что из кабинета Кошелева вышли сам Игорь Сергеевич, Алла Прохоровна, Шаньский, Капитошин и Наталья Ивановна Гольц, приехавшая сегодня для подписания какого-то важного договора. Снежана стояла возле кофеварки и, улыбаясь, ждала ответа. Шалимова бросила недружелюбный взгляд на Орлинкову, но промолчала.

Катя смутилась и покраснела.

— Ты у нас девушка скромная, работящая... Я ведь за тобой уже полтора месяца наблюдаю. Как же тебе вообще пришло такое в голову — зайти в кабинет начальника и запереться там, а?

— Мне тоже интересно, — вдруг сказала Наталья Ивановна. — Что это было? Жест отчаяния?

— Нет, — нехотя сказала Катя. — Хотя, наверное, да. Просто... в тот день мне казалось, что у меня все должно получиться.

— С чего бы это? — фыркнула Алла Прохоровна.

— Глупо, конечно, — Катя улыбнулась, словно извиняясь. — Но мне с утра дали один талисман и сказали, что он исполняет желания. Точнее, одно желание. И я могу его загадать. Вот я и загадала — устроиться на работу.

— Что за талисман? — заинтересовался Кошелев. — Я тоже такой хочу.

— Расскажите про талисман, Катерина, — попросила госпожа Гольц. — Я люблю такие истории.

— Да нет там особой истории. Мой сосед — коллекционер, у него собрано много разных странных вещиц в квартире. Одна из них — русалка.

— Русалка? — хором спросили Эмма Григорьевна и Снежана.

— Да, деревянная русалка. И с ней связана легенда — будто бы она исполняет желания. Сосед с восьмого этажа показал ее мне и предложил загадать свое. Я, конечно, понимала, что все это шутка, — смущенно сказала Катя. — Но все равно у меня было ощущение, будто эта фигурка мне помогает.

— Почему же обязательно шутка? — красивым баритоном вопросил Шаньский. — Может быть, наш скепсис в данном случае неуместен. Мир непознанного — огромен, Катенька, просто огромен.

— Вот именно, — желчно заметила Орлинкова. — И хочу напомнить, уважаемый Юрий Альбертович, что у нас с вами этого непознанного — целые залежи. Вы мне обещали предоставить отчет по ноябрю — и где же он?

Шаньский страдальчески посмотрел на Эмму Григорьевну, но главного бухгалтера такими взглядами было не прошибить.

— Не смотрите на меня, как пес, забывший, где закопал любимую косточку. Пойдемте-ка со мной, выясним кой-какие подробности.

Орлинкова увлекла вздыхающего Шаньского за собой, Снежана убежала с чашкой кофе в кабинет, Кошелев пошел по коридору, разговаривая с маленькой Натальей Ивановной, Шалимова незаметно испарилась. Возле Кати остался Подлый Очкарик, он же Незаменимый Товарищ, он же Таможенник, он же Андрей Андреевич Капитошин.

— Первый раз слышу, как вы что-то о себе рассказываете.

Катя воззрилась на него, ожидая подвоха, но Капитошин, кажется, был серьезен.

— Зря рассказала, — призналась она. — Растерялась, когда Эмма Григорьевна спросила.

— Да, Эмма Григорьевна — как танк: переедет и не заметит. Но почему зря? Боитесь, что выдали секреты вашего соседа? Или просто не хотите ничего лишнего о себе сообщать?

Он проницательно взглянул на нее из-под очков.

Катя хотела отшутиться, но второй раз за день поймала себя на том, что от внимательного взгляда человека напротив ей хочется рассказать ему обо всем, пожаловаться на жизнь и спросить, что же делать дальше. «Да-да-да: — проворковал саркастический внутренний голос. — А потом уткнуться ему в рубашку, всхлипнуть и ждать, пока он погладит тебя по волосам... Мы это сегодня уже проходили. Тьфу! В лучших традициях голливудских мелодрам».

Катя опомнилась.

— А мне нечего о себе сообщить, — вымученно улыбнулась она. — У меня совершенно неинтересная жизнь.

Андрей Андреевич покачал головой, поправил очки и снова стал язвительным молодым прохвостом, каким привыкла воспринимать его Катя.

— Не смотрите на меня так, словно я собираюсь копаться в шкафу, где спрятан скелет любовника вашей бабушки, — посоветовал он. — У меня нет такого желания.

— И слава богу, — буркнула Катя. — Узнаете что-нибудь не то... Не хватало еще присоединять к тому скелету ваш собственный.

Капитошин от души рассмеялся.

— Ну вот, вы, кажется, пришли в себя. С утра вид у вас был, скажу откровенно, затюканный.

Катя собиралась возмутиться, но тут Андрей Андреевич сделал совершенно неожиданное заявление.

— Хотя и в затюканном виде вы мне тоже нравитесь, — сказал Андрей Капитошин и пошел по коридору к своему кабинету, оставив Катю сидеть с открытым ртом.

В голове ее немедленно зазвучали два голоса.

— Наш Таможенник решил поразвлечься с новым офис-менеджером, — заметил Циничный. — Бросил камешек в воду и будет ждать результата.

— Мы ему нравимся! Мы ему нравимся! — распевал второй, окрещенный Катей Щенячьим, приплясывая на берегу того самого пруда, куда был брошен камешек.

— Мы не забываем, что у нас имеется муж? — осведомился Циничный у Щенячьего. — Не говоря уже о том, что на работе нельзя заводить романы. Тем более — с самодовольными москвичами.

— Нравимся! Он сам сказал!

Циничный закатил глаза и покачал головой.

Пробегавшая по коридору Снежана бросила на Викулову взгляд. «Смотрите на нее — улыбается! Как будто ей подарок сделали! Нет, мне, конечно, не жалко...» Кочетова на секунду приостановилась, ревниво оценивая девушку. «Ну, волосы красивые, вьющиеся — этого не отнять. Рот слишком большой. Глаза ничего, но лучше бы были голубые, а не карие. Фигурка так себе, слишком уж худая. И роста маленького».

Елена Михалкова

Убедившись, что новая сотрудница по всем параметрам ей проигрывает, Снежана мысленно милостиво разрешила Викуловой улыбаться и дальше и умчалась по своим делам.

Андрей Капитошин, которого Катя считала самодовольным москвичом, родился и вырос в Обнинске. После школы родители отправили его учиться в Калугу, и там, в техническом университете, он и познакомился со Светкой Малининой.

Малинина быстро стала звездой университетского масштаба — она прекрасно пела, танцевала, участвовала в самодеятельности и к тому же была хороша собой: светловолосая, фигуристая, броская. Капитошин влюбился без памяти и был совершенно счастлив, когда они стали встречаться.

Светка с Андреем были красивой парой — оба высокие, стройные, веселые. Капитошина мужики насмешливо звали «очкариком», но втихомолку ему завидовали. Завидовали и тогда, когда на пятом курсе Малинина аккуратно женила на себе Андрея — у нее были плохие отношения с матерью, хотелось сбежать из опостылевшего дома, а у Капитошина имелась своя большая комната в калужской квартире, доставшейся родителям, переехавшим туда из Обнинска.

Они прожили в Калуге ровно год — пока заканчивали пятый курс. А после выпускного бала Светка огорошила супруга:

— Андрюша, нам нужно уезжать отсюда. В Калуге делать нечего. Выбирай — Москва или Ленинград?

В одной квартире с родителями мужа Светлане жилось не намного легче, чем с собственной скандальной маменькой. Несмотря на то что Елена Владимировна и Сергей Николаевич были людьми интеллигентными, спокойными и мягкими, они ей мешали. Светке хотелось блистать, ловить восторженные взгляды, и если от моло-

114

дого мужа она получала их вдоволь, то его родители не спешили восторгаться ее способностями к пению и сочинению стихов. Нет, они хорошо относились к невестке, тем более что оба по уши сидели в своих научных проблемах и вовсе не хотели устанавливать в доме какие-то там мифические «наши порядки» или определять старшинство на кухне. Но по вечерам, когда семья собиралась вместе и начинала какой-нибудь разговор, Светка чувствовала себя лишней. Она не могла его поддержать. Она не читала — и не хотела читать — книг, которые они обсуждали, ей была неинтересна политика, а от рассказов Сергея Николаевича сводило челюсть зевотой. «Болото, — размышляла она. — Нужно вытаскивать отсюда Андрюху. Без меня он и пальцем не пошевелит, его то все устраивает. Ничего, придумаю что-нибудь».

И она придумала.

— Светка, а здесь тебе чем плохо? — удивился Андрей, услышав ее идею.

Он любил родителей, переживал за отца, у которого временами прихватывало сердце, здесь жили его друзья и приятели, а также любимый тренер по волейболу, в который они играли каждую субботу. Капитошин был молодым жизнерадостным парнем с любимой женой, прекрасными родителями и довольно ясными перспективами. Менять это все неизвестно на что представлялось ему как минимум странным.

— Дурачок, тебе первому тут будет плохо, — ласково сказала Светка, гладя мужа по голове. — Наша Калуга — это провинция! Дыра, понимаешь? А я хочу, чтобы ты стал настоящим человеком.

Даже горячая влюбленность в жену не помешала Капитошину разразиться издевательским смехом.

— То есть ползал бы без ног по лесу и поедал ежиков? — выговорил он сквозь смех. — Вот, значит, чего тебе хочется!

Светка, само собой, обиделась и повела себя так, что Андрею пришлось два вечера заглаживать свою вину. Как-никак, он оскорбил ее в лучших чувствах! А потом продолжала уговаривать Капитошина сменить Калугу на Москву, веря в принцип «вода камень точит».

Как ни странно, но Светке в ее затее помогла свекровь. Елена Владимировна — ироничная, тонкая, никогда не выходившая из себя и казавшаяся слегка отрешенной от всего бытового-приземленного, с неожиданной проницательностью догадалась, чего хочет невестка. И к чему это может привести, если ее сын откажется.

— Сереженька, — сказала мужу Елена Владимировна, — она его бросит. Зачем Андрюше такой опыт в двадцать один год?

— Как так — бросит? Она его жена!

Елена Владимировна негромко рассмеялась.

— В первую очередь она женщина, милый. Которая вбила себе в голову одну-единственную мысль. Женщина с одной мыслью в голове может горы свернуть и никого не пощадит при этом.

— Брось, Леночка! Что Андрюше делать в Москве?

— Жить, зарабатывать, учиться самостоятельности. Он уже не маленький мальчик. На первых порах они могут остановиться у моей тети, затем что-нибудь придумают. А ты, будь добр, не упоминай пока о своем сердце. И спрячь лекарства в тумбочку. Нельзя нам с тобой так привязывать сына к себе.

— Зачем ему жена, которая может бросить его в любой момент? — проворчал Сергей Николаевич.

— Незачем, ты прав. Но если она оставит его сейчас, подсознательно Андрюша будет винить в этом и нас, и себя. Тут ничего не поделаешь. Он влюблен, он обожает ее... Пусть лучше все разрешится потом, между ними двоими.

— Наоборот. Пусть Светлана уезжает сейчас, пока они не родили детей. Потом будет хуже.

— Она не родит, — ответила Елена Владимировна.

— Почему ты так уверена в этом, дорогая моя прорицательница?

— Потому что ребенок испортит ей планы и фигуру, — ответила мать Андрея и рассмеялась негромким смехом, который обожали и ее сын, и муж.

Обнаружив в родителях безмолвную поддержку идее переезда, Капитошин всерьез задумался над ней. Жена уговаривала его каждый день, приводила все новые и новые аргументы «за», легко разбивала его доводы «против». И, в конце концов, уговорила.

Светка торжествовала. Наконец-то! Наконец-то она вырвется из провинции, поедет покорять Москву, возьмет ее приступом, и столица падет к ее ногам. А в Калугу они обязательно будут приезжать! Раз в год, конечно же. Андрей и Светлана — блестящие столичные жители, прекрасные и далекие.

Света Малинина не была глупой. Просто ей очень хотелось красивой жизни.

Они переехали в столицу, и по чистой случайности Андрей сразу устроился на приличную работу. Они сняли маленькую квартирку, Светка привела ее в порядок, а затем принялась за покорение Москвы. Легкость, с которой муж нашел работу с хорошей зарплатой, подсказывала, что ей тем более повезет.

Однако везение не торопилось. Света ходила на собеседования, отвечала на идиотские вопросы и напрасно ждала звонков... В конце концов, махнув рукой на высокие запросы, она решила, что нужно хоть с чего-то начинать. И устроилась в крупную компанию кем-то вроде помощника секретаря — платили мало, зато офис был недалеко от дома.

Светка представляла, как они будут соревноваться с мужем в карьерном росте, как она проявит себя на работе, покорит сотрудников обаянием и красотой. Однако на практике все вышло совсем не так, как ожидалось.

Сотрудниками Светы были в основном дамы лет тридцати. Они без всякого энтузиазма смотрели на попытки Светы понравиться, «покорить обаянием». Пару раз девушке дали понять, что видят в ней всего лишь провинциальную выскочку, занимающуюся ерундой. Кто-то посмеялся над ее одеждой, кто-то передразнил местечковое словечко... Этого Свете оказалось достаточно.

Она стала жаловаться мужу на то, что ее травят, не дают нормально работать. Это было неправдой, но Света именно так воспринимала происходящее. В ее фантастические планы по покорению столицы вовсе не входило доказывать всем окружающим, что она на что-то способна. Для нее это само собой подразумевалось, и Свету неприятно поражало, что ее звездного блеска не хотят замечать другие.

Муж выслушивал, сочувствовал, поддакивал. И давал какие-то странные советы.

— Я не спрашиваю тебя про документооборот! — возмущалась Света. — Я просто рассказываю, какие они стервы! Меня травят, по-настоящему травят!

— Милая, тогда меняй работу.

Такой совет Свете нравился еще меньше.

Капитошин пахал с утра до позднего вечера, забывая обедать. Ему все было интересно, во все хотелось вникнуть. Его неподдельный энтузиазм, сообразительность и чувство юмора привлекали к нему людей. Никто ни разу не сказал про него уничижительно, что он провинциал, а потому жалобы жены были Андрею непонятны. Да, провинциал. Ну и что? Кого это волнует?

Из них двоих одна была нацелена на результат, второго куда больше занимал процесс. Столкнувшись с тем, что результата не бывает без процесса, Света мигом растеряла свою уверенность и сдалась. С трудом продержавшись шесть месяцев, она объявила мужу, что увольняется.

— И вот что, Андрей... — добавила Светка. — Я не хочу пока искать новую работу.

— А что ты хочешь?

— Я хочу родить ребенка. Ты же понимаешь, если я забеременею, а на работе у меня начнутся новые стрессы, это может плохо окончиться.

Она прижалась к мужу и тяжело вздохнула.

— Мне так хочется мальчика от тебя, — прошептала она. — А кого ты больше хочешь?

Андрей Капитошин никого не хотел. То есть хотел, но в далекой перспективе. Но он любил жену и потому сказал, подавив вздох:

— Кого родишь, того и хочется.

С этого дня Света стала домохозяйкой. Как-то само собой получилось, что покорять Москву она расхотела. Во всяком случае, убедилась, что офисная работа не для нее. Теперь хозяйство отнимало у нее уйму времени, к тому же она регулярно рассказывала Андрею, что ходит по врачам и сдает необходимые анализы.

Капитошин искренне поверил в то, что жена сидит дома только потому, что хочет забеременеть и родить. Однако выяснилось, что у них есть проблемы — в течение целого года они так и не смогли зачать ребенка. Андрей не на шутку обеспокоился и уже собирался сам обратиться к врачу, когда случай расставил все по местам.

Упаковка от противозачаточных таблеток вывалилась из мусорного пакета, когда Андрей ожесточенно запихивал его в мусоропровод. Он поднял ее, не задумываясь, но внезапно вспомнил: именно такие таблетки он раньше покупал Светке в аптеке. Но это было давно — тогда, когда она еще не пыталась забеременеть.

Он вернулся в квартиру, сел рядом с женой, смотревшей любимый сериал, и спокойно положил ей на колени упаковку. Недоумение в ее взгляде сменилось испугом, и Капитошин все понял.

— Зачем врала? — спросил он удивленно.

Жена разрыдалась. Это было безотказное средство — Андрей, не переносивший женских слез, мог согласиться на многое, лишь бы она успокоилась. Но сегодня это средство не подействовало. Капитошин был слишком поражен тем, что ему врали с непонятной целью на протяжении года. Он переждал, пока схлынет поток слез, и снова спросил:

— Света, зачем?

— Иначе ты бы заставил меня работать! — всхлипнула жена.

— Я?! — поразился Капитошин. — Что ты несешь?

— Ну хорошо, хорошо! Мне нужно было какое-то самооправдание! — Света перестала всхлипывать, в голосе ее появилась злость. — Теперь ты доволен? Это ты у нас так хорошо приспособился к Москве, что тебя с утра до позднего вечера не видно! Это у тебя кожа, как у носорога, но не у меня! А я... я так не могу! Меня везде травят!

Андрей выслушал поток бреда, покачал головой. Напоминать жене о том, что это она перетащила его в Москву, было бесполезно.

— Думаешь, я не вижу, что ты презираешь меня за то, что я не зарабатываю деньги? — Света перешла в нападение. — Конечно, ты ведь у нас такой правильный, такой работяга! Обеспечиваешь нас обоих! Наверное, очень гордишься собой, да?

— Да о чем ты говоришь...

— Не затыкай мне рот! Я тебе все скажу...

Пять минут Капитошин слушал нелепые обвинения жены, на шестой минуте вышел из комнаты и плотно прикрыл дверь. Пока Света думала, пойти ли за мужем или окончательно обидеться и замолчать, Андрей позвонил коллеге, договорился, что переночует у него, быстро собрал сумку, коротко попрощался с женой и уехал. Ему нужно было обдумать ситуацию в тишине, без Светиного зудящего крика о том, что он виноват в ее обмане. «Это ты вынудил меня врать тебе! Другому человеку я бы не врала!»

Андрея Капитошина родители вырастили совестливым человеком. Проснувшись утром, он представил себе плачущую Светку, которой приходилось так тяжело на работе, что она пошла на ложь, лишь бы оставаться домохозяйкой. Вспомнил, что не понимал ее жалоб, хотя утешал, как мог. Подумал о том, что в такой ситуации он не имеет права предать жену — она слабее, беззащитнее, полностью зависит от него. И отпросился с работы до обеда, чтобы поехать домой, поговорить и решить, что им делать дальше.

Услышав звук открывающейся двери, Светка взвизгнула и бросилась одеваться. Капитошин, изумленный ее визгом, бросился в комнату и увидел на разложенном диване голого мужика, натягивающего на себя одеяло, и в стороне собственную жену — взъерошенную, раскрасневшуюся, пытавшуюся завернуться в халатик.

— Ты же должен быть на работе... — только и выговорила супруга, кляня себя за то, что поддалась на уговоры молодого врача и разрешила ему заехать сегодня.

Развелись они быстро — делить им было почти нечего. Саму процедуру Андрей не запомнил. Но навсегда запомнил злобный голос жены ему в спину, когда он уходил по длинному коридору, со стенами мрачного темно-зеленого цвета. «Это ты меня такой сделал. Слышишь? Ты меня сделал такой!»

Больше Андрей никого не собирался делать «такой». Он стал вести жизнь здорового разведенного мужчины, просто встречаясь с женщинами. Иногда эти отношения были долгими, но ни разу Капитошину не пришла в голову мысль сделать кому-то из них предложение руки и сердца. Он слишком обжегся на первом браке и слишком хорошо чувствовал себя в своей независимости, чтобы менять ее на что-то непредсказуемое, называемое семейной жизнью.

К тридцати годам в своем багаже он имел ворох любовных историй. И несколько правил, одно из которых после неприятного случая не нарушал никогда. «Не спи там, где работаешь, и не работай там, где спишь».

Однако с недавнего времени Капитошину очень хотелось послать это правило куда-нибудь подальше и все-таки затащить в постель нового офис-менеджера. Его останавливало правило о работе и то, что он совершенно не понимал, как Викулова к нему относится. С другими женщинами было проще: пара пробных камней, приглашение на ужин — и все становилось ясным и определенным, независимо от того, была дама замужней или нет. Но здесь...

«Получу геморрой на свою задницу, — решил в конце концов Капитошин. — Оно мне надо? Что, красивых баб вокруг мало?»

Это было, с какой стороны ни погляди, правильное рассуждение. Красивых баб вокруг действительно было много, а геморрой с любовницей на работе Андрея не прельщал. На том он и остановился.

Глава 6

Дополнительной информации Макару и Сергею пришлось ждать дольше. Они не вели никаких дел, и Бабкин видел, как тяжело дается Илюшину бессмысленное ожидание.

— Сережа, а что за жизнь была у Макара до того, как он встретился с той девушкой, Алисой? — осторожно спросила Маша, когда Бабкин рассказал ей о том, чем они занимаются.

— Ты же знаешь Илюшина: он никогда ничего о себе не рассказывает. Скрытный, как шпион. Я даже не уверен, что родители его умерли, хотя он как-то упоминал об этом.

— Ты его не спрашивал?

— Он бы не ответил. Машка, если человек скрывает о своем прошлом все, кроме последних десяти лет, значит, у него есть на то причины.

Маша согласно кивнула. Она видела, как на глазах меняется Макар, которого они привыкли видеть всегда одинаковым: чуть насмешливым, чуть азартным, если шло расследование очередного дела, всегда глядящим на них чуть свысока. Он почти никогда не выходил из себя, не изменял привычке иронизировать над всем без исключения. Маша не знала ни об одном его друге, кроме Сергея, и даже не была уверена, считает ли его другом сам Илюшин.

Последние четыре дня Макар по утрам ездил в больницу, где поправлялась Белова, оставлял ей продукты, ничего не говоря, платил медсестрам и врачам и уезжал. Сергей с Машей звали его к себе, и он охотно соглашался, но почти не поддерживал их легкую болтовню, а просто сидел, слушая, иногда вставляя пару фраз. И с удовольствием болтал с Костей «ни о чем», когда тот возвращался из школы.

На пятый день у них появилась информация о людях, которых они искали. Только сухие данные, сказавшие им не меньше, чем все подробности уголовного дела, вытащенного из архива.

— Сковородовых много, но имена, названные Беловой, совпадают только с одними, — сказал Сергей. — Алексей, Николай и Кирилл Степановичи. Ты уверен, что она не перепутала фамилию?

— Уверен. Она хорошо знала их мать, а мальчишки росли на ее глазах. Зинаиде Яковлевне не было известно, что они переехали в Москву, и первый раз за много лет она увидела их в тот день... пятого мая.

— И больше никогда не видела?

— Нет.

— И до сих пор живет в страхе, что они ее найдут... — протянул Бабкин. — Не знает, бедная...

Илюшин кивнул, соглашаясь. Возможно, Беловой было бы легче жить, знай она о том, что двоих братьев уже нет в живых.

— Итак, по нашим данным, Сковородов Николай Степанович, шестьдесят четвертого года рождения, скончался в девяносто пятом году. Сковородов Алексей Степанович, шестьдесят третьего года рождения, пережил его на пять лет и покинул этот мир в двухтысячном. О третьем брате, самом младшем, известно только то, что он родился в шестьдесят шестом году. Данных о его смерти нет. И где находится в настоящее время — неизвестно.

Бабкин с тревогой взглянул на молчащего Илюшина и, сделав едва заметную паузу, спросил:

— Ты знаешь, кто из них?...

Макар вспомнил, как Зинаида Яковлевна, лежа на больничной койке, тихо рассказывала о том дне, беспрерывно вытирая слезящиеся глаза: «Двоих я увидела — младшего и среднего. Батюшки, говорю Алисе, это ж Кирилл с Колькой! Ничего-то я, дура, не поняла. А они переглянулись так странно... глазами оба на Алису зыркнули, а потом Кирилл к ней шагнул и... ударил ее, ласточку. Она и не вскрикнула даже. Обернулся ко мне и говорит Кольке: я ее уберу, а ты в машину, живо. А глаза-то у него страшные-страшные! Колька ему отвечает: ты что, это ж тетя Зина! Я глаза опустила — а на асфальте Алиса ничком лежит. Вот тут-то у меня сердце стукнуло два раза и вроде как остановилось. Очнулась я уже в машине. Кирилл сказал, что если я кому полслова скажу, он из меня колбасу кровяную сделает и всех родных моих перережет, одного за другим. И добавил, чтобы я убиралась из города. Я как вышла на дрожащих ногах из машины, так чуть и не повалилась обратно. Они мне сумку вслед выкинули, дверь захлопнули и уехали. А я и домой заходить не стала: до автобусной станции доковыляла — и скорее прочь».

— Знаю, — сказал Илюшин. — Младший. Единственный, оставшийся в живых.

— Итак, что мы имеем? — рассуждал Бабкин после того, как они снова, уже внимательнее, изучили архивные документы. — Мы имеем два дела, а не одно. Первое — нападения на квартиры стариков трех отморозков, вернувшихся из армии. Второе — ограбления и убийства, связанные с похищением икон.

— Странно.

— Что странно?

— Кое-что не складывается. Сковородовы — типичные деревенские парни, выросшие в селе и подавшиеся в столицу за лучшей жизнью. Каким образом они стали похитителями икон?

— Их кто-то нанял? — предположил Бабкин. — Вполне возможно, почему бы и нет. Скорее всего именно так оно и было: их нанял кто-то из среды коллекционеров — это объясняет, откуда они знали адреса и имена жертв. Хотел добыть какую-нибудь редкость, затем продать ее за границу, обеспечить себя до конца жизни.

— Редкость... — пробормотал Макар, роясь в бумагах. — Редкость, говоришь... Нет, Серега, все не так просто. Вот, смотри: свидетельница первого нападения, мать коллекционера, утверждает, что грабители что-то искали. Тайник с деньгами к этому моменту они уже нашли, а следовательно, дело было не в деньгах. Ее сын, Кричевский, собирал исключительно иконы, и в квартире их было не так уж много. Грабители взяли половину — те, что были в самых дорогих окладах, а более древние ценные иконы оставили. Что это значит?

— Они не понимали, что берут. Значит, идея с коллекционером не годится, — признал Бабкин.

— Да. Они польстились на оклады, а это говорит о глубоком невежестве. Но это еще не самое главное. Вот показания двадцатичетырехлетнего Игоря Пуделко: он утверждает, что человек в маске приставил к его горлу нож и потребовал рассказать, где хозяин квартиры, то есть дядюшка Пуделко, хранит русалку.

— Кого хранит? — поразился Бабкин.

— Русалку. Можешь сам прочитать.

Сергей пробежал глазами показания Пуделко, в которых ясно говорилось: один из грабителей заставлял его признаться, где Виктор Пуделко, его дядя, прячет деревянную фигурку русалки.

— Младший Пуделко ничего не знал, — сказал Илюшин, забирая дело. — Он не понял, что от него требуют. А старшего не было дома. А теперь посмотри, чем закончилось майское нападение на квартиру некоего Зильберканта: хозяина убили, весь дом перерыли. Жена Зильберканта, которой во время нападения дома не было, рассказала, что у них пропало. Взгляни на перечень.

Бабкин пробежал глазами по подробным описаниям старинных шкатулок и остановился на перечислении деревянных фигурок, изображавших мифологических существ славянских народов.

— Русалка, водяной, леший... — нахмурившись, прочитал он, — домовой большой, домовой малый... Макар, это что?

— Там же сказано: мифологические существа. Покойный Зильберкант собирал деревянные фигурки на одну тематику. У него и шкатулки были с соответствующей росписью.

— И ты полагаешь, что грабители искали именно русалку? И остановились после того, как ее нашли? Тогда я голосую за версию с коллекционером, заказавшим себе какую-нибудь редкость вроде той русалки. Бандитам она была ни к чему.

— Или же, — сказал Макар, — мы имеем два не связанных друг с другом факта: то, что нападения прекратились, может не зависеть от того, что грабители забрали у очередной жертвы. Они могли остановиться просто потому, что совершили два убийства за один день.

Сергей посмотрел на дату, когда ограбили и убили Якова Зильберканта, и кивнул — пятого мая девяносто третьего года.

— Русалка, русалка... Зачем грабить квартиры из-за русалки? Может, это ключ? Недостающая часть шифра? Ерунда какая-то... Она же деревянная!

— Вот именно.

— Не золотая, не серебряная... Деревянная! Нет, Макар, что-то здесь не складывается. Неужели фигурка была настолько уникальной? Почему не взяли остальные?

— В чем заключается ее уникальность, мы можем узнать двумя путями: отыскать родственников покойного Зильберканта, если они остались, и поговорить с ними. Либо спросить у самого Сковородова.

— Надо подумать, как найти Кирилла Сковородова, — неохотно сказал Бабкин. — Попросить Мишу Кроткого сделать запрос — самое очевидное.

— Попроси. Но что-то мне подсказывает, что таким простым путем мы его не отыщем. Он мог залечь на дно, сменить имя... Пока мы не поймем, что ему было нужно пятнадцать лет назад, не узнаем, где он может быть сейчас.

Бабкин пожал плечами, не совсем понимая, что имеет в виду Илюшин, но решил согласиться. Он задумался о том, что станет делать Макар, если найдет Сковородова, и ответ ему очень не нравился.

. . . .

На следующее утро Катя проснулась с тяжелой головой и опухшими от слез глазами. Накануне она позвонила маме, и та изъявила желание приехать к дочери в Москву.

— Посмотрю, как вы устроились. Ты всю осень в новом институте учишься, а я о нем ничего не знаю. Ты ко мне не приезжаешь, значит, я к тебе приеду. Рассказывай — как учеба?

Катя пыталась переубедить мать, но Ирина Степановна была непреклонна. Артур, Седа и свекровь, узнав об этом, запаниковали.

— Нам еще мамы твоей не хватало! — возмущалась сестра мужа. — Пускай сидит дома в своем Гукове и никуда не едет. Где мы ее спать положим?

— Да не в этом дело! — Артур был как-то странно возбужден. — А вдруг она про нас в Ростове расскажет? Что тогда?

— Мама не бывает в Ростове, — устало сказала Катя, потирая ноющие виски. — Что ей там делать? Приезжать маме, конечно, нельзя, только я не знаю, как ее в этом убедить.

Свекровь взволнованно ходила по комнате, шелестя подолом цветастого халата.

— Собственную мать убедить не можешь? — фыркнула Седа. — Всех нас подставишь!

— Да не всех нас, а меня! — выкрикнул Артур. — Меня, черт возьми!

— Не орать! — Диана Арутюровна бросила на сына такой взгляд, что тот отшатнулся. — Тихо! Что-нибудь придумаем. Вот что: Катерина позвонит матери и скажет, что сама приедет на Новый год. Вот и все.

— А если ее мать весной захочет приехать? — заныла Седа. — Что тогда?

— А если летом? — поддержал ее Артур.

Катя медленно обвела их недоумевающим взглядом.

— Какой весной? Каким летом? — оторопело спросила она. — Я думала, мы летом уже вернемся в Ростов! Вы же говорили...

И замолчала. Артур, Седа и Диана Арутюновна смотрели на нее так, что она отчетливо поняла: ни в какой Ростов летом они не вернутся.

— Вы же говорили, что ваш дядя Тигран поможет разобраться с теми бандитами! Что же он не помогает?

— Не твое дело! — отрезал Артур. — Не помогает — значит, не может. Летом мы будем здесь жить, о возвращении и думать забудь.

Мать бросила на него предостерегающий взгляд, перехваченный Катей.

— А я что буду делать? — растерянно спросила она. — А как же моя мама? Я ей по телефону с трудом вру, а при встрече и подавно не смогу...

— Захочешь, чтобы Артур был жив и здоров, — сможешь, — жестко сказала свекровь.

— А то хорошо устроилась! — Красивое лицо Седы исказилось. — «Ой, я мамочке соврать не смогу!» Деньги на операцию могла брать, а соврать, чтобы мужа спасти, нет?

— Седа!

Катя ушла в свою комнату, не говоря ни слова, ощущая себя не просто выжатой — выцеженной по капле. Ей казалось, что вздумай она лечь на пол — сквозняк подхватит ее и унесет в открытую форточку. А в квартире останутся крепкие, живые, сочные Седа, Артур и Диана Арутюновна.

«Ты не можешь на них сердиться, — сказала себе Катя себе. — Они ни при чем. Они просто пытаются защитить Артура, и ты должна делать то же самое».

Она легла на диван, поджав ноги. Усталость и отчаяние навалились на нее, словно накрыв с головой тяжелым, пыльным покрывалом, под которым не хватало воздуха. Из-за закрытой двери доносились сердитые голоса. Катя тихонько заплакала и так, плача, и уснула.

Поднимаясь на другое утро по лестнице на восьмой этаж, она услышала женские голоса на лестничной клетке и замедлила шаги. Что-то насторожило ее. Разговаривали возле квартиры Вотчина. Катя бесшумно прошла еще один пролет и застыла на месте.

— Господи, кошмар-то какой, а?! Ну что же такое творится, господи?! Боже, накажи ты этих мерзавцев, чтоб всем жить стало легче!

— Анна Петровна, а когда милиция приедет?

— Я двадцать минут назад позвонила, обещали скоро быть. Да разве вы наших ментов не знаете? Может, они и вовсе не приедут! И лифт кто-то сломал... Поленятся пешком идти — и не будет никакой милиции!

— Да что вы, Анна Петровна! Чтобы на убийство милиция не приехала — такого не бывает!

— Еще как бывает, голубушка, поверьте мне! Я уж столько на своем веку повидала... А все равно — как увидела Олега Борисовича, так сердце и застыло. Дверь-то к нему в квартиру открыта была, вот я и прошла. А он лежит. И кровь с головы натекла!

— Ой, батюшки!

— Вот вам и «ой». Убили нашего Олега Борисовича, не пожалели! И собачку его не пожалели!

— Неужто и ее убили?

— Да нет, собачка-то цела! Но раз хозяина убили, значит, и ее не пожалели! Пропадет теперь собачка!

— Верно, верно, Анна Петровна. Ой, что творится, что творится...

Катя бесшумно спустилась вниз по лестнице и вжалась в стену возле своей квартиры, заслышав шаги внизу. «Олега Борисовича убили, — стучало у нее в голове. — Олега Борисовича убили...»

Первым ее побуждением было броситься прочь от этого места как можно дальше. «Оперативники начнут опрашивать всех жильцов, и, если я скажу, что гуляла с его собакой, у меня попросят документы. Прописки нет, начнутся вопросы. Так могут и на Артура выйти. Этого нельзя допустить, нужно уходить немедленно, пока милиция не приехала. Сделать вид, что я ничего не знаю».

Катя быстро сбежала вниз по лестнице и увидела, что возле подъезда разворачивается на асфальтовом пятачке машина. «Быстро, быстро, — подгоняло что-то изнутри. — Тебя никто не видел, никто не знает. Ты ни при чем». Она прошла мимо машины, чувствуя, как скользнул по ней взглядом один из вышедших оперативников, и стараясь не переходить на бег, направилась к остановке.

Снег под ногами превратился в грязную жижу, вымешенную ногами десятков людей. Катя прошла по жиже до остановки и остановилась перед большой лужей, которую по краям обходили прохожие, пытаясь не сорваться со скользкого бордюра в черную муть. Снежинки падали на эту муть, и через секунду их уже не было — белое превращалось в черное, исчезало на глазах. Кто-то все-таки оступился и, подняв брызги, выругался, а по поверхности лужи пошли волны.

Катя представила Антуанетту, брезгливо поднимавшую лапки над каждой лужицей. Сейчас она там, в квартире, возле тела мертвого хозяина. Или спряталась под диваном, когда в ее дом вошли чужие люди — много чужих. Может быть, ее возьмут соседки. А может, и не возьмут, и тогда Антуанетту отправят в приют. Если ей повезет и кто-то захочет приобрести взрослого терьера, то у нее появятся новые хозяева. Но это потом. А пока она в квартире, где убили Олега Борисовича.

— Это всего лишь собачка, — прошептала Катя, пытаясь убедить себя обойти лужу. — Чужая. Я даже не люблю маленьких собачек!

Прохожие огибали Катю, застывали на секунду перед лужей и сворачивали в стороны.

«Наши проблемы — как грязная холодная лужа», — вспомнила Катя слова своей новой знакомой.

— Не как лужа. Как водоворот, — вслух сказала она.

Затем развернулась и пошла обратно к дому, на ходу вытаскивая телефон, чтобы позвонить на работу и предупредить, что задержится.

В квартире Вотчина работала оперативная группа. Когда Катя тихонько постучала в дверь, отчего-то опасаясь звонить, и изнутри что-то неразборчиво крикнули, она толкнула ее и вошла в прихожую. Тотчас навстречу ей выскочил низкорослый хмурый мужик в мятом костюме, заросший щетиной, и грубовато рявкнул:

— Куда? Нельзя на место преступления! Родственница?

Катя начала говорить, что нет, не родственница... И тут из-за двери, поскальзываясь на линолеуме, выскочила Антуанетта и с отчаянным визгом ринулась к девушке. Она подпрыгнула, как мячик, и Катя подхватила крошечное дрожащее тельце, прижала ее к себе. Тонька спрятала взъерошенную голову у нее под мышкой, и, плача и скуля, начала рассказывать на своем собачьем языке, что случился ужас, и ей было очень страшно, хотя она тявкала, тявкала изо всех сил и боялась, что ее ударят, а потом бросят одну...

— Разве я тебя оставлю? — спросила Катя, глотая слезы. — Собачонка ты глупая, мелкая...

— Мелкая, а лаяла на нас так, что мы чуть не оглохли, — заметил вышедший в прихожую опер. — Барышня, вы у нас кто?

— Меня зовут Екатерина Викулова, — сказала Катя. — Я знала Олега Борисовича. Я могу вам чем-нибудь помочь?

Сорок минут спустя Катя, не веря, что ее отпускают без всякой дополнительной проверки, вышла из кухни, где с ней беседовал следователь. Антуанетта мелко семенила внизу, не отставая ни на шаг.

— Посмотрите картины, — попросил следователь. — Может быть, что-то пропало?

Елена Михалкова

Катя вошла в комнату, в углу которой возле кресла небрежно накрытое простыней лежало тело. Она покосилась в сторону простыни, но следователь мягко взял Катю под локоть.

— Вы не бойтесь, не бойтесь. Посмотрите внимательно на стены. Вы сами говорили, что он не раз показывал вам свою коллекцию.

— Кажется, все на месте. — Катя растерянно обвела взглядом нагромождение полотен. — Даже иконы. Странно...

— Вот и нам тоже странно.

— Подождите...

Она прошла в соседнюю комнату, движимая неясным чувством, и уверенно отстранила оперативника, закрывавшего ей проход к полке с деревянными фигурками.

— Что? Что такое? — спрашивал опер.

Катя молча смотрела на полку. Что-то внизу коснулось ее ног, и она вздрогнула. Антуанетта!

— Здесь, — тихо произнесла Катя.

— Что — здесь?

— Здесь не хватает одной вещи.

— Какой?

— Деревянной русалки. Той, которая исполняет желания.

Лето 1984 года. Село Кудряшово

Пару месяцев спустя после смерти тракториста Мишка заглянул к Кольке Котику. Приятеля дома не было. В огороде хлопотала его молчаливая жена Наталья, похожая на полную унылую корову, и Мишка с ностальгией вспомнил, как хорошо, бывало, они сидели, уговаривая под водочку Натальины соленья.

134

— Что, Наташка, огурчики-то будешь в этом году солить? — с деланой веселостью спросил он.

— Как не солить, — отозвалась та, откидывая с потного лба прядь волос. — Приходи, первая проба твоя будет. Ты к нам в последнее время и не заглядываешь.

— Дел много, — соврал Левушин. — Дом у нас с Ленкой достраивается, там пригляд нужен. Сама знаешь...

Наталья кивнула.

— Добрая ты душа! — вдруг вырвалось у Мишки. — Закуску нам с Колькой приносила... Не гнала нас!

Жена Котика удивленно взглянула на него.

— Зачем же вас гнать? Коли вы дома сидите, у меня на виду, так я за вас спокойна. А то пойдете по чужим дворам пьянствовать, ничем хорошим это не закончится.

Она снова наклонилась над грядкой. Левушин посмотрел на ее широкую спину, и ему вдруг пришло в голову, что Наталья при нем ни разу не улыбнулась. А ведь не старая баба — двадцати трех еще нет.

— Наташ, что ты неулыбчивая такая?

— А от чего мне улыбаться? Или жизнь у нас с тобой больно веселая?

Левушин покивал головой в такт своим мыслям и неожиданно для себя решился.

— У меня для тебя подарок есть. Хороший. Может, хоть тебе от него веселее станет.

Он достал из кармана русалку, сжал в кулаке.

— Держи.

— Что там?

Левушин нехотя разжал кулак и положил фигурку на широкую Натальину ладонь.

— В общем... это самое... как сказать-то, елки-палки! — Он смутился, почувствовал себя неловко под ее вопросительным взглядом. — Короче, если загадаешь желание и русалке его скажешь, оно исполнится. Вот. У меня исполнилось, теперь пускай она у тебя будет.

Наталья перевела взгляд на лежавшую в ее ладони фигурку.

— Надо же, — без удивления сказала она, — вот люди мастерят-то! Красивая. Спасибо.

Мишка почувствовал раздражение.

— Ты поняла, что я сказал-то? Не простая это русалка. Загадаешь желание — оно исполнится.

— Какое желание?

— Твое желание! Вот что хочешь загадай — и жди, когда сбудется.

— А зачем ждать?

— Тьфу!

Левушин хотел обругать Наталью дурой, но сдержался.

— Ума себе попроси, — сухо сказал он, испытывая одновременно и горечь, и облегчение от того, что отдал русалку. — Или еще чего-нибудь важного. Да не показывай ее никому, отберут.

— Спасибо, — повторила Наталья, разглядывая русалку.

Мишка махнул рукой и пошел к калитке, так и не разобравшись, поняла его Наталья или нет.

— Миш! — окликнула его женщина, когда он уже стоял у забора.

— Что?

— А ты сам какое желание загадал?

Левушин помолчал, глядя на ее вытянутое лицо.

— Плохое я желание загадал, — признался он наконец. — Эх, да что теперь говорить! Смотри, выбери себе что-нибудь хорошее.

И ушел.

Наталья постояла, глядя ему вслед, затем вошла в дом и уселась у окна, положив перед собой на стол русалку.

Левушину она поверила сразу. Не просто поверила — у нее не возникло и тени сомнения в том, что он говорит правду. Наталья Котик, которую близкие люди, включая ее мужа, считали глупой, обладала одним редким качеством — она интуитивно отличала правду от лжи. Эта способность была у нее с детства, и девчонкой она частенько удивлялась, глядя, как родители верят врущему ребенку. Ведь видно же, что врет! Видно по тому, как стоит, как в глаза смотрит, как руками кренделя выкручивает. А уж про то, что по голосу слышно, и говорить нечего!

Жизнь у Натальи и в самом деле была невеселая. Замуж она вышла по большой любви, но быстро поняла, что муж ее чувств не разделяет. Ему важнее было, что она хорошая хозяйка и смирная жена: в его дела не лезет, скандалов не устраивает. Что еще надо?

Но сама Наталья знала, что нужно мужу. «Некрасивая я для него, — думала она, глядя по утрам на себя в зеркало. — Потому и не любит».

Зеркало она не переносила. Оно показывало сутулую крепкую бабу с широкими ладонями, крепкими плечами, одутловатым лицом. Одним словом, корова. Она знала, что Колька за глаза ее так и зовет — «коровенка моя». В шкатулочке с простенькими украшениями, доставшимися ей от матери, у Натальи хранилась фотокарточка популярной артистки. Она была ее главным сокровищем — не чета драгоценностям! Иногда, оставшись дома одна, Наталья доставала снимок, рассматривала прекрасное отретушированное лицо и мечтала о том, что это ее лицо. Она, Наташа Котик — красавица! Губы резные, кожа белоснежная, плечи такие, что только платки пуховые на них накидывать — тончайшего кружева, мягчайшей нити. А глаза! Длинные, чуть раскосые, с такими ресницами, что, кажется, взмахнет ими — и ветерок повеет. Ах!

«Никогда тебе такой не бывать, — нашептывал правдивый голос. — И не мечтай, только раны свои бередишь. Живи с таким лицом, какое есть, радуйся тому, что у тебя есть. Коленька твой ненаглядный мог бы и на другой жениться, вот тогда бы ты настрадалась».

Наталья с ним соглашалась, убирала карточку на дно заветной шкатулки. А через месяц доставала опять и любовалась, представляя себе, как счастлива она была бы, если б хоть чуточку походила на известную артистку.

Сегодня вместо портрета Наталья держала в руках деревянную фигурку. Она не задавалась вопросом, откуда Левушин взял русалку, откуда узнал про исполнение желаний, как такое вообще может быть... Она молчаливо приняла, как само собой разумеющееся, что ей сказали чистую правду. Детская вера и надежда на чудо были в ней так сильны, что Наталья от всей души поверила: сейчас она произнесет желание, и оно сразу же сбудется.

— Хочу, — проговорила Наталья, сжимая русалку в кулаке так, что побледнели костяшки, — хочу, чтобы я стала красивой! Прямо сейчас! Посмотрю в зеркало — а я красавица!

Счастливая, раскрасневшаяся, она обернулась к зеркалу для подтверждения чуда. И горестно вскрикнула. Зеркало показывало ей все ту же нелепую бабу, какой она была.

— Почему же... — выговорила Наташа, давясь слезами. — За что же так? Выходит, соврал мне Левушин? Посмеяться хотел? Или ты не можешь мою просьбу исполнить?

Она посмотрела на русалку и вытерла слезы.

— Видно, не можешь.

Обреченно кивнула, соглашаясь — действительно, кто ж из такой коровы сможет красавицу сделать? Так только в сказках бывает. Была лягушка, стала царевна. И то — лягушка, не корова!

Неожиданно ее охватил гнев — и на собственную доверчивость и глупые ожидания, и на Левушина, и на русалку... Она выскочила во двор, стремительно добежала до калитки и швырнула фигурку в густые кусты, начинавшиеся сразу за их участком.

— Ну и пусть! — ожесточенно бормотала она, возвращаясь домой. — Пусть! Какой уродилась, такой уродилась! Не нужно мне это...

Зайдя в дом, она не удержалась и снова взглянула в зеркало. Лицо было опухшее от слез, покрасневшее, некрасивое. Наталья покорно вздохнула и, заставив себя не думать больше о русалке, занялась домашними делами.

Пообедав на скорую руку, она собралась убраться, как вдруг к горлу неожиданно подкатила тошнота. Ей пришлось выскочить из дома, и под кустом калины ее долго выворачивало наизнанку. Две дворовые собаки удивленно смотрели на хозяйку.

Наталья умылась, вернулась в дом, взялась за веник... И тут снова накатила тошнота, да такая, что до куста Наташа еле успела добежать.

— Это что ж творится-то, а? Неужто заболела?

Наталья прислушалась к себе. Она с детства ничем не болела, да и сейчас чувствовала себя не хуже, чем обычно. Не считая того, что запах каши, допревавшей в печи, вызывал у нее рвоту. Она прошлась по дому, принюхиваясь по всем углам, и точно вычислила причину. Так точно, что чуть не пришлось третий раз выскакивать во двор.

— Что за напасть такая... — начала Наталья, и тут неожиданная догадка осенила ее. — Господи, — тихо сказала она, садясь на стул. — Батюшки светы!

Она провела рукой по животу, затем метнулась в комнату и взяла в руки маленький календарь, на котором отмечала приход месячных. Цикл у нее приходил строго вовремя, как часы, но она все равно за две недели обводила в кружок число, когда следовало ожидать «неприятностей».

— Два дня уже прошло, — ошеломленно пробормотала Наталья, увидев отмеченную кружочком дату. — Как же я забыла-то, а? Два дня, а ничего и нету...

Она отложила календарь в сторону и снова погладила себя по животу. То же чутье, которое помогало ей отличать правду ото лжи, подсказало, что у нее родится сын.

— Мальчишка... — по лицу Натальи текли слезы, но она их не замечала. — На Кольку будет похож... Мальчишку рожу!

На нее волной накатило такое счастье, что грезы перед фотокарточкой известной артистки показались ей несерьезными девчачьими переживаниями. Какая красота? Зачем? У нее будет ребенок — вот что в тысячу раз важнее! Он уже в ее животе, питается ее соками, радуется ее радостью! Наталья вскинула голову и пошла вытанцовывать по кругу, приговаривая:

— Не любишь меня, Коля? А и не люби! И я не буду к тебе со своей любовью липнуть. Эх! Рожу нашего детеночка, котеночка, лебеденочка! Выношу, выкормлю, человеком воспитаю. Радостью называть буду, солнышком!

Она смеялась в голос, молола всякую чепуху и продолжала танцевать. В себя ее привел стук в дверь. Наталья спохватилась и выбежала наружу, торопливо заправляя за уши выбившиеся пряди волос.

— Стучу-стучу... — ворчливо начала соседка, старуха Марья Авдотьевна, — а никто не отзывается. Ба! — она прищурилась на Наташу. — Что это с тобой случилась, красна девица?

— Что такое?

Старуха отступила на шаг, оглядела молодую соседку с ног до головы. Та стояла перед ней раскрасневшаяся, с растрепанными волосами, грудь высоко поднималась и опускалась.

— Ты там с полюбовником, что ли? — подозрительно спросила Марья Авдотьевна.

Наталья вспыхнула.

— Да вы что, тетя Маша! Заходите в дом, не стойте на пороге.

Старуха прошла внутрь и сразу поняла, что чужим мужиком в доме и не пахнет. Вон ведро с водой стоит, вот веник, там тряпка брошена. Нет, так любовников не принимают! Она поводила носом по сторонам и убедилась, что не в любовнике дело.

«А похорошела-то как, голубушка! — подумала она, оглядывая Наталью. — И не узнать! Откуда что взялось!»

— Красавица моя, — ласково начала старуха, и Наташа вздрогнула от непривычного обращения, — ты отвар какой выпила, что ли? Ну-ка живо признавайся, в чем дело!

— Да о чем вы, Марья Авдотьевна? Загадками говорите!

— Загадками, значит? Я-то понятно говорю. А загадка у нас вот где!

Она подхватила хозяйку под локоть и проворно подтащила ее к маленькому зеркалу на комоде. Схватила его цепкой рукой и сунула Наташе под нос.

— Вот загадка, вот! Голову-то мне не морочь, я уже стара для этого.

Наташа взглянула на себя и обомлела. Из зеркала на нее смотрела красавица. Глазищи огромные, так и сияют из-под темных бровей. С губ рвется улыбка, от которой на щеках появились мягкие ямочки. Голову на высокой шее держит, как лебедь. Она провела рукой по лицу, и сама поразилась плавности своего жеста.

— Вот! — довольно заявила соседка, отбирая у нее зеркало. — Налюбовалась? Теперь говори, к какому колдуну ходила. Может, я тоже пойду. Хоть в гробу полежу красавицей.

— Сын у меня будет, — тихо сказала Наташа с той же прекрасной улыбкой, которая преображала ее лицо. — Маленький...

И рассмеялась звонко и счастливо.

— Не полежу, — проворчала себе под нос Марья Авдотьевна. — Способ, конечно, хороший, ничего не скажу, но не для меня. А ты, Наталья, молодец! Кольке-то сказала?

Та покачала головой:

— Вечером узнает.

— Ну и хорошо. Эх, забыла, за чем приходила!

Она махнула рукой, неожиданно обняла соседку и смачно поцеловала ее в румяную щеку.

— Красавица моя! Рожай, деточка, рожай. И тебе на радость, и Кольке твоему... И мне, Наташенька. Детки — это счастье. Ох, дожить бы...

Она заковыляла прочь. Когда закрылась дверь, Наталья неожиданно вспомнила, что единственный сын Марьи Авдотьевны погиб в последний год войны.

Через пять минут она бродила в кустах, раздвигая ветки руками и внимательно глядя под ноги.

— Куда же она делась? — бормотала Наталья. — Сюда бросила, кажется... Или вон туда...

Она ободрала кожу об колючие ветки, но в конце концов нашла то, что искала, когда уже решила, что фигурку подобрали деревенские ребятишки.

Русалка лежала в траве и внимательно смотрела на нее. Наталья прижала фигурку к груди, поцеловала ее. И бросилась к дому соседки.

— Неужто ты вспомнила, зачем я приходила? — удивилась та, увидев ее. — А я все мучаюсь...

Не слушая старухи, Наташа сунула ей в руки фигурку и отошла.

— Что такое? Зачем? — прищурилась Авдотьевна. — Игрушку мне принесла? Да ты что, красавица моя! Я все ж не до конца в детство-то впала!

— Она одно желание исполняет.

— Чего?!

— Она не простая. Исполняет одно желание. Какое хотите, такое и загадайте. А я свое уже исполнила!

Наталья улыбнулась и пошла к калитке.

— Совсем девка от счастья сбрендила, — проворчала под нос старуха.

Она сунула фигурку за поленницу и пошла к сараю. Но на полпути передумала, вернулась, достала русалку и, обтерев ее фартуком от налипшего сора, сунула в карман.

— Пусть дома валяется. Все ж старался кто-то, вырезал. Ох, дел других у людей нету...

И, кряхтя, Марья Авдотьевна направилась в огород.

Глава 7

На работу Катя успела к обеду и застала офис гудящим, как улей. Первой ее мыслью было, что все узнали об убийстве Олега Борисовича, но она тут же поняла ее абсурдность.

— Катерина! Наконец-то! — закричала бегущая навстречу с ворохом документов Снежана, вскидывая голову, словно белогривая лошадь. — Помоги мне сейчас же! Вот это — отксерить в пяти экземплярах. И позвони нашему нотариусу, он должен кое-что немедленно заверить.

— Снежан, а что случилось-то? — перебила ее Катя. — И почему ты головой мотаешь?

Снежана остановилась и объяснила, что головой она мотает, потому что уложила челку особенным образом, и теперь та лезет в глаза. А случилось то, что их фирма будет принимать участие в тендере — Министерство образования Москвы предлагает им очень выгодный контракт.

— Игорь Сергеич ходит довольный, руки потирает, как будто контракт уже у него в кармане, — шепотом делилась с ней Кочетова. — Хотя Капитошин говорит, что у нас и в самом деле неплохие шансы. Говорит — загадывайте желание, ешьте счастливые билетики! Ну его! Пусть сам ест.

144

Из кабинета выскочила Алла Прохоровна, ошпарила Катю ненавидящим взглядом.

— Викулова, вы Трудовой кодекс давно читали? За прогулы у нас увольняют!

— Я отпросилась, — рассеянно сказала Катя, думая о своем. Ей неожиданно вспомнилось, как вчера она рассказывала любопытным сотрудникам «Эврики» о русалке — сокровище ее соседа. «Я говорила, как его зовут? — мучительно пыталась вспомнить девушка. — Или где он живет?»

— Я говорила, как его зовут? — повторила она вслух.

— Андрей Андреевич его зовут. Капитошин, — Снежана покосилась на нее и вновь махнула косой челкой. — Ты чего, выпила, что ли?

Катя уже хотела ответить, что беспробудно пила со вчерашнего вечера, но заметила, что Шалимова все еще пристально смотрит на нее.

— Нет. Я просто задумалась. Алла Прохоровна, мы вам мешаем?

— Вы обе — нет, — отрезала та. — А вот конкретно вы — да, мешаете. Надавили на жалость Игоря Сергеевича, чтобы он принял вас на работу, а теперь бессовестно этим пользуетесь. Вот уже начались опоздания на три часа! Что нам дальше предстоит?

Катя вспыхнула, но заставила себя сдержаться.

— Снежана, что нужно отксерить?

Кочетова немедленно нагрузила ее документами, и Катя пошла к своему столу, чувствуя, как сверлит ей спину взгляд бывшего завуча.

Механически копируя один за другим документы, она пыталась представить, как сейчас обстоят дела дома. Антуанетту Катя оставила в их съемной квартире, потому что других вариантов у нее не было: после того как следователь переписал данные ее паспорта и предупредил, что завтра ей придется еще раз прийти для дачи показаний, она ушла, забрав с собой скулящую Тоньку. Домочадцы изумились, увидев Катю со взъерошенной собачонкой в одной руке и пакетом корма в другой.

В двух словах описав ситуацию, Катя выгрузила терьера на пол, и Тонька немедленно засеменила в глубь квартиры, оглядываясь на Катю.

— Кто убил? — глупо спросила Седа, протирая сонные глаза.

— Убийца убил. Седа, присмотри, пожалуйста, за собакой. Она очень испугана.

— Тебя допрашивали? — резко спросила свекровь.

— Конечно.

— А почему тогда тебя не задержали? Когда его убили-то?

— Вечером, — Катя удивленно посмотрела на нее, не понимая, к чему та клонит. — За что меня задерживать? У меня же алиби. Я спала.

— Прекрасно!

Свое «прекрасно» свекровь почти прошипела в лицо невестке, неожиданно наклонившись к ней совсем близко.

— Ты спала! А кто это может подтвердить, невестушка? Ты об этом подумала?

— Подставила нас всех, да?! — взвизгнула Седа, поняв, к чему клонит мать. — Привела милицию! Теперь и к нам придут!

— Успокойтесь обе, пожалуйста. Да, может быть, к нам придут, чтобы подтвердить мое алиби. Тогда вы покажете документы и скажете, что я была дома, вот и все.

— А после этого менты Артура с собой заберут! — Седа вцепилась Кате в руку. — И все из-за тебя!

Катя резко выдернула ее.

— Хватит говорить ерунду! Если ты не будешь скандалить и закатывать истерики, то все пройдет нормально!

В конце концов — что, у меня был выбор? Или мне нужно было сказать, что я под окнами дома ночью гуляла?

— Это было бы поумнее, — процедила Диана Арутюновна.

Катя недоверчиво взглянула на нее, полагая, что свекровь шутит. Но та была серьезна.

— Я ухожу на работу, — сухо проговорила Катя. — Покормите без меня собаку, пожалуйста. А что, Артур спит до сих пор?

Седа с матерью переглянулись.

— Спит, — кивнула свекровь. — Иди быстрее.

Раскладывая листы на столе, Катя пыталась понять: неужели Диана Арутюновна и впрямь предпочла бы, чтобы она соврала следователю? «Свекровь предпочла бы, чтобы ты вообще не возвращалась в квартиру за собакой, — сказал трезвый голос. — Это было не обязательно: никто, кроме Вотчина, не знал, что ты выгуливаешь Тоньку».

— А если бы знал? — возразила она самой себе. — Тогда на меня очень быстро вышли бы, и все могло быть еще хуже. Не хватало и в самом деле стать подозреваемой.

Она вспомнила тело, накрытое простыней, и передернулась. Господи, как жалко старика! Как же... за что же...

«Я практически постоянно дома. А дверь открываю только своим знакомым», — вот что сказал ей Олег Борисович, когда она спросила, не боится ли он ограбления.

— Может быть, дверь открыли отмычкой? — вслух предположила Катя. Ей очень хотелось, чтобы все было именно так:

— Кто открыл дверь отмычкой? — спросил подошедший Капитошин и мягко добавил: — Катя, что у вас случилось?

Она вздрогнула и посмотрела на Таможенника такими испуганными глазами, что тот недоуменно вскинул брови. Сегодня он был без очков, и Катя увидела, что ресницы у него светлые и густые. Без очков он почему-то казался вовсе не таким заносчивым, как обычно.

Плюнув на секретность и свои опасения, Катя рассказала ему об убийстве соседа, у которого она выгуливала собаку.

— Я очень боюсь, что дома о ней толком не позаботятся, — призналась Катя. — Она вся такая перепуганная...

«О тебе бы кто толком позаботился», — подумал Капитошин, борясь с желанием погладить ее по волнистым каштановым волосам.

— Но ведь у вас дома муж. Наверное, он справится с маленькой собакой?

В голосе Таможенника, против его воли, прозвучала легкая насмешка. «Пусть скажет какую-нибудь женскую чушь вроде того, что ее муж ни с чем не может справиться. Тогда все будет гораздо проще».

— Справится, — серьезно кивнула Катя, не обратив внимания на насмешку. — Я только на него и надеюсь. Подождите, Андрей! А с чего вы взяли, что у меня муж дома? Ведь сегодня будний день, значит, он должен быть на работе!

Она резко шагнула в сторону, так что между ними оказался стол.

— Катерина, что с вами? Вы сами сказали, что оставили вашу... как ее... Антуанетту на свекровь, своего мужа и его сестру. Я только повторил ваши слова.

— Ах, да, конечно, — пробормотала Катя. — Я просто забыла («Господи, я выгляжу полной истеричкой в его глазах»)... — А где ваши очки?

— Разбил случайно. Пока новые не готовы, буду ходить без них. Вам уже сообщили, что мы примем участие в тендере?

— Да. Я как раз Снежане помогаю.

— Не стану мешать. И... я вам искренне сочувствую, Катя. Мне жаль вашего соседа. Это случайно не тот, у которого вы позаимствовали волшебную вещь, придавшую вам храбрости?

— Именно тот, — медленно ответила Катя, думая, говорить ли Капитошину о пропаже русалки.

— И, наверное, та вещица пропала.

— Пропала. Откуда вы знаете?

— Да не смотрите вы на меня так, будто я ее украл! Что за манера — чуть что выставлять колючки и набычиваться.

— Я не набычиваюсь!

— Именно это вы и делаете. В зеркало на себя посмотрите при случае. Прекратите уже считать меня своим врагом!

— Я не считаю, — отчаянно возразила Катя. — Вы что, Андрей!

— Да вы шифруетесь, как Штирлиц в окружении врагов! Скоро два месяца, как вы работаете, а каждый раз дергаетесь, когда вас спрашивают о семье или еще о чем-нибудь таком... личном. Вы что, из семьи итальянских мафиози?

— А не надо меня спрашивать о семье! — прошипела выведенная из себя последними событиями Катя. — Моя семья вообще вас не касается!

Капитошин наклонился к ней так близко, что она почувствовала запах парфюма от его волос. Пахло не брутальным «Фаренгейтом», которым любил обильно брызгаться Артур, а каким-то необычным запахом — как от нагретой солнцем степи с полынью и ветром, несущимся над ней. В глазах Андрея мелькнула злость, но в следующую секунду он отодвинулся и с холодной иронией сказал:

— Действительно. Ваша семья меня совершенно не касается. Я забылся. Спасибо, Катерина, что напомнили мне о правилах хорошего тона.

Слегка поклонился и пошел прочь.

«Скотина, — прокомментировал Циничный голос в ее голове. — Столичная, избалованная легкими победами скотина».

«Ой, мы его обидели!» — взвыл Щенячий.

Катя велела обоим голосам заткнуться и принялась за работу.

До конца дня она не могла толком сосредоточиться. Как же так? Еще вчера она рассказывала об Олеге Борисовиче на работе, а на следующий день его убили. А что, если...

«Прекрати немедленно! — приказала себе Катя. — Здесь нет никакой связи! Его не могли убить из-за какой-то дурацкой статуэтки!»

«А если могли?»

«Но это же глупость, полная глупость! Она не исполняет желания!»

«Но я все же устроилась на работу».

«Он открывал дверь только знакомым! Он сам так сказал!»

По коридору быстрым шагом прошел Юрий Альбертович, подарив Кате на ходу одну из своих отработанных красивых улыбок. Катя вежливо улыбнулась в ответ.

«Но разве не может так случиться, что со мной работает кто-то из тех, кто знает Вотчина? И этот кто-то вполне мог считать русалку не простой деревяшкой, а настоящей куклой-желанницей. Хотя глупость, конечно...»

Она попыталась вспомнить, не рассказывал ли коллекционер, откуда взялась у него деревянная фигурка. «Что-то там было про церковь... или нет? Где же он ее нашел?»

— Катерина, а вы почему домой не идете? — Эмма Григорьевна Орлинкова остановилась возле ее стола, покачала головой. Сегодня она была совершенно не похожа на пожилую греческую воительницу. Вид у главного бухгалтера был усталый, и Кате показалось, что даже в безупречной фиолетовой прическе-шапочке проглядывает седина.

— Уже иду, Эмма Григорьевна. Много дел было.

— Да, с этим тендером теперь хлопот не оберешься. Понимаю. Сумасшедший день сегодня, ей-богу. Столько всего навалилось.

— А что у вас случилось? — набравшись смелости, спросила Катя. — Вы немного усталой выглядите.

— Тендер, милая, все тендер. Кошелев требует невозможного... — рассеянно ответила Орлинкова, к чему-то приглядываясь через открытую дверь приемной. В конце коридора уже погасили свет, и Кате, проследившей за направлением ее взгляда, показалось, что кто-то стоит в темноте.

— Кто это там? — спросила Орлинкова.

— Никого, — пожала плечами Катя. — Все наши уже ушли.

Орлинкова решительно направилась к двери из приемной, но на полпути остановилась. Из коридора на лестницу вела открытая дверь, но и на лестнице было темно. Катя ждала, что бухгалтер скажет ей что-нибудь на прощанье и пойдет дальше, но та стояла, словно окаменев.

— Эмма Григорьевна!

Насторожившись, Катя встала, сделала несколько шагов и замерла. В полумраке между дверью и лестницей и в самом деле кто-то стоял. Ей стало не по себе, особенно от того, что главный бухгалтер не говорила ни слова.

— Эй, кто здесь? — крикнула Катя, быстро обходя Орлинкову. — Что вам нужно?

Тень метнулась на лестницу и исчезла.

— Охране надо пожаловаться, — пробормотала Катя. — Ходит неизвестно кто. А вдруг...

Она обернулась к бухгалтеру и осеклась. Лицо у той было даже не белым, а серым, а круги под глазами стали коричневатыми, правая рука лежала на сердце.

— Господи, Эмма Григорьевна! — ахнула Катя, бросаясь к ней. — Что с вами?

От ее крика Орлинкова пришла в себя. Она махнула рукой, вернулась в приемную и тяжело опустилась на Катин стул.

— Что? Что такое?

Катя бегала вокруг, суетилась, принесла стакан воды, пролив половину по дороге. Эмма Григорьевна, шумно глотая, выпила воду, медленно провела по подбородку ладонью с короткими грубоватыми пальцами, стирая капли.

— Надо же, — выдохнула она, — так и помереть недолго.

— Да что случилось?

— Испугалась я отчего-то, — призналась Орлинкова. — И сердце вдруг прихватило. Второй раз за последний месяц такая гадость со мной случается. Недавно собаку увидела — ротвейлера, без поводка, — и тоже сердце екнуло. Возраст, чтоб его...

Стоило Кате услышать про собаку, как она сообразила, что дома ее ждет Антуанетта, не гулявшая целый день.

— Эмма Григорьевна, мне бежать надо. Вы как?

— Все со мной в порядке, иди. Ключ не забудь — сдай охране!

«Интересно, каких призраков могла увидеть Эмма Григорьевна? — подумала Катя, отдавая ключи охраннику. — Надо же, такая спокойная женщина, а побелела как простыня...»

Водоворот чужих желаний

Снег валил так, словно решил засыпать город со всеми его высотками, башнями, колесами обозрения. Катя накинула капюшон, прижала его у горла, но зимний ветер ухитрился и под капюшон задунуть порцию ледяного колючего снега. Выгребая из-за шиворота размокающие снежинки, девушка подошла к подъезду и подняла глаза на окна квартиры.

Свет горел во всех комнатах, выходивших на эту сторону дома. «Значит, Артур еще не спит». Это показалось ей хорошим знаком — последние недели он либо спал, когда она возвращалась, либо дожидался ее, чтобы поругаться. Поднимаясь по вонючей лестнице — лифт так и не заработал — Катя убеждала себя, что, может быть, хоть собачка выведет мужа из того мрачно-депрессивного состояния, в котором он пребывал последнее время.

Дверь открыл сам Артур и, словно подслушав мысли жены, торопливо обнял ее, помог снять пуховик.

— Соскучился по тебе, — произнес он, покусывая ее ухо. — Мы с тобой уже две недели не…

Его слова заглушил странный звук — Катя не сразу поняла, что именно услышала.

— Подожди, — она отстранилась от мужа, оглядела прихожую. — А где Антуанетта?

— В ванной твоя Антуанетта, никуда не делась, — чуть раздраженно отозвался он. — Зачем ты ее к нам притащила?

— Потому что у нее хозяина убили. А что она в ванной делает?

— Может, ты сначала спросишь, как у меня дела? — Артур был по-прежнему весел, но в его голосе отчетливо прозвучало раздражение. — Что это за жена, которая с порога собакой интересуется, а не мужем?

Звук из ванной повторился, и Катя вдруг догадалась: это же Антуанетта скулит!

— Вы ее закрыли? — ахнула она и, не снимая сапог, пошла по волнистому линолеуму, оставляя грязные следы.

— Не вы, а я! — Седа вышла из комнаты, остановилась с вызывающим видом на пороге. Духами от нее несло так, словно она разбила флакон над головой.

— Седа! — предостерегающе крикнула свекровь из кухни. — Катенька, ничего страшного не случилось.

— Ничего страшного! Как же! Эта гадина меня укусила. На, посмотри!

Золовка сунула под нос Кате перебинтованную ладонь. Из ванной снова донеслось поскуливание.

Отодвинув сестру мужа, Катя открыла дверь, за которой отчаянно скреблись, и на свет, боязливо осматриваясь и моргая, выбралась помятая Антуанетта. Малиновый бантик на ее голове съехал набок, и в хвостике сбились колтуны. Сжав зубы, Катя присела и провела рукой по шелковистой спинке. Собачонка уткнулась носом в ее ладонь. Нос был сухой и горячий.

Взяв Антуанетту на руки, Катя повернулась к мужу и его сестре. Артур, улыбаясь, сделал было шаг к ней, но остановился. Улыбка сползла с его лица.

— И нечего на нас так смотреть! — не выдержала Седа. — Говорю тебе, она меня укусила, да?

— Правда, котенок, не переживай за собаку, — поддержал сестру Артур. — Мама ее покормила, напоила. Седа стала с ней играть, а она возьми да укуси.

— И вы ее закрыли в ванной, — кивнула Катя.

— Катюша, девочка, здравствуй! — Из кухни наконец-то показалась свекровь, отряхивая руки от муки. — Ну не сердись, красавица моя! Твоя собачка и меня пыталась укусить, да я увернулась. А Седа не успела. Чудная собачка, просто красавица, но очень кусачая. Когда ты ее пристроишь?

— Давно она в ванной комнате сидит?

— Час, — пожала плечами Седа, и по быстроте ответа Катя поняла, что ее обманывают. — Может, два. Да что ты так смотришь на меня, а?! Ну, с обеда сидит!

— Седа!

— Нет уж, мама, я ей все скажу! Сначала чуть Артура ментам не выдала, потом какую-то псину поганую притащила! Я-то думала — поиграю с собакой, порадую ее! А она кусаться! В следующий раз в окно ее выкину, так и знай!

Антуанетта сжалась на руках у Кати, заворчала.

— Я тебя в следующий раз саму в окно выкину! — процедила Катя и, не выпуская йорка из рук, сдернула пуховик с вешалки. — Только попробуй еще какую-нибудь гадость сделать!

Заговорили все хором: Артур что-то недоуменное, свекровь — ласковое и успокаивающее, Седа — злобное и визгливое. Катя не слушала их.

— Я прогуляю собаку и вернусь, — бросила она, чувствуя, что еще секунда — и она устроит скандал. — Закройте дверь.

Сбежав по лестнице вниз, она поставила Антуанетту на пол и надела пуховик. Собачонка послушно стояла, не пытаясь убегать.

— За что ты ее укусила, а? — спросила Катя. — Что она тебе сделала?

«Я же не игрушка, — молча ответила Антуанетта, выразительно глядя на Катю и часто моргая выпуклыми карими глазами. — Меня нельзя тискать. А она тискала. За живот ущипнула. А у меня животик нежный, кожица тонкая... Я ее слегка и прикусила».

— Эх ты... собаченция...

«И тогда она меня ударила, — пожаловалась Антуанетта. — Вторая женщина меня отобрала, обе кричали что-то. А потом бросили в ванну, закрыли. С кем ты меня оставила, скажи на милость?»

— Ну… ты тоже хороша. — Катя нацепила на Тоньку предусмотрительно захваченную шлейку и вышла из подъезда.

Обрадованная метель тут же зашвыряла ее снегом, но теперь Катя, не прячась, с облегчением подставила ей раскрасневшееся лицо. Ее по-прежнему трясло от злости. Антуанетта быстренько сделала свои дела и вопросительно взглянула на новую хозяйку, предлагая вернуться. Но возвращаться домой Катя не хотела.

У нее не укладывалось в голове, как можно наказать маленькое и полностью зависимое от тебя существо только за то, что оно защищалось от приставаний. А в том, что Седа приставала, да еще назойливо, у Кати не было ни малейших сомнений. Она запоздало вспомнила, как жена брата любила тискать маленьких котят их соседки в Ростове-на-Дону, не обращая внимания на то, что котятам это явно не нравится, и с каким восторгом подносила их к лицу, пытаясь расцеловать усатые мордочки. Катя каждый раз при виде этой картины морщилась, но Седа обращалась со зверьками, как с игрушками. Правда, ровно до тех пор, пока один из подросших котят не мазнул ее лапой по щеке, оставив две тонкие, но долго заживавшие полосы. После того случая вся любовь Седы к котятам пропала, и она долго жаловалась на то, какие кошки неблагодарные создания.

— Ладно, не умеешь с животными обращаться, так хотя бы держись от них подальше, — злобно бормотала Катя себе под нос, уходя от подъезда и таща за собой сопротивляющуюся Антуанетту. — Но злость-то на них зачем срывать?

Йорк гавкнул, напоминая о себе. Катя остановилась, посмотрела на окна дома. Ей показалось, что она видит два силуэта, замерших за занавеской.

— Ну уж нет. Я к вам сейчас не вернусь. Тонька, за мной!

Собака нехотя подчинилась. Глядя, как терьер отворачивает морду от ветра, Катя подумала, что сегодня все окончилось более-менее хорошо. Но что сделает завтра истеричка Седа — одному богу известно.

Ей пришла было в голову мысль, что всего-навсего нужно попросить Артура о помощи — он-то дома весь день, а значит, может присмотреть за Тонькой, но тут Катя трезво проанализировала свои отношения с мужем за последний месяц и поняла, что не может на него рассчитывать. За то время, что они прятались в Москве, что-то случилось с тем человеком, за которого она выходила замуж. Из веселого, заботливого, самостоятельного парня он превратился в вечно хмурого нытика, не способного принять ни одного решения без матери и отрывающегося на жене за вынужденное затворничество. Катя осознала, что изо дня в день она возвращается с работы все позже и позже не потому, что ее так уж загружает начальство. Нет. Ей просто не хотелось идти домой.

«Артур сегодня вспомнил, что мы не занимались сексом уже сколько... две недели? Месяц? Да, месяц, если не больше. Когда я прихожу, то еле успеваю поужинать, выслушать его брюзжание, когда он не спит, и проваливаюсь в сон. А выходные... Господи, да ведь я и в выходные уезжаю из дома — придумываю себе какую-нибудь необходимую покупку вроде книги или дешевого, но приличного делового костюма и уезжаю на весь день, лишь бы не оставаться с ними. Это все из-за Седы, наверное».

Катя завернула за угол дома, спрятавшись от порывов ветра, и Антуанетта, поджимая лапки, забежала за ней. Тонкие золотистые прядки шерсти возле носа спутались, превратились в замерзший колтун, а шерсть на ушах повисла сосульками. Катя присела на корточки, посадила собаку на колени и закрыла от метели. На какую-то секунду в голове у нее возникла трусливая

мысль — вернуться домой, взять деньги, собрать вещи
и уехать вместе с Антуанеттой из этого проклятого города домой, к маме. Но Катя тут же ужаснулась самой
себе. «Это предательство! Ты хочешь бросить собственного мужа только из-за того, что тебе тяжело в чужом
городе? После того, как он нашел деньги тебе на операцию и пострадал из-за этого?»

— Господи, что же придумать? — вслух спросила
она у Антуанетты. — Как я оставлю тебя завтра дома?
Седа злопамятная, и она знает, что я ничего не смогу
ей сделать. Даже Диана Арутюновна тебе не поможет.

Собачонка сидела у нее на коленях, нахохлившись,
и мордочка у нее была недовольная.

— Сердишься? Хочешь домой? Что с тобой поделаешь... Пойдем.

По дороге обратно Катя обдумывала речь, с которой
она обратится к Диане Арутюновне. Свекровь держала
своих детей в послушании, но у Кати закрадывались
сомнения в том, что на этот раз та сможет повлиять на
Седу. Ссоры между матерью и дочерью учащались, и
пару раз Кате пришлось им напомнить, что соседи могут вызвать милицию, если они будут кричать друг на
друга. Спор всегда разгорался из-за ерунды; Артур не
вмешивался, уходил в другую комнату.

«Скоро мы будем как пауки в банке».

— Катя! — прокричал кто-то из метели, и девушка,
вздрогнув, обернулась.

Ее догоняла недавняя знакомая — рыжеволосая
Маша, а за ней бодро скакал ее терьер Бублик. Большой капюшон с мехом на Машиной голове был весь за-
сыпан снегом, и казалось, что она несет на себе сугроб.
Катя подумала, что со стороны, наверное, сама смотрится так же забавно.

Она поздоровалась, радуясь, что можно оттянуть
возвращение в квартиру хотя бы на недолгое время.

— Добрый вечер, Катя. Смотрите-ка, одни мы такие заядлые собачники. Просто смешно — все остальные по домам сидят, а мы с вами йоркширов выгуливаем. Как у вас дела? Я думала, что вы только по утрам гуляете с вашей Антуанеттой.

— Ее хозяин умер, — сказала Катя, сдерживая слезы. — Вот и пришлось…

И рассказала без утайки все, что произошло утром и вечером.

— Я боюсь вести ее домой, Маша! Там… там мои родственники, и они не будут заботиться о ней. Золовка сегодня закрыла ее в ванной комнате на полдня, а завтра придумает новую гадость. Ей хочется развлечений, раз она не может…

Катя прикусила язык и остановилась на полуслове.

— Сочувствую, — серьезно сказала Маша, присматриваясь к девушке. — «Расстроена, чуть не плачет, но сдерживается, молодец. И какое симпатичное и открытое лицо… Редкость».

— Мне не нужно было возвращаться к соседу в квартиру, а я вернулась. Не смогла оставить там Тоньку. Моя свекровь, конечно, вышла из себя, и я боюсь, что она не будет защищать собаку. Или просто не сможет.

«Почему ее свекровь вышла из себя? Что за странная семья у девушки?»

— Я подумала, что нужно забрать Тоньку на работу, а там что-нибудь придумать. Это, конечно, очень глупо, но ей-богу — ничего больше в голову не приходит.

Катя представила, как завтра она появляется в офисе с йоркширским терьером, и поежилась.

— Начальство может вас не понять, — в унисон ее мыслям заметила Маша.

— Я не хочу оставлять ее дома.

— Вы так сильно привязались к собаке за то время, что выгуливали ее?

Катя подумала, отрицательно покачала головой.

— Если честно, то нет. Я не очень люблю маленьких собачек, хотя у Тоньки хороший характер. Но она полностью зависит от меня. Поэтому я не могу ее бросить. Нельзя бросать того, кто зависит от тебя, даже если ты не очень его любишь.

В переулке гулко взвыл ветер, заглушив ее слова, и свистящая поземка пронеслась у них под ногами. Антуанетта тявкнула, Бублик прижался к ногам хозяйки.

— Знаете, Катя, — решительно сказала Маша. — У меня есть предложение. Хотите, я вашу Антуанетту к себе возьму? На время. Все равно у меня еще целый месяц будет Бублик жить, а одной мелочью больше, одной меньше... Вы говорите, она у вас спокойная?

— Очень, — оторопело подтвердила Катя. — Подождите... Вы что, в самом деле хотите ее взять?!

— Не вижу больших препятствий, — перед мысленным взором Маши предстал разъяренный муж, прихлопывающий мухобойкой двух йоркширов, а затем и ее саму, но она торопливо прогнала нелепое видение. — Вы можете зайти ко мне домой, чтобы посмотреть, где будет жить ваша Антуанетта, и убедиться, что я не ворую собачек. Они ведь довольно дорогие, как вы знаете.

Девушка смотрела на нее расширившимися темными глазами, похожими на сливы.

«Сейчас заревет, — поняла Маша. — Нет-нет, только не это...»

— Если вы вздумаете расплакаться, я передумаю, — торопливо предупредила она. — Не выношу слез. Или соглашайтесь, или отказывайтесь — но и то и другое без хлюпанья.

— Согласна, конечно! — Катя просияла, шмыгнула носом. — Простите, я слишком нервная последнее время. Спасибо вам огромное! Я просто не знаю, как вас благодарить...

— Не нервничайте, все будет хорошо. Возвращайтесь домой, а вашу Тоньку я заберу. Антуанетта, пойдешь со мной? Да, вот мой телефон: если что — звоните. Завтра заходите в гости, посмотрите, как устроилась ваша малявка. Да бегите же, я вижу, что вам холодно!

Ей потребовалось время, чтобы пресечь новый поток благодарностей, но в конце концов она отправила Катю домой.

Подходя к своей квартире, Маша не успела придумать никакой связной истории, объясняющей появление второго терьера, и, плюнув на все выдумки, обреченно нажала на кнопку звонка. Дверь открыл Сергей, улыбающийся во весь рот. «Опять Костю обыграл, — поняла Маша. — Может, обойдется?»

Но тут Антуанетта как заправская цирковая собачка, улучившая правильный момент, выбежала вперед и остановилась между Машей и Сергеем. Муж перевел взгляд вниз, затем — на Бублика, быстро нырнувшего в квартиру, и улыбка стерлась с его лица.

— Что, йоркширы почкованием размножаются? — с ужасом спросил он. — Я всегда говорил, что это не собаки, а какие-то странные твари. Ты, кажется, с одним уходила...

Маша протиснулась мимо него в прихожую, за ней чинно вошла Антуанетта, опасливо поглядывая на огромного мужика в дверях. Постояв пару секунд на коврике, она припустила следом за Бубликом, мелко виляя хвостом.

— Мама! — восторженно завопил Костя, выскакивая из комнаты, куда вбежали оба терьера. — Вот это да! Откуда ты его взяла?

— Не его, а ее. Это девочка. Кстати, ее зовут Антуанетта.

Маша разделась, сунула неподвижному Сергею пуховик.

— Ну что ты стоишь? — жалобно спросила она. — Подумаешь, еще одна маленькая собачка... А ты сразу возмущаться!

— Маленькая собачка? «Возмущаться»?! Когда ты забрала у тетушки Дарьи этого свиненка, я ничего не сказал! Но ты ухитрилась где-то найти второго! — Он профессионально обхлопал карманы ее пуховика.

— Что ты делаешь? — изумилась Маша.

— Дудочку ищу. Чем-то ты должна их приманивать! Я живу здесь с лета, и за все время не видел ни одного йоркшира. Но две недели назад появляется, как снег на голову, тетушка, и ты соглашаешься взять у нее это недоразумение на тонких ножках. А сегодня выходишь из дому и возвращаешься с еще одним! Этому должно быть какое-то рациональное объяснение. Я готов поверить в дудочку. Показывай, где она у тебя.

— Я ее спрятала, — сказала Маша, обнимая мужа и нежно прикасаясь губами к его шее. — Нужно искать совсем в другом месте.

— Нечего меня соблазнять. Признавайся, откуда животное?

— Ну... понимаешь... — начала фантазировать Маша, — иду я по улице, вижу — сугроб. А под сугробом кто-то скулит. Я его разрыла — а там собачка. Серьезно, просто подобрала на улице. Ты видел, какая там ужасная погода? Она, наверное, потерялась...

— Ага. Потерялась. И шлейка рядом с ней потерялась. И имя на бумажке было написано. Как, ты сказала, ее зовут?

— Антуанетта, — Маша сделала попытку выскочить из прихожей и удрать, но муж перегородил дорогу, словно шкаф. — Может, я ее сама так назвала!

— Если бы я узнал, что ты сама назвала какое-то животное именем Антуанетта, я бы с тобой развелся.

Ни одна собака не заслуживает такого глумления. Не возводи на себя напраслину, ты не могла этого сделать.

— Ладно, — сдалась Маша. — Пусти меня в ванную! Я руки вымою и все честно тебе расскажу.

— Не забывай, что я бывший опер! — крикнул ей вслед Бабкин. — Попробуешь врать, я тебя тут же расколю.

Десять минут спустя Сергей внимательно слушал жену, уплетавшую блинчики и пересказывавшую скупое Катино повествование.

— Она меня растрогала, — призналась Маша. — Совсем молодая девочка, не больше двадцати лет. Напомнила мне Юльку Разумовскую, которая жила со мной в одном доме в соседнем подъезде. Я тебе о ней не рассказывала?

— Нет. Расскажи.

— Внешне они совершенно не похожи. Эта — темноволосая, кареглазая, улыбчивая. А Юлька была белокожая, с золотистыми волосами и голубыми глазами — ангельского такого вида девочка. Тогда мне было лет четырнадцать, а ей на год больше. Папаша у нее был законченный алкоголик, от него жена сбежала к другому мужику. А дочь оставила.

— Алкоголику?

— Угу. Дай варенье, пожалуйста. Когда она сбегала, дядя Женя был, наверное, тихим алкоголиком. А со временем стал буйным и злобным. По вечерам возвращался с работы, обычно уже навеселе, и дома доходил до нужной кондиции.

— А дочь?

— А дочь за ним ухаживала, убирала, еду готовила. Представляешь, я в четырнадцать лет только бутерброд с сыром могла сделать, а на ней все хозяйство было. А он на нее кричал — соседи слышали — и ругался матом. Табуретки бросал в стену. Пару раз даже милицию вызывали, но почему-то ничем это дело не закончилось. Еще и Юлька его выгораживала, как могла.

— Почему?

— Она нам говорила, что папа болеет. Мол, когда человек болеет, с него спрос другой. И пока он в таком состоянии, она его оставить не может. Хотя ей было куда уехать от папаши — на другом конце города жили ее бабушка с дедушкой по материнской линии. Юлька рассказывала, что бабушка не раз предлагала ей переехать, но она каждый раз отказывалась. Не могла отца оставить — была уверена, что тот без нее окончательно сопьется. Она вообще очень по-взрослому рассуждала. К чему я тебе про Юльку начала рассказывать? Ах, да. Эта девушка, Катя, чем-то на нее похожа — то ли выражением лица, то ли своей открытостью и при том постоянной боязнью всех вокруг обременить собственной персоной... И еще — скрытностью. Юлька всегда от всех пыталась таиться, ничего не рассказывала, хотя и так все соседи в доме знали, когда дядя Женя на нее орал и ругался. А она делала вид, будто все в порядке.

В кухню забежал Бублик, сунулся носом в свою плошку и убежал обратно. Из комнаты донесся Костин смех.

— И чем все закончилось? — спросил Сергей.

Маша помолчала, негромко постукивая чайной ложечкой по краю баночки с вареньем.

— В конце концов он ее избил, — наконец негромко сказала она, не глядя на мужа. — Сильно. Из больницы ее забрала бабушка, и больше я о Юльке ничего не знаю. И что сталось с ее папашей — тоже, потому что мы скоро переехали из того района. Поэтому я не могла не помочь этой девочке... Кате... понимаешь?

— Понимаю, — кивнул Бабкин: он и в самом деле понимал. — Ладно. Только скажи мне, куда мы денем терьериху?

— Тетушка хотела второго в пару своему Бублику? Хотела. Вот и прекрасный случай, если Катя не придумает, куда ей пристроить собачку. Но я отчего-то думаю, что у нее хватает проблем и без того, чтобы искать хороших хозяев чужой псине.

Ночью Сергей встал, попил воды, вернулся в комнату. Маша спала, уткнувшись лицом в его подушку. На кресле возле кровати лежали два терьера, свернувшись в клубки. Один из них сопел, но Бабкин не разобрал, какой именно. Он присел на кровать и провел рукой по рыжим пушистым волосам Маши.

— Я тебя люблю, — стесняясь самого себя и своих слов, сказал он спящей жене. — Можешь еще хоть десяток таких же принести. Я все равно тебя люблю.

Кто-то из собак прерывисто вздохнул, и Сергей рассмеялся в темноте.

Глава 8

Лето 1984 года. Село Кудряшово

Пашка толкнул скрипящую калитку, вошел во двор, по которому бродили сонные грязно-белые куры.

— Марья Авдотьевна! Вы где?

Старуха вышла из-за дома, прищуриваясь.

— Да это никак Паша пожаловал? Точно, он! Ай, голубчик, дай расцелую тебя!

Буравин покорно дождался, пока бабка обмусолит его со всех сторон.

— Марья Авдотьевна, я ненадолго. Вот, мамка просила передать, — он протянул лекарство, привезенное теткой из города.

— Спасибо, Пашенька, спасибо! Ты понимаешь, спина болит — сил никаких нет! И настои делала, и припарки — ничего не помогает! Проходи, проходи, обедать будем.

Продолжая причитать о своих болячках, Марья Авдотьевна затащила парня в дом. Пашка поначалу отпирался для виду, потом согласился — есть и в самом деле хотелось. И не зря же он в Кудряшово тащился за пять километров!

— Красавец ты, Пашенька, красавец! — приговаривала старуха, накрывая на стол и поглядывая на высокого голубоглазого парня. — А загорел-то дочерна!

Пока он уплетал окрошку, Марья Авдотьевна с гордостью рассказала, что кудряшовскую церковь, в которой последние годы был склад, собрались реставрировать.

— Церковь-то, оказывается, какая-то особенная! Ее из самой Москвы человек приехал смотреть. Будет указания давать, что да как делать. У меня остановился. Я как сказала, что нарисовать ее могу, так он и загорелся — нарисуйте, Марья Авдотьевна, да расскажите! Вот, вечером художествами займусь. — Она довольно рассмеялась. — Рассказывай, что новенького у вас?

— Да ничего, — промычал Пашка, допивая вкуснейший холодный квас. — К мамке в гости сестра с мужем приехала из города. Вся из себя такая фря! А как батя на стол картошку жареную поставил, так и забыла обо всем — только что ложку не съела!

Он расхохотался, вспомнив тетю Зину.

— Нос от всего воротит, привередливая. А муж-то у нее ничего мужик, только болезный какой-то. Сидит, на солнце греется. Точно ящерица. Мамка с батей головы сломали, что бы ей подарить — у нее день рожденья скоро.

Он доел, отодвинул тарелку и встал, с сожалением глядя на старушку.

— Пора мне, Марья Авдотьевна. Хорошо у вас, да только дома работы по горло.

Та засуетилась, забегала по дому, ища, что бы дать ему с собой. Наконец неизвестно откуда был вытащен большой мешок, от которого умопомрачительно пахло сушеными грибами.

— На, Пашенька! Держи, мальчик. Пусть мамка пирогов напечет. Я-то уже старая для такого баловства, а она сестру побалует.

Пашка покачал головой — грибов у них и самих было вдоволь, — но мешок взял, чтобы не обижать бабульку. У нее родственников никаких нет, а с тех пор, как умерла Пашкина бабушка, с которой дружила Марья Авдотьевна, не осталось и подруг. Семья Буравиных заботилась о старушке, как могла, хотя что это была за помощь — из другого села! Если бы рядом жили...

— Побегу я, Марья Авдотьевна, — сказал Пашка. — За окрошку спасибо!

— Подожди, милый, подожди... — Старушка рылась в ящике старого комода. — Нинке-то я гостинец нашла, а вот тебе никак не разыщу!

— Да какой там гостинец, бросьте!

— Да подожди ты, прыткий! Куда же я ее... Ага, вот ты где, голубушка!

Марья Авдотьевна вытащила из-под груды пожелтевших скатертей небольшую деревянную фигурку и протянула Пашке. Тот молча посмотрел на русалку, лежащую в морщинистой грубой ладони, затем перевел непонимающий взгляд на старушку.

— Это чего? Игрушка? Зачем она мне?

— Да бери, бери! — хозяйка насильно всучила ему русалку. — Как зачем! Тетке подаришь! Скажешь — на память, сам вырезал.

«А что? Мысль!» Пашка рассмотрел фигурку, ухмыльнулся. Ничего сделано, красиво. Грудь, бедра, зад — все на месте. Ишь, русалка!

— Ну спасибо. — Он сунул поделку за пазуху. — Откуда она у вас?

— Соседка подарила, дурья голова. Говорит, она желания исполняет, — Марья Авдотьевна хихикнула, вспомнив Наталью. — Как была глупой, прости господи, так и осталась.

— Чего делает? — не понял парень. — Желания исполняет? Как так?

— А вот так! Махнет хвостом — будет тебе, Паша, сундук с золотом! Махнет другой раз — появится девица-лебедь. — И Марья Авдотьевна неожиданно прошлась по комнате, мелко перебирая ногами и плавно взмахивая рукой. — Махнет третий — и появится перед тобой батька с ремнем, чтобы не пил ты больше, Паша, и сундуков с девицами-лебедями не видел с пьяных глаз.

Парень рассмеялся.

— Ясно. Да я непьющий.

— Вот и славно. Значит, завидный из тебя жених, Пашенька.

Пашка распрощался с говорливой старушкой и, чуть не забыв мешок с сушеными грибами, отправился в свое село.

Они вышли из леса у самой окраины села — трое невысоких, жилистых, с широкими скуластыми лицами. Встали на дороге. Самый младший, Кирилл, повозил босым пальцем в песке и, сплюнув, лениво бросил:

— Слышь, Буравин! Поговорить не хочешь?

— О чем мне с тобой говорить? — мрачно спросил Пашка, останавливаясь и засовывая руки в карманы. «Вот же черт. Нет бы мне другой дорогой пойти».

— Правильно, — подал голос средний из Сковородовых. — С тобой уже говорили. А ты все не понимаешь.

— У них в семье все такие непонятливые, у Буравиных-то, — издевательски объяснил старший. — Батьке его тоже намедни что-то объясняли, так всю морду разбили, прежде чем понял. Говорю же — непонятливые.

Троица засмеялась. Пашке кровь в лицо бросилась.

— Что несешь-то? Отец спьяну подрался! — выкрикнул он, делая шаг вперед и подбираясь для драки.

— Спьяну? Ну а нам для этого дела пить не нужно.

В следующую секунду на Пашку налетел вихрь, в котором он различал только кулаки. На пятом ударе перестал различать и их. Он пытался отбиваться, но силы были неравны, и осознание этого лишало Пашку последней способности к сопротивлению. Перед глазами мелькнуло злое лицо Кирилла, и Пашка, изловчившись, изо всех сил врезал в противную скуластую рожу. Это было последнее, что он успел сделать перед тем, как удар старшего из братьев Сковородовых свалил его с ног.

— Будешь, гнида, еще за Оксаной ходить, а?

Пашку пнули в живот, и он застонал. Перед глазами стояла красная пелена, во рту было солоно и противно. Он сплюнул, попал на чью-то босую ногу и получил новый удар, болезненней предыдущего.

— Будешь, тебя спрашивают?

Кирилл присел на корточки, схватил Пашку за волосы, ткнул его лицом в песок.

— Тебе по-хорошему сказали, а ты, Паша, не понял. Скажу второй раз, по-плохому — не лезь к ней! Не по твоим соплям Оксана!

— А будешь лезть, — снисходительно заметил сверху средний брат, Колька, — станешь песочек есть.

Все трое заржали. Пашка выплюнул песок, мотнул головой.

— Вот и погутарили, — подытожил Кирилл. — Смотри, Паша! Сегодня ласковый разговор был, понял? В третий раз такого не дождешься.

Сквозь красноватую пелену перед глазами Пашка видел три пары ног, удаляющихся по проселочной дороге. Он моргнул, почувствовав резь в глазах, сел и провел рукой по лицу. На ладони остался грязно-кровавый след. Ощупал языком зубы и с облегчением убедился, что вроде бы все целы. А вот нос, из которого беспрерывно капала кровь, оставляя темные вмятинки в пыли, на ощупь показался ему свернутым.

— Вот же гады, а! — сдерживая слезы, сказал Пашка. — Втроем на одного!

Водоворот чужих желаний

Самым обидным для него было не то, что его избили, — этого он подсознательно ждал с того вечера, как пошел провожать после танцев красавицу Оксану, опередив нагловатого Кирилла. С братьями Сковородовыми редко кто в селе связывался: за ними ходила слава парней отчаянных, готовых на многое. Нет, Пашка испытывал горькое унижение от того, что его ткнули лицом в песок, как беспомощную собачонку или напакостившего кота.

Он вытер о рубашку разбитые костяшки пальцев и беспомощно выругался. Сволочи! Вот сволочи! И ведь ничего не поделаешь, не видать ему теперь Оксаны как своих ушей, если только он не решит, что красавица ему важнее собственной жизни. Сковородовы словами зря не бросаются: вилами в бок ткнут — и прощай, Паша Буравин. «Кирилл у них заводила, даром что младший. Он же и ткнет, не погнушается. Хорошо, если насмерть, а ну как покалечит?»

Нещадно болел правый бок, и Пашка, поморщившись, расстегнул рубашку и ощупал ребра. Когда из-за пазухи выпала деревянная фигурка, он понял, отчего так болело, и помянул недобрым словом Марью Авдотьевну. Впрочем, в следующую секунду устыдился: «Она мне помочь хотела, а я ее матом крою. Что она там говорила про русалку? Желания исполняет?»

Он шмыгнул носом, вытер перепачканные ладони о рубашку, которая теперь была не намного чище. Так же аккуратно, сам не зная зачем, обтер русалку. Положил ее на ладонь и провел пальцем по гладкому дереву.

— Эх, исполняла бы ты и в самом деле желания!

«И что бы ты загадал?» — спросил в голове чей-то чужой голос, не Пашкин.

— Что загадал? Уж придумал бы, что!

Он задумался на секунду, вспомнил, как задохнулся дорожной песочной пылью, и его охватила ярость.

— Чтобы Кирилл сдох, вот что бы я загадал! Чтоб его самого, гада, кто-нибудь вот так... мордой... в песок... — Пашка всхлипывал, бормотал себе под нос. — И пусть там полежит, зараза! А потом раз, и все — нету Кирилла Сковородова! Исчез! Жил, жил, да весь кончился. Сволочь! — Он и сам не заметил, как перешел на крик.

На деревянную фигурку упала капля крови и растеклась по ее тонкому лицу.

Пашка разом опомнился, стер кровь, вытер слезы. «Совсем я с ума сошел. Сижу в пыли, на дороге, ору на деревяшку. Вроде и не били меня сильно-то по голове...»

Он встал и, прихрамывая, пошел к дому, сворачивая к огородам.

Вечером Пашка помогал отцу разбирать блесны. Мать стонала и охала, время от времени порываясь то протереть сыну лицо каким-то особым отваром, то приложить медных пятаков. Пашка хмуро отворачивался. Пятаки он приложил и сам, как только пришел домой, а отвар вонял так, что перебивал даже запах сушеных грибов Марьи Авдотьевны, заботливо перебираемых матерью на предмет проживания в них червяков.

— Зачем же ты в драку-то полез? — причитала мать. — Вот отправила дурака на свою голову к тетке Марье!

— Никуда я не полез! Бать, скажи ей.

— Перед Зинкой стыда не оберемся! Приехала в кои-то веки погостить, и на тебе — племянник весь такой красивый, что хоть не смотри на него! Сделал подарочек ко дню рожденья!

— Пусть и не смотрит, — огрызнулся Пашка и вспомнил про русалку, которую собирался подарить тетке. — Бать, я сейчас...

Он вышел на крыльцо, вспоминая, куда же сунул впопыхах русалку, когда вернулся домой. За забором раздался свист, а затем громкий мальчишеский голос позвал:

— Се-ре-е-га! Сто-ой!

Пашка походил по двору, ругая себя за забывчивость. Парнишка на дороге все свистел, и свист мешал Паше сосредоточиться.

— Се-ерый! Иди сюда!

— Ты чего орешь на все село? — вполголоса спросил Пашка, подходя к калитке и вглядываясь в темноту. — Догони своего Серегу и кричи ему в ухо.

Из сумерек вынырнула тощая фигура, подбежала к забору.

— Как не орать? — сказал запыхавшийся мальчишка. — Слышал, что случилось?

— Что? — Пашка поморщился. «Здорово! Значит, все село уже языками чешет, что Кирилл Сковородов отвадил Буравина от девчонки».

— Парня прирезали возле заводи! Он с братьями шел, а на него наскочил кто-то из возничинских и давай спьяну ругаться. Он — за нож, другой — за нож, и налетели друг на друга! Разлетелись — а один мертвый...

В голосе мальчишки звучало возбуждение.

— Какими... братьями? — выдавил Буравин. — Когда?

— Со своими двумя братьями! Не помню, как их зовут, они всегда по трое ходят. Вот младшего-то и того... Теперь, значит, будут по двое ходить, — парнишка глупо хихикнул. — Недавно все случилось, еще и милиция приехать не успела. Он на берегу лежит. Побегу к заводи! Говорят, там народу собралось...

Он отпрыгнул от забора, и по селу снова пронеслось звонкое: «Се-ре-е-га!»

Ему ответил другой мальчишеский голос, но Пашка его даже не услышал. Он сделал несколько шагов на негнущихся ногах и опустился на ступеньку крыльца. Перед глазами его встала русалка, по которой растекалась кровь, а в ушах зазвенел собственный яростный возглас: «Чтоб Кирилл сдох!»

— Мать твою, — пробормотал Пашка. — Люди, что же делается, а?

Он провел рукой по холодному лбу. «Кирилл — мертвый? Убили?»

Возле заводи частенько собиралась молодежь из обоих сел, стоящих неподалеку друг от друга, а по выходным подходили и кудряшовские. Случались, само собой, драки, причем иной раз нешуточные — как прошлогодняя «стенка на стенку», после которой одному парню выбили глаз, а другой едва остался жив.

Но чтобы человека убили...

Пашка не чувствовал ни радости от того, что враг исчез, ни облегчения. Некстати вспомнилась Пашке мать Сковородовых, тетя Люба — толстая румяная баба, похожая на матрешку, шумная, но беззлобная. Пашка частенько удивлялся, как у такой хорошей тети Любы выросли такие поганые дети. И сразу представил, как она будет убиваться по младшему сыну.

— Я же не хотел! Это просто...

Неожиданно он сообразил, куда положил русалку. Вскочил, бросился в сарай и вышел оттуда, крепко сжимая в руке деревянную фигурку, как будто боялся, что она выскользнет.

На крыльцо вышла мать, встревожено сказала:

— Паша! Ты где? Отец тебя зовет.

— Тут я. Скажи, сейчас приду.

Но он долго сидел на крыльце, прежде чем решился зайти в дом. Русалка лежала рядом с ним, и Пашка боялся даже смотреть на нее. Он не задумывался над тем, как могло произойти то, что произошло. Ему было достаточно понимания, что утром он пожелал человеку смерти, а вечером его пожелание сбылось. «Я и в самом деле хотел, чтобы он умер, — ошеломленно повторял он про себя. — И в самом деле!» На него тяжело наваливалось ощущение сопричастности тому, что случилось с Кириллом.

— Он это заслужил, — шепотом убеждал Пашка неизвестно кого.

Но слова не помогали. Заслужил Кирилл смерть от удара ножом или нет, Пашку ужасала мысль, что это он явился тому причиной.

— Может, совпало? — жалко спросил парень. — Случайно вышло?

Он нехотя взял русалку в руки, пытаясь уговорить себя, что это всего лишь деревянная кукла. Фигурка смотрела на него глубокими пустыми глазницами, и Пашка, не сдержавшись, перевернул ее лицом вниз.

«Спрятать ее надо. А если кто найдет? Или сжечь! Точно, сжечь!»

Но он понимал, что сжечь русалку не сможет. Что-то внутри отчаянно сопротивлялось при мысли, что прекрасная деревянная фигурка, грубоватая на первый взгляд и безупречная на второй, будет брошена в огонь.

«Плевать, что сделать — лишь бы не у меня была! Смотреть на нее не могу».

На следующее утро Марья Авдотьевна, только успевшая подняться с постели, услышала стук в окно.

— Кто в такую рань? — прокряхтела она. — Жильца моего разбудят!

Вышла на крыльцо, кутаясь в платок. Перед ней стоял Пашка Буравин.

— Ой, Пашенька, — начала старушка и осеклась, разглядев, какое лицо у парня. — Господи, случилось что? Мать-отец здоровы? Кто избил тебя? Что молчишь, говори, ирод!

— Вот. Возьмите, — Пашка сунул ей в руки деревянную фигурку.

— Что такое? — Марья Авдотьевна разглядела русалку и ахнула: — За этим ты ко мне в такую рань притащился? Из-за безделки?

— Никакая! Это! Не безделка! Не знаю, что это такое, но близко к ней подходить не хочу! Из-за нее человек умер!

— Совсем спятил? — рассердилась старуха. — Что несешь-то, а? Или ты пьяный?

Она принюхалась. Пашка стоял перед ней с окаменевшим лицом.

— Спрячьте ее куда подальше, — тихо сказал он. — А лучше — сожгите, чтобы вреда никому от нее не было.

— Тьфу, дурак, что несешь?! Красоту такую сжигать! Да за что? Точно, пьяный!

— За то, — вдруг рявкнул Пашка, наклонившись к старухе и глядя на нее сумасшедшими глазами, — за то, что я вчера ей желание сказал! Хотел, чтобы одного человека на свете не стало! А вечером его убили, вот что!

Марья Авдотьевна отшатнулась, перекрестилась. Пашка хотел что-то добавить, но только сглотнул и бросился бежать прочь. Вслед ему по селу раздался лай перебуженных собак.

Старуха положила фигурку на перила, открыла дверь в сени и чуть не вскрикнула, когда навстречу ей подалась белая фигура.

— Свет ясный, Олег Борисович! — покачала она головой, узнав в фигуре собственного жильца в белой пижаме. — Испугал меня! Никак Пашка, прохвост, разбудил?

— Я сам проснулся, — улыбнулся Вотчин. — Мария Авдотьевна, что это у вас? — Он показал на деревянную русалку, освещенную лучами утреннего солнца. — Интересная вещица...

— Интересная — так возьми себе. Я ее сыну Буравиной подарила, да он, видать, соврал, что непьющий. Прибежал с утра, нес ахинею всякую... В общем, не в себе парень, сразу видать.

Олег Борисович, слышавший разговор хозяйки с гостем, покивал и вежливо улыбнулся:

— Неужели можно взять? Разрешаете? Я ведь ее в Москву увезу.

— Увози, милый, увози! Зачем она мне? Вишь, порадовать людей хотела, так и то не ко двору пришелся мой подарок.

И, ворча, Марья Авдотьевна уковыляла в дом.

Вотчин протянул руку к русалке и замер — ему показалось, что фигурка пошевелилась. Но тут же понял, что по скульптуре пробежала тень от листвы, тронутой ветром. Он осторожно взял русалку и внимательно осмотрел, ища инициалы мастера.

— Любопытно, любопытно, — проговорил он наконец, не отрывая взгляда от фигурки. Казалось, она тоже смотрит на него, изучает. — Значит, загадал желание, и оно исполнилось...

Прагматичному Олегу Борисовичу отчего-то стало не по себе. Он слышал голос утреннего хозяйкиного гостя, и ему показалось, что парень был трезв.

«Надо узнать, откуда у старухи такая странная вещь».

Буравин возвращался домой, думая, что все произошедшее нужно выкинуть из головы, как страшный сон. Он так старательно уговаривал себя, что на подходе к своему селу ему и впрямь стало казаться, что он все придумал — и вчерашнюю встречу с братьями, и собственный крик на пыльной дороге, и возвращение домой, и даже мать, причитавшую на весь дом. А главное — русалку. Пугающую его деревянную куклу с пустыми глазницами, невесть откуда появившуюся у глупой Марьи Авдотьевны. Только в одном ему не удавалось себя убедить, и возбужденный голос мальчишки по-прежнему звучал у него в ушах, как будто тот стоял рядом: «Парня прирезали возле заводи!»

Не доходя до крайнего дома, Пашка остановился. Сначала ему показалось, что он обознался, но уже в следующую секунду со странным чувством облегчения и ужаса увидел, что нет.

По проселочной дороге навстречу ему шли двое братьев Сковородовых — старший и средний. А за ними, мерзко ухмыляясь Пашке, бежал вдогонку младший, Кирилл.

. . . .

Катя вернулась в квартиру, ощущая себя человеком, с которого сняли тяжелый груз. Разуваясь, она спохватилась, что нужно было отнести Маше собачий корм, но тут же сообразила, что на ночь глядя делать этого не стоит. «Наверняка у них полно корма для Бублика. Вряд ли Тонька останется голодной. Господи, как мне повезло с Машей! Что бы я без нее делала...»

— А где собака? — ахнула Седа, бесшумно появившись в прихожей. — Потеряла?

— Отдала хорошим хозяевам.

— Шутишь?

— Нет. Отойди, я руки вымою.

— Ты с ума сошла? — золовка прошла за Катей в ванную и смотрела на нее в зеркало, широко раскрыв красивые темные глаза. — Знаешь, сколько эта собачка стоит?

— Раньше об этом надо было думать. До того, как ты ее в ванной заперла.

— А какая разница?! Нет, ты мне скажи, какая разница? Мы бы ее продали, деньги получили! А теперь...

В глазах Седы отразилась какая-то мысль, она с неожиданной силой схватила Катю за плечо и резко повернула к себе.

— Или ты ее кому-то сама продала, а? Точно, продала! Делиться с нами не хочешь!

Она метнулась в прихожую, принялась рыться в карманах Катиного пуховика.

Бешенство ударило Кате в голову. Оно сидело где-то в глубине души с того момента, как она увидела жалкую Антуанетту, пришибленно выбиравшуюся из ванной. Но до этой секунды Кате удалось заглушать его. Теперь же, не сдерживаясь, она бросилась по коридору к сестре мужа, оттолкнув по дороге свекровь, очень вовремя выглянувшую из комнаты.

Не помня себя от ярости, Катя оторвала тонкие цепкие ручки Седы от пуховика и изо всей силы толкнула ее на пол. Золовка свалилась, но тут же вскочила и пошла на Катю, выставив вперед маленькие острые кулачки. С распущенными черными волосами, злыми глазами она была похожа на ведьму, и Катя попятилась от нее, на секунду испугавшись.

— Седа, с ума сошла?!

Диана Арутюновна обхватила дочь сзади, потащила к себе, ругаясь. Седа брыкалась, но силы были неравны. Мать затащила ее в комнату и захлопнула дверь, не обращая внимания на Катю. Из гостиной донеслись громкие голоса, стихнувшие, как только кто-то из соседей сверху ударил по батарее. «Бом-бом-бом!» — пошло отзываться по всему дому.

— Сколько еще это будет повторяться?

Катя села в кухне на табуретку, заставила себя не прислушиваться к голосам из-за комнаты.

«Седа становится все менее управляемой. Пока ее держит в узде мать. Но мы только что чуть не подрались всерьез. Что будет дальше?»

— Котенок, что случилось?

Артур вышел из комнаты в одних трусах — высокий, поджарый, длинноногий. Кате безумно нравилась его фигура, но сейчас она поймала себя на том, что ей не хочется смотреть на мужа. И не хочется, чтобы он обнимал ее, прижимался к ней своим красивым смуглым телом.

Артур, встревожено глянув в сторону комнаты, откуда доносилась ругань его матери и сестры, подошел к жене, присел на корточки и постарался обнять ее покрепче. Катя вывернулась, встала.

— Котенок, правда, что случилось? И где собака?

— Я отдала ее хорошим людям. А Седа обвинила меня в том, что я продала Антуанетту, и мы чуть не подрались. Вот и все.

Она потерла виски, в одном вдруг стрельнула короткая злая боль.

— Маленькая моя, ну не сердись на нее, — умоляюще протянул Артур, вставая. — Она у нас еще такая глупышка...

Катя уже стояла у входа в комнату. На последних словах мужа она обернулась и сказала то, что два месяца назад не позволила бы себе даже подумать, не говоря уже о том, чтобы произнести вслух:

— Она не глупышка, а истеричная дура. Эгоистичная и злая.

— Котенок, ну что ты говоришь! Просто сестра сожалеет, что ничем не может помочь тебе!

— Конечно. И от сожаления и стыда говорит мне гадости и пытается рыться в моих карманах. Не смеши меня!

В глазах Артура что-то мелькнуло, и это «что-то» Кате не понравилось. Он небрежно подошел к ней, гра-

циозный, как дикое животное, и, наклонившись, прижался губами к ее губам. Катя попыталась отдернуть
голову, но муж держал ее затылок сильной ладонью,
так что она даже не могла пошевелиться, и насильно
целовал, раздвигая языком сомкнутые губы.

— Пусти меня!

Она оттолкнула Артура, еле сдержавшись, чтобы не
ударить по лицу.

— Ты что? Мужа целовать не хочешь?

Артур улыбался, но улыбка его была неприятной.

— Сейчас — не хочу.

Катя зашла в комнату, прижала ладони к пылаю-
щим щекам. «Господи, что со мной происходит? Он
только что был мне противен!»

Катя выглянула в прихожую и увидела, как закры-
вается за Артуром дверь, ведущая в гостиную. К голосам Седы и свекрови прибавился и его негромкий ба-
ритон. Она мысленно поблагодарила бога, потому что
меньше всего ей сейчас хотелось, чтобы они, как обычно, утрясали возникшие проблемы в постели. Артуру
нравилось после ссоры подчинять жену себе, словно он
брал реванш за ее неповиновение. Обычно Катя поды-
грывала ему, но после его сегодняшнего поцелуя ей
казалось, что попробуй Артур прикоснуться к ней —
и она его ударит всерьез.

Ее разрывали на две части чувство вины перед мужем, которому она была обязана здоровьем, и неожиданное непреодолимое отвращение к нему. Катя вызва-
ла в памяти то время, когда им было хорошо вместе,
когда она засыпала, прижимаясь к нему и чувствуя себя защищенной. Но воспоминания не помогли. «То время прошло, — сказал взрослый усталый голос. —
Учись строить отношения по-новому».

Она заснула и не слышала, как дверь приоткрылась
и человек, бесшумно зашедший в комнату, ловко обшарил карманы ее брюк и рубашки.

Утром, заходя в офис, она столкнулась в дверях с Шаньским. Тот посмотрел на нее невидящим взглядом, проговорил «прошу прощения, Сонечка» и поплелся к своему кабинету. Катя недоуменно посмотрела ему вслед, покачала головой. «Сонечка. Ну надо же. Что с ним случилось?»

Юрий Альбертович, зайдя к себе, упал на стул и обхватил голову руками.

— Что же делать, что же делать? — скороговоркой пробормотал он. — Нельзя же бездействовать!

Если бы Шаньскому год назад кто-то сказал, что он будет страдать из-за родного ребенка, Юрий Альбертович не поверил бы. Детей у него было несколько — Шаньский считал, что четверо, — но особого участия в их судьбе не принимал. Рождены они были разными женщинами и по разным причинам: одна хотела таким способом удержать красивого мужика, другую поджимал возраст, и она радовалась, найдя подходящего биологического отца, третья залетела по глупости и побоялась делать аборт... Совесть Юрия Альбертовича была совершенно спокойна: каждую подругу он честно предупреждал, что отцом себя не видит и никогда им не будет. Все, на что был готов Шаньский, — это помогать деньгами. И то в разумных пределах. В конце концов, дамы сами знали, на что шли. Он предупреждал!

Юрий Альбертович терпеть не мог жизнь с обязательствами. Он любил, чтобы его окружали заботой. А сам заботиться о других был не готов.

Три девочки и мальчик подрастали в разных районах города, и иногда Шаньский даже заезжал в гости, если мать ребенка просила его. Он считал, что делает одолжение, поскольку ему не доставляло удовольствия возиться с маленькими детьми или, что еще хуже, с подросшими. Они были некрасивыми, как гадкие утята. Они оскорбляли его эстетическое чувство.

Старшего, мальчика, Шаньский видел последний раз пять лет назад. Тогда это был невыразительный одиннадцатилетний ребенок, худой, неразговорчивый, с костлявыми локтями и коленками (единственное, что нравилось Юрию Альбертовичу в собственном отпрыске, — это прямой тонкий нос). С тех пор мать Никиты вышла замуж, и без того редкие поездки к ней Шаньского сошли на нет.

Он встретил их случайно два месяца назад, прогуливаясь по арбатским улочкам. Бывшую любовницу он вспомнил сразу — она почти не изменилась за прошедшее время, разве что завела второй подбородок и слегка «поплыла» фигурой. А вот мальчика рядом с ней — тонкого, белокожего, красивого редкой, почти аристократической красотой — он не узнал. И только поравнявшись с ними и поймав взгляд его темных глаз, понял, что видит своего сына.

Юрий Альбертович был сражен. Гадкий утенок превратился в такого лебедя, что при взгляде на него у Шаньского замерло сердце. Никита был похож на него как две капли воды, и это сходство ласкало и грело душу отца. Юрий Альбертович видел свое отражение — молодое, только начинающее жить — и был счастлив, сам не понимая отчего.

— Сонечка! — вскричал он с искренней радостью. — Никита! Вот это да! Надо же, какими судьбами?

Он шумно веселился, очаровывал их, заставляя забыть про то, что пять лет не видел обоих — ни бывшую подругу, ни родного сына. В конце концов привел в кафе, где они и просидели два часа. За это время Юрий Альбертович узнал, что Соня развелась, и возликовал: «Значит, Никита — только мой!»

Совершенно незнакомые ему отцовские чувства дали себя знать, как будто природа решила подшутить над Шаньским, презрительно называвшим детей «мое потомство». Никита улыбался его шуткам, смеялся, когда смеялась мать, и даже сам рассказал пару историй из своей жизни. Юрий Альбертович любовался им — его нежным розоватым румянцем на щеках, гордой посадкой головы, безупречно очерченной линией губ.

Следующий месяц он виделся с сыном раз в неделю. Расспрашивал Никиту о жизни, радовался его успехам, переживал за неудачи. Его самолюбие приятно щекотала мысль, что у такого красивого мальчика должно быть много подружек. А значит, его красота передастся по наследству.

В порыве отцовских чувств Юрий Альбертович разыскал остальных детей, но они разочаровали его. Девчонки, обычные девчонки. Ни одна не унаследовала его красоты. Поэтому они больше не интересовали Юрия Альбертовича.

Звонок от Сони раздался вечером, накануне дня, когда они с Никитой договорились вместе пообедать.

— Юра, — сказала она задыхающимся голосом. — Господи, Юрочка, несчастье!

В больницу Шаньский примчался спустя сорок минут.

Все оказалось далеко не так страшно, как он подумал, слушая рыдания матери Никиты. Парень ехал на скейтборде, на повороте вылетел под машину, и водитель не успел вовремя затормозить. Юрий Альбертович внимательно слушал, как врач перечисляет, что предстоит лечить у Никиты.

— Повезло ему, крепкий парень, — сказал он под конец. — Переломы — это не так серьезно, срастется. Вот с лицом хуже. Не хочу вас обманывать...

Увидев лицо сына, Шаньский побелел и схватился за сердце. Ему стало понятно, почему пожилой врач не захотел их обманывать. Не смог бы, при всем желании.

— Нужны операции, — всхлипнула Соня за его спиной. — Много операций. Боже мой, Юрочка, что же мы будем делать?

Она уткнулась в его плечо и разрыдалась. Шаньский механически погладил ее по плечу, хотя на самом деле он ничего не чувствовал по отношению к бывшей любовнице. В мыслях его было только одно — прекрасное лицо его сына изуродовано!

— Этого не может быть... Он слишком красив, чтобы такое могло с ним случиться!

Он не заметил, что заговорил вслух.

— Юрочка, это могло с любым случиться.

Шаньский покачал головой. Нет. Только не с его сыном, так похожим на него! Какая-то нелепая ошибка...

— Я все исправлю, — хрипло пообещал он не женщине, стоящей рядом, а самому себе.

— Но, Юрочка, я разговаривала с хирургом... Ты не представляешь, сколько денег потребуется на восстановление! И сколько времени!

— Время у него есть. А деньги... деньги мы найдем.

В дверь постучали. Шаньский вздрогнул и убрал фотографию Никиты, на которой его сын улыбался белозубой улыбкой. В комнату заглянула Катя.

— Юрий Альбертович, распишитесь, пожалуйста.

Шаньский сидел молча, не сводя с нее странного, напряженного взгляда.

«Красивая мордашка. Конечно, не сравнить с Никитой, но тем не менее. Глаза, как у оленя, овал лица красивый, и губы чувственные. Почему она стоит передо мной, а Никита лежит в больнице?! Почему не наоборот?!»

— Юрий Альбертович!

— Что вам? — с внезапной злостью спросил он. — Что вам от меня нужно?

Катя посмотрела на него расширенными глазами. Шаньский, вежливый Шаньский повысил на нее голос!

Елена Михалкова

«Он всегда казался таким сахарным, безупречным, галантным... Что произошло?»

— Что случилось, Юрий Альбертович?

— Ничего не случилось. Зачем вы пришли?

— Чтобы вы подписали эти документы.

— Я подпишу. Позже. Идите, пожалуйста.

Катя постояла в дверях, затем вышла.

«Что за сумасшедший день!»

Мимо нее пронеслась Снежана, кося́сь одним глазом из-под белой челки.

— Катька, зайди к шефу! Он там рвет и мечет из-за тендера, какие-то бумаги не готовы. Сейчас сожрет тебя с потрохами.

— У меня потроха невкусные, — пробормотала Катя и отправилась на растерзание к Кошелеву.

Всю следующую неделю она занималась по вечерам таким непривычным делом, что даже Седа, после их последней стычки игнорировавшая Катю, не выдержала и сунула нос в коробку. Там лежало Катино рукоделие — нитки, крючок, вязаное полотно. Приходя домой, она сразу брала в руки вязание, и оно успокаивало ее.

Все шло наперекосяк. Мама не заговаривала больше о поездке, но Катя чувствовала, что она не оставила свою идею. Артур внешне относился к жене так же ласково, как и раньше, но что-то не позволяло Кате поверить в его искренность. Может быть, то, что любая их ссора тут же пресекалась свекровью — она появлялась в комнате, шелестя цветастым халатом, успокаивала сына одним словом, упрашивала Катю не сердиться.

«Если бы не она, я бы долго тут не выдержала».

— Что ты вяжешь, Катенька? — свекровь заглянула через плечо. — Пора спать, девочка моя.

— Я скоро.

186

Водоворот чужих желаний

Последний раз Катя вязала давно, а потому то, что она хотела, получилось не сразу. Однако спустя шесть дней она смогла принести Маше готовую работу.

Маша каждое утро прогуливала собачонок, затем шла домой, зная, что ровно в восемь позвонит Катя и извиняющимся голосом спросит, не нужно ли чего-нибудь купить Антуанетте и Бублику. И Маша ответит, что все в порядке и мешок корма, принесенный Катей, еще не закончился. В это утро Катя изменила привычный диалог:

— Маша, давайте встретимся. У меня для вас кое-что есть.

«Значит, все-таки принесет жратву! — раздраженно подумала Маша, прекрасно понимая, что не с Катиной зарплаты покупать еду для йоркширских терьеров. — Вот ведь упрямая девчонка!»

Однако когда они встретились и Катя развернула пакет, Маша увидела вязаную сумку — небольшую, зеленую, очень аккуратную.

— Вот это да! — ахнула она. — Катя, где вы такую прелесть нашли?

Она повернула сумочку и увидела, что на одной стороне вывязан замечательный пес, что-то среднее между таксой и колли.

— Я для вас связала. Возьмите, пожалуйста! Мне будет очень приятно.

Катя улыбнулась очаровательной улыбкой.

— Катя, давай на «ты» перейдем, — предложила Маша, любуясь сумкой.

— Давайте... то есть давай, конечно! Скажи, корм не нужен?

— Корма эти двум собаченциям хватит еще на месяц. Не беспокойся ты так! И спасибо тебе огромное за подарок. Мне очень нравится, правда.

— Не за что. Ты мне так помогла, а я даже не знаю, чем тебе отплатить.

Катя улыбнулась, махнула рукой и побежала к остановке.

— Себе лучше помоги, — вполголоса сказала Маша, глядя, как поземка закручивает белые вихри за Катей. — Чудо в перьях. Бублик, Тонька, домой!

Дома она похвасталась сумкой, и Сергей с Костей сделали вид, что оценили ее.

— Пригласи девицу к нам, что ли... — проворчал муж. — Посмотрю, кто подсунул нам это чучело с бантиком.

— Сам ты чучело с бантиком. Я уже приглашала, она отказалась. Она чего-то боится, я только не понимаю, чего.

Маша положила сумку на видное место, покачала головой.

— Ты что? — мигом спросил Сергей. — Тебе не нравится?

— Нравится. Очень.

— Тогда в чем дело? Не хочешь быть обязанной?

— Нет, вовсе нет. Она от души вязала, это видно.

Маша провела пальцем по улыбающейся собачьей морде и призналась:

— У меня странное предчувствие. Как будто скоро что-то должно случиться.

«Что-то неприятное», — добавила она про себя.

Глава 9

Алла Прохоровна вышла из кабинета Кошелева, кипя от злости. На глаза ей попалась Викулова, болтающая с Капитошиным, и Шалимова еле сдержалась, чтобы не сказать какую-нибудь гадость. Хотелось на ком-то сорваться, ох как хотелось! Но она, признаться, побаивалась Капитошина — Таможенник был остер на язык, мог и съязвить в ответ. Один раз он уже заступился за эту наглую девицу, провинциальную выскочку. Алла Прохоровна до сих пор не могла ему этого простить.

Навстречу с отрешенным лицом прошел Шаньский, и Алла Прохоровна ощутила себя щукой, завидевшей окуня.

— Юрий Альбертович! У меня к вам, между прочим, дело. Вы слышите меня?

В голове ее послышался стук указки по столу. Она подобралась, решив, что нашла жертву.

— Что вы кричите? — Шаньский резко остановился, повернул к ней точеное породистое лицо. — Есть дело, так зайдите ко мне и обсудим его.

Он дернул головой и быстро отошел от нее. Шалимова осталась стоять с ощущением, что только что напрасно щелкнула зубами.

— Красавец-мужчина огрызается! — произнесла она с глубоким недоумением. — Это не к добру.

Шалимовой не нравилось происходящее в «Эврике» последний месяц. Она искренне считала, что все перемены — только к худшему. А если учесть, что перемены совпали с появлением в офисе наглой выскочки Викуловой, от них и вовсе не стоило ожидать ничего хорошего.

И еще эта Гольц... Алла Прохоровна не любила всех женщин вообще, но отдельных из них просто на дух не переносила. Если Викулову она не переваривала, потому что получила от нее щелчок по носу, то к маленькой брюнетке Наталье Ивановне она попросту ревновала своего босса.

«Он слишком прислушивается к ней. Ах, поставьте сюда цветы для госпожи Гольц! Ах, проследите, чтобы она не увидела плохого знака!»

— Коллективная паранойя! — не выдержала Алла Прохоровна. — Пляски папуасов вокруг костра!

А взять хоть этот тендер, из-за которого фирма второй месяц стоит на ушах! Крупный контракт важен, разумеется, но Шалимовой очень не нравилось, что после переговоров в игру включилась Гольц. Точнее, Игорь Сергеевич сам попросил ее включиться. Понятно, что Наталья Ивановна получит свою выгоду, если «Эврика» выиграет тендер. Не зря она ввела в конкурс две подставные фирмы.

— Мелкая стерва, — выразила Шалимова свое мнение о Гольц и перед тем, как зайти в кабинет, бросила взгляд на Викулову. Та по-прежнему щебетала с Андреем Андреевичем. «Вот пакость какая, кокетничает!» — мысленно возмутилась Алла Прохоровна.

Она бы очень удивилась, если бы узнала, что Викулова и Капитошин говорят о том, о чем она думала секунду назад.

— Зачем нужны подставные фирмы? — Катя искренне пыталась разобраться, и ее вполне устраивало, что именно Капитошин разъясняет ей, как обстоят дела. Ей нравилось слушать Таможенника, она понимала его простые объяснения. Когда о том же пыталась рассказать ей бухгалтер Эмма Григорьевна, Катя ощущала себя идиоткой, не способной разобраться в элементарных вещах.

— Чтобы держать цену, если говорить упрощенно.

— То есть они заведомо не выиграют?

— Разумеется. Но на общем фоне мы предлагаем те же услуги и просим за это меньшую сумму. Догадайтесь, кого выберут?

Он внимательно смотрел на Катю темно-серыми глазами из-за очков, не иронизировал, не подсмеивался, и она чувствовала себя спокойной и защищенной. На днях Шалимова пожаловалась Игорю Сергеевичу, что Катя не справляется со своими обязанностями, и она категорически против того, чтобы Викулова оставалась работать. Присутствовавшая при разговоре Снежана промолчала, а вот Капитошин заявил, что новая офис-менеджер устраивает его больше предыдущей: работает старательно, обучается с каждым днем, очень внимательна к мелочам и запоминает все с первого раза. Работает не за страх, а за совесть, и два дня назад госпожа Гольц сказала, что ей очень приятно приходить в «Эврику», потому что она видит, как внимательно к ней относятся. «Как это следует понимать?» — спросил Капитошин. И сам себе ответил: «Так, что Викулова из кожи вылезет, а достанет для Натальи Ивановны то, что она любит. И, кстати, в кои-то веки мне не нужно никому напоминать, что кончился порошок в картридже».

Сама же Снежана и рассказала об этом Кате, честно признавшись, что она боится связываться с Шалимовой. А вот Андрей Андреевич не побоялся. «Он заступился за меня, потому что я ему симпатична или только потому, что я хорошо работаю?» — вякнул Щенячий голос, но Циничный посоветовал ему не заниматься ерундой и слушать внимательно, что объясняют.

— Получается, что мы обманываем заказчика? — нахмурилась Катя.

— Если называть вещи своими именами, то да.

— И Наталья Ивановна принимает в этом участие?

— Разумеется. Самое непосредственное. Она получит не меньше нашего, если мы выиграем тендер, поэтому после того, как мы подписали с ней контракт о сотрудничестве, помогать нам в ее интересах. А нам и подавно очень выгодно с ней работать. С поддержкой Гольц «Эврика» может брать такие заказы, о которых раньше и мечтать не смела. Кошелев уже строит грандиозные планы по покорению рынка. — Таможенник усмехнулся.

— У нас действительно есть шанс выиграть тендер?

— Угу. И очень неплохой. Конкуренция сильная, но у нас есть одно выгодное отличие. Как ни странно, нам помогает то, что «Эврика» — небольшая фирма.

— Не понимаю, почему.

— Катерина, сейчас вовсю идет разведка. Чем больше информации будет получено о конкуренте, тем больше шансов использовать ее против него. Но Игорь Сергеевич сколотил небольшую команду. Здесь все свои. Я уверен, что никто не будет продавать на сторону наши секреты.

— Кроме меня.

— Что — кроме вас?

— Все свои, кроме меня, — задумчиво повторила Катя. — Алла Прохоровна возмущалась именно поэтому, да? Она считает, что я непроверенный человек?

Она посмотрела в темно-серые глаза за очками и неожиданно для самой себя чуть не ляпнула: «Андрей, снимите их, пожалуйста», но вовремя сдержалась. «Что с тобой? — поинтересовался Циничный голос. — С ума сошла? Может, еще попросить его снять рубашку?»

При мысли о рубашке Катя покраснела и велела грубому голосу заткнуться. Капитошин, наклонив голову, рассматривал ее, и выражение его лица было ей непонятно.

— Наша белогривая Снежана проболталась, — протянул он наконец. — Разумеется. Что думает Шалимова, мне неизвестно. И честно говоря, безразлично. А я думаю, что нам повезло, когда у Кошелева зазвонил телефон и он решил принять вас на работу.

Он помедлил секунду, собираясь добавить что-то еще, но тут стукнула дверь, из кабинета высунулся Юрий Альбертович и позвал:

— Андрей! Занят? Подойди, кое-что надо посмотреть.

— Уже иду, — отозвался Капитошин с чуть заметной досадой в голосе. — Ну ладно. Надеюсь, теперь вам стало понятнее, отчего Игорь Сергеевич так привечает госпожу Гольц и чего мы ждем от тендера.

— Намного, — искренне кивнула Катя. — Спасибо вам большое, Андрей.

Капитошин усмехнулся, кивнул и отошел от ее стола. Катя смотрела ему в спину, удивляясь тому, что спина у Таможенника широкая, словно он много лет подряд занимается в тренажерном зале. «А кажется худощавым. Интересно, как все-таки он выглядит без рубашки?» — мечтательно протянул Щенячий.

Катя с досады чуть не хлопнула ладонью по столу. Мало ей проблем, что ли? Почему она не может выкинуть Капитошина из головы? «Я ничего о нем не знаю. Он мой коллега. И я замужем, черт возьми!»

Однако на то, что о Таможеннике ей ничего не известно, Кате было наплевать. У него была обаятельная улыбка, темно-серые глаза за дорогими тонкими очками, ироничная манера держаться, и он заботился о ней, Кате! Этого было вполне достаточно.

«Он — коллега, — напомнил внутренний голос: — Даже если ты ему нравишься, как тебе кажется — а точнее, как тебе хочется думать, — это ни к чему не приведет. И вспомни об Артуре, пожалуйста. Ты за-му-жем. Повторить?»

— Я замужем, — пробормотала Катя. — Мой муж сидит в чужой квартире взаперти, потому что попал в беду из-за меня. А я думаю о романе с другим.

Ей стало стыдно. Не таким стыдом, который она испытывала, представляя Таможенника раздетым, а другим — горьким, противным. «Гадость какая», — отчетливо сказал внутренний голос с оттенком брезгливости, и Катя покорно согласилась с ним. «Гадость, правда. Я больше не буду», — пообещала она.

Вечером Катя хотела уйти домой пораньше. Ее мучила совесть. Совесть напомнила, что она каждые выходные находит предлог и уезжает из дома, что она отворачивается от мужа, пытающегося приласкать ее, что она чуть не дала ему пощечину, когда он поцеловал ее. «Ты виновата перед ним, — сказала совесть. — Он полностью зависит от тебя. Неудивительно, что иногда он не может сдерживаться и позволяет себе лишнее. Но он твой муж».

Катя собиралась уйти вовремя, чтобы поужинать с семьей и провести вечер с Артуром. Они не проводили вместе... Она задумалась, вспоминая. «Не может быть! За последний месяц мы ни разу не ужинали вместе. Что мы вообще делали вместе последний раз?»

Но уйти вовремя у нее не получилось. Эмма Григорьевна Орлинкова, похожая на разгневанную Афину, потребовала, чтобы Катя помогла ей, потому что Алла Прохоровна занята. И Викуловой пришлось два часа заверять копии для налоговой, слушая рассказы Эммы Григорьевны о жизни.

Возвращалась Катя уже поздним вечером. Выйдя из метро, она накинула капюшон и привычно поежилась. «Кажется, мой пуховик худеет. Из него как будто все перья вылезли. Или что там внутри — пух? Пух разлетелся. Поэтому я постоянно мерзну в нем».

Она проводила тоскливым взглядом забитый трамвай и побрела по тропинке вдоль рельсов, увязая в свежевыпавшем снеге.

Диана Арутюновна докурила сигарету, разогнала дым, все-таки ворвавшийся в кухню, и торопливо закрыла форточку. «Бр-р-р! Холодно».

— Сейчас она придет, а ты куришь, — язвительно заметила Седа, бесшумно подошедшая к матери. — Воняет!

— Что Артур делает? — Диана Арутюровна пропустила замечание дочери мимо ушей.

— Перед телевизором валяется. Что еще он может делать?

— Помоги мне на стол накрыть. Сегодня ужинать вместе будем.

— Ты чего? Все уже поели.

— Значит, еще раз поедим.

Она обернулась к дочери, и та поняла по ее лицу, что спорить с матерью на этот раз бесполезно.

— Чего ты придумала? — брюзжала она, расставляя тарелки. — Праздник хочешь устроить, что ли? Не получится у тебя ничего, и не старайся!

В кухню вошел Артур в майке и трусах, потянулся, повел носом. Диана Арутюновна нежно погладила сына по плечу.

— Иди, Артурчик, иди. Скоро жена твоя придет, переоденься. Поужинаем вместе.

— А переодеваться-то зачем?

— Я сказала, переоденься. — В голосе матери зазвучали стальные нотки, и сын подчинился.

В комнате повисло что-то тяжелое, невысказанное.

— Подлизаться к ней хочешь, да? — тихо спросила Седа, наблюдая, как мать аккуратными скупыми движениями режет хлеб. — Зря стараешься. Она нам чужая.

— Суп подогрей, — угрожающе сказала мать. — И хватит болтать попусту.

— Чужая! Куда она каждые выходные уезжает, а? У нашего Артура давно рога растут, а ты хочешь, чтобы я с ней за один стол садилась, хлеб делила!

— Седа, прекрати!

— А вот не прекращу! Что ты мне сделаешь? Из квартиры меня выгонишь, что ли?

Девушка издевательски расхохоталась. Звонкая пощечина оборвала ее смех, и она возмущенно уставилась на мать.

— Ты… меня… из-за нее?!

— Дура! — воскликнула Диана Арутюновна, тяжело дыша. — Ты с нее пылинки должна сдувать, идиотка!

— Из-за этой швабры!..

Прозвенел звонок в дверь, и обе замолчали.

— Я открою, — спустя паузу сказала Диана Арутюновна почти спокойным голосом. — Умой лицо, у тебя щека красная.

Час спустя любой, заглянувший в квартиру, в которой временно проживала семья Аштоянов, увидел бы почти идиллическую картину. Во главе стола сидела красивая полноватая женщина, а по обе стороны от нее — дети, очень похожие на мать. Возле взрослого сына с видом радостным и спокойным хлопотала его молодая жена, приветливо улыбаясь на каждую реплику своей золовки. И что с того, что посуда была битой, штукатурка на стенах облезала грязными синими клочьями, а занавесок на окне не было, и зимняя чернота заглядывала в крохотную кухоньку на пятом этаже? Разве не главное, что семья собралась вместе?

«Что с ними случилось? — думала Катя, улыбаясь через силу Седе, рассказывавшей очередную байку про свою подружку, и терпя поглаживания Артура под столом. — С утра Капитошин, теперь они... С атмосферным давлением нынче что-то не то?»

Совместный ужин поначалу изумил ее, а последние десять минут откровенно тяготил. Внешне все выглядело более чем пристойно, и Катя поначалу даже обрадовалась тому, что намерения мужа и свекрови так совпали с ее собственными мыслями. Но очень скоро пожалела о том, что Орлинкова задержала ее всего на два часа, а не на четыре.

В воздухе висела фальшь. Как будто за столом, покрытым дешевой пестрой клеенкой, собрались актеры, и каждый из них играл свою роль. Но актеры были посредственными и играли бездарно. А может, просто не успели выучить слова.

Кате чудилось, что Седа излучает ненависть, Артур — равнодушие, а сама она улыбается так неискренне, что не смогла бы обмануть даже слепого. И только свекровь держалась, как подобает — изображала главу маленькой семьи, из-за ужасного стечения обстоятельств вынужденную терпеть лишения. Но терпеть героически, не ноя и не жалуясь на жизнь. Она любезно спрашивала Катю, не подложить ли ей макарон, к которым они с дочкой сделали прекрасный соус, заботилась о том, чтобы Артуру не дуло из форточки, посмеивалась над рассказами Седы. Именно посмеивалась, а не смеялась, и потому не переигрывала.

«Господи, скорее бы это закончилось. Я не хочу больше с ними сидеть».

Как ни уговаривала себя Катя, что должна радоваться, ничего не получалось. Ей не о чем было говорить с людьми, которые назывались ее семьей. «Но о чем же я говорила с ними раньше? — с ужасом спрашивала она себя. — Почему же я не могу сделать этого сейчас и только глупо растягиваю в улыбке рот, слушая Седу?»

«Потому что ты никогда не разговаривала с ними раньше, — ответил ей один из голосов — похоже, Циничный, но он был непривычно грустным. — Разве ты не замечала? Ты рассказывала им что-то, как и они тебе. Вы обменивались информацией — как прошел день, куда ты съездила, что сказала тебе подружка, когда увидела твое новое платье... Как только исчезла информация, вам стало не о чем говорить».

«Но я могу рассказать им про «Эврику»!» — горячо возразила голосу Катя. Но тут же поняла, что лукавит. О ком она стала бы рассказывать? О Капитошине? О Наталье Гольц, благодаря которой ее приняли на работу? «Они даже не знают, как именно я устроилась. Я им не говорила об этом».

— О чем задумалась, котенок? — Артур погладил ее по руке.

«Мне не нравится, когда меня называют котенком. Мне это кажется пошлым и глупым. Почему я не говорила ему об этом раньше?»

— Да так... ни о чем. Спасибо, все было очень вкусно.

После ужина Катя мыла посуду, с трудом отделавшись от навязчивой помощи свекрови. Она не любила мыть посуду, но ей хотелось остаться одной. Артур предложил посидеть с ней на кухне, развлекая ее разговорами, но Кате показалось, что он не очень огорчился, когда она отказалась.

— Жду тебя в постели, — прошептал он ей на ухо и нежно прикусил мочку уха.

Она еле сдержалась, чтобы не дернуться. Господи, ну почему он стал так раздражать ее?! Это неправильно, с этим нужно что-то делать!

Она поставила на полотенце последнюю тарелку и глубоко вздохнула. «Завтра нужно позвонить маме. Опять врать...» Неприятное ощущение царапнуло ее, но Катя не поняла, что именно. Катя методично вытерла посуду с тайной надеждой, что пока она копается на кухне, Артур уснет. Открыла шкафчик, в который собиралась спрятать вилки, и снова замерла.

Что-то было не в порядке. Даже не то чтобы не в порядке — просто не так, как должно быть.

— Может, все дело в ужине? — пробормотала Катя, оглядываясь. — Может, после него мне все кажется странным?

Собрала звякающую охапку вилок, сунула в шкафчик. Противное ощущение не исчезло. Катя даже проверила, не подглядывают ли за ней — подошла к окну, придирчиво осмотрела окна в доме напротив.

— Вот так и начинается паранойя, — пробормотала она, не увидев ничего подозрительного.

«Черт возьми, что мне здесь так не нравится?»

Она обошла кухню по периметру.

— Крыса прошуршала?

Нет. Крыса была бы неприятностью, но вполне объяснимой неприятностью. Катя чувствовала, что дело в другом.

— Седа подстроила какую-нибудь гадость? С нее станется...

Снова обошла кухню, задержавшись возле шкафчика.

И вдруг поняла, что именно насторожило ее.

— Сигаретами пахнет!

Катя потянула носом, но у нее не было никаких сомнений, что она нашла причину беспокойства. Пахло сигаретами, которыми не могло пахнуть, потому что их не должно быть в квартире. Катя мысленно подсчитала, когда в последний раз покупала сигареты по просьбе свекрови. Получалось, что больше двух месяцев назад.

«Нет, не может быть. Или от шкафа пахнет старым запахом, который я раньше не чувствовала, или у Дианы Арутюновны остался запас сигарет. Она курит немного».

— Запас сигарет, — повторила Катя, потому что это было подходящее объяснение, после которого можно было успокоиться. — Ну конечно!

Но все-таки похлопала рукой за коробками с чаем — просто так, на всякий случай. И вытащила из дальнего угла открытую пачку «Мальборо» — свекровь не терпела женских сигарет.

Торопливо открыв ее, Катя убедилась, что не хватает всего одной сигареты, и опустилась на табуретку, сжав пачку в руке.

— Я не покупала сигареты, — недоуменно сказала она вслух. — И что это значит?

«Это значит, что кто-то другой их купил, — издевательски мягко проговорил Циничный голос. — Логично, правда? Или ты думаешь, что они сами оказались в шкафу? Остались от уехавших родственников?»

Версия с уехавшими родственниками была очень неплоха. Но Катя хорошо помнила, как сразу после переезда отмывала кухню. Из шкафа она собственными руками выкинула старые упаковки манки и риса и протерла полки. Никаких сигарет, разумеется, в нем не было.

— Кто-то другой их купил... Но они не выходят из дома!

Тихий смех Циничного был ей ответом.

Катя спрятала сигареты обратно за пачки с чаем и вздрогнула, когда услышала шаги по коридору.

— Котенок? — Артур заглянул в кухню и скорчил умильное лицо. — Ты скоро, малыш?

— Сейчас посуду домою и приду.

Муж кинул недоуменный взгляд на пустую раковину, пожал плечами и ушел. Катя плотно прикрыла за ним дверь и опустилась на табуретку.

Мысль о том, что домочадцы вовсе не сидят в квартире, как заключенные, а все-таки выходят наружу, поразила ее. Как же так... Ей столько твердили о том, что главное — конспирация, что бандиты могут выследить их, что никому из Ашотянов нельзя показываться на улице, и что же получается? Что все это ерунда?

«Постой, почему же ерунда? — возразила Кате ее совестливая сторона. — Вовсе нет. Просто Диана Арутюновна не выдержала и сорвалась. Ей очень хотелось курить. Ты не курильщик, не знаешь, как это затягивает».

— Но тогда попросила бы меня! — возмутилась Катя.

«Свекровь знала, что ты не любишь, когда она курит на кухне. А может, ей просто невыносимо захотелось курить. Собралась, вышла, добежала до магазина. Они и тебе-то ничего не сказали, потому что понимали, как ты к этому отнесешься. Их можно понять. Представь себе, что это ты сидела бы дома взаперти целых полгода».

— Три месяца, — возразила себе Катя. — Все равно не нужно было врать.

Она вышла из кухни с неприятным чувством. И смогла определить его словами только спустя несколько минут, разглядывая в ванной в зеркале свое усталое лицо, как-то резко повзрослевшее за последний месяц. «Интересно, в чем еще они меня обманывают»?

Катина неожиданная находка подтвердила ее смутные подозрения о том, что и свекровь, и Седа, и Артур постоянно врут ей. Голос совести пытался вякнуть, что она хочет сделать их виноватыми перед ней, но Катя резко велела ему заткнуться.

Она оглядела ванную комнату, пытаясь найти мелкие изменения. Интуиция подсказывала: она вот-вот заметит что-то такое, что ей необходимо знать.

— Полотенца, — бормотала Катя, рассматривая привычные вещи, — зубные щетки, туалетная бумага... Все на месте.

На секунду ей стало смешно. Что она ищет? Лишний рулон туалетной бумаги? Очередное подтверждение тому, что Седа, убираясь, никогда не моет сантехнику? Это и так известно без всяких нашептываний интуиции.

И все-таки что-то должно было быть.

— Хватит глупостями заниматься, — неуверенно сказала она себе. — В конце концов, почему я так уверена, что искать нужно именно в ванной? И потом — что искать?

Она вытерла лицо, неловким жестом повесила полотенце, и оно упало на пол. Чертыхнувшись про себя, Катя присела на корточки и увидела под ванной кусок старой половой тряпки, которую она собиралась выкинуть. Наплевав на пыль и грязь, она сунула руку под ржавую ванну и, брезгливо морщась, вытащила ошметок дерюги, свернутой в маленький рулончик. Конец дерюги размотался, и Кате на колени вывалилась деревянная фигурка русалки.

Лето 1984 года. Село Кудряшово

Вечером Олег Борисович Вотчин вышел из дома Мишки Левушина, шарахнулся от дворовой собаки и, ничего не соображая, направился в сад. На полпути он опомнился, вернулся обратно и вышел за калитку. Собака недовольно заворчала ему вслед.

— Чертовщина какая-то, — пробормотал Вотчин себе под нос. — Что тут творится?

После того как Олег Борисович подслушал рассказ парня, прибежавшего утром к его хозяйке, он осторожно выведал у Марьи Авдотьевны подробности появления у нее скульптуры и отправился проводить собственное расследование. У Натальи Котик он просидел сорок минут, прежде чем навел ее на тему, которая его интересовала. С Левушиным оказалось проще — парень, хоть и без охоты, но все же рассказал то, что требовалось Вотчину.

— Значит, смирная стала теща, — в десятый раз уточнил Олег Борисович, недоверчиво глядя на хмурого Мишку.

— Не то слово. То подаст, это принесет, слова злого не скажет... А, провались оно все пропадом!

Вотчин не понял, чем недоволен бывший владелец русалки. Но это было и не важно. Важно другое...

— Получается, ты у нас желания исполняешь? — Он недоверчиво посмотрел на деревянную фигурку, покачал головой.

Если рассказ Мишки Левушина можно было списать на его буйное воображение, то с Натальей Котик дело обстояло иначе. Олег Борисович видел красавицу — полную, пышногрудую, с осанкой боярыни. А она сама говорила, что была дурнушкой. Впрочем, Наталья, как быстро понял Вотчин, особым умом не отличалась и могла сдуру придумать о себе всякую ерунду. Но ее слова подтверждала его хозяйка. «Была корова коровой, а стала — королевишна», — сказала Марья Авдотьевна, и у Вотчина не было причины не верить ее словам.

С третьим человеком — молодым парнем лет восемнадцати из соседнего села, внуком покойной приятельницы Марьи Авдотьевны, Олег Борисович не говорил. Он сильно сомневался в том, что парень согласится хоть что-то рассказывать о русалке. Но все, что нужно, Вотчин и так знал: парень утром признался, что хотел убить человека, а вечером того убили. В том, что убийство произошло на самом деле, сомневаться не приходилось: два соседних села и все Кудряшово шумели и обсуждали, что у Черной запруды закололи ножом одного из трех братьев.

Больше всего Вотчина удивляло, что владельцы русалки без всякого сомнения верили в то, что она исполняет желание. Кроме одного человека — его хозяйки, Марьи Авдотьевны. Она вообще не понимала, о чем идет речь, словно фантазия ее была наглухо закрыта от мысли о такой возможности. «Может, дело в том, что старуха — верующая, а остальные нет? — размышлял Вотчин, сворачивая на темную узенькую улочку. — Или и впрямь причина только в русалке? Я ведь, признаться, и сам не удивился, когда услышал...»

Сзади прошуршали шаги, и Олег Борисович обернулся. На улочку свернул человек и быстро приближался к нему. Вотчину стало не по себе. В первую секунду он хотел дождаться идущего и поздороваться, но в следующую, ведомый неизвестным ему чувством, быстро пошел прочь.

Пройдя десяток шагов, он обернулся и с неприятным удивлением увидел, что прохожий догоняет его. Олега Борисовича отчего-то поразило, что в темноте он не может разглядеть лица. Он даже не мог понять, мужчина или женщина идет за ним — по обе стороны переулка стояли заборы, дома выходили на другую сторону, и свет из окон не освещал узкий, заросший травой проход. Единственный фонарь горел далеко на главной дороге.

— Добрый вечер! — громко сказал Вотчин, решив не позориться, удирая неведомо от кого по сельским закоулкам.

Ответа не последовало, и он, плюнув на приличия, решительно пошел по траве, убыстряя шаги. Оборачиваться ему не хотелось, но в какую-то секунду он не выдержал и посмотрел назад. Человека не было.

— Что за шутки... — начал было Олег Борисович и осекся. «Куда он пропал?»

Ощущение опасности не покидало его. Вдалеке высокий голос выводил под гармошку песню, и от этого

Вотчин острее чувствовал, что стоит в темном переулке совершенно один. И если что-то случится, никто не придет ему на помощь.

«Что за мысли? — оборвал он себя. — Какая помощь? Спятил, уважаемый Олег Борисович? Иди домой».

Человек, нырнувший в незаметную щель между заборами, очень торопился. Ему нужно было обогнуть четыре дома, чтобы выйти там, где пересекались два переулка, один из которых вел к дому старухи Авдотьевны. Место здесь было глухое, заросшее кустами лопуха и крапивой. «Хорошо, что он этой дорогой пошел, — думал человек на бегу. — Так бы, глядишь, заорал — и с дороги его бы услышали. Или из домов. А здесь и заорать не успеет».

Вотчин углублялся в переулок все дальше от света фонаря на главной дороге, когда непонятное чувство заставило его остановиться. Хозяйка хорошо описала ему короткий путь от дома Левушина до ее собственного, и Олегу Борисовичу оставалось повернуть направо и пройти тропинкой между заборами. Но поворачивать ему не хотелось.

Он обернулся — позади никого не было. Присмотрелся к тропинке, но разглядел только, что идти предстоит мимо высоких стеблей, в сумерках показавшихся ему усами огромных насекомых. Налетевший ветерок пошевелил усы, и Вотчин поежился, хотя было тепло.

— Крапива! — вслух сказал он с притворной досадой. — Надо же... Придется возвращаться.

Олег Борисович пошел обратно, чувствуя нарастающее облегчение от того, что ему не придется идти темной тропой между высоких глухих заборов. «Тропинками пройдешь, — передразнил он хозяйку, — путь срежешь! Нет уж, уважаемая Марья Авдотьевна. Срезайте сами. А я уж как-нибудь...»

Мысли Вотчина прервал шелест за спиной, и, оглянувшись, коллекционер с ужасом увидел в одном шаге от себя человека в темном мешковатом костюме, на голову которого был нахлобучен белый марлевый мешок с прорезями для глаз.

Именно мешок и привел коллекционера в оцепенение. Он замер, на секунду потеряв всякую способность к сопротивлению, и за эту секунду преследователь сделал последний шаг, отделявший его от Олега Борисовича. В узких прорезях мешка Вотчин увидел голубые глаза, а в них то, что привело его в чувство и заставило действовать. Он вскрикнул, в отчаянном порыве бросился на преследователя и толкнул его изо всех сил. Сверкнуло длинное лезвие, и нападающий, потеряв равновесие, упал в кусты, забарахтался в них, а Вотчин помчался скачками к желтому кругу фонаря, казавшемуся очень далеким.

Он бежал, не оглядываясь, и боялся кричать, чтобы не потратить остаток сил на крик. Добежав до крайнего забора, обернулся на ходу и чуть не упал, споткнувшись о какую-то палку.

Преследователь исчез. Вотчин, тяжело дыша, обшарил взглядом улочку, но человек с белым мешком на голове испарился, словно его и не было. Олег Борисович вспомнил сверкнувшее лезвие, сел на мокрую от вечерней росы траву и взялся за сердце. На лбу у него выступил холодный пот.

Отдышавшись и чуть придя в себя, он встал и быстро пошел по улице, оглядываясь через каждые три шага и вздрагивая от гавканья собак за заборами. Навстречу ему попалась компания мальчишек лет шестнадцати, оглядевших Олега Борисовича с насмешливым враждебным любопытством. Вотчин их понимал: начинающий лысеть мужичок в мокрой от пота рубашке и перепачканных травою брюках выглядел нелепо. Он провел рукой по влажной лысине и остановился, переводя дыхание. До дома хозяйки оставался один прогон.

Вотчина вдруг накрыл страх, что его догонят и убьют даже на широкой улице, перед желтыми окнами, свет из которых мягко ложился на кусты в палисадниках. Он снова оглянулся, вышел на середину дороги — чтобы тот, в белом мешке, не выскочил из ближайших кустов. Для уверенности Олег Борисович нащупал в кармане деревянную русалку и не выпускал ее из руки до самой калитки, за которой стояла, дожидаясь его, Марья Авдотьевна.

— Долго же ты, батюшка, ходил, — укоризненно заметила она, открывая калитку. — Ужинать пора. Или тебя у Левушиных кормили?

Олег Борисович покачал головой.

— А ты что бледный-то какой? — встревожилась старушка.

— Все в порядке. — Вотчин нервно огляделся вокруг и шмыгнул в дом.

Он настоял на том, чтобы Марья Авдотьевна заперла дверь, и собственноручно проверил засов. Успокоился Олег Борисович только под болтовню хозяйки за ужином. Перед сном он вынул русалку из кармана, положил на подушку и смотрел на нее до тех пор, пока ему не стало казаться, что в темноте фигурка меняет очертания, превращаясь то в рыбу, то в бутон цветка.

— Нет уж, — пробормотал Вотчин, не отдавая себе отчета в том, что говорит, — никому тебя не отдам. Не отдам!

Пашка Буравин напевал с самого утра. Сначала на него покосился отец, затем удивилась мать, а потом и поздно поднявшаяся тетка Зина пошутила над племянником. Надо сказать, что пел Пашка фальшиво и вся-

Елена Михалкова

кую ерунду, что на ум придет, но ему самому было приятно себя слушать. «Влюбился», — посмеивалась тетка Зина.

Влюбился! Ха! Да от влюбленности ничего хорошего не бывает, чего там петь? Одни проблемы да драки. Пашка машинально потрогал нос и, убедившись, что нос у него прямой, вновь приободрился.

— Что ты все напеваешь? — не выдержала мать. — Чему радуешься-то, а? Человека вчера убили, а он песни поет!

Пашка замолчал. Не мог же он сказать матери, что поет именно из-за того, что человека убили! Точнее сказать, не из-за того, что убили, а из-за того, кого убили! А убили неизвестного Буравину парня, младшего из троих братьев, живущих в соседнем селе Красных Возничах.

«Надо ж было так ошибиться, — думал Пашка, таская для матери воду из колодца. — Не дурак ли я, а?» И критично признавал, что да, дурак он, Паша Буравин. Кто, кроме дурака, мог поверить в какую-то деревянную русалку? «Желание исполнилось! — передразнил самого себя Пашка. — Ой, я человека убил! Так перепугался, что и не догадался спросить у мальчишки, откуда убитый-то. А спросил бы — и не мучился всю ночь, не бегал к тетке Марье чуть свет, не возвращал бы ей игрушку. Эх, жалко — подарил бы ее тете Зине».

Буравин вспомнил русалку, и на мгновение его охватило непреодолимое желание увидеть фигурку, просто подержать ее в руках, провести пальцем по светлому дереву. Но в памяти тут же всплыло, как он сидел на дороге и смотрел на расплывавшуюся по ее лицу красную каплю. Как не мог заснуть до самого утра и еле дождался рассвета, чтобы пойти в Кудряшово. Как ощущал себя убийцей, несмотря на то что за несколько часов до этого искренне желал смерти своему врагу.

208

Он поставил ведра на крыльцо, стараясь не расплескать. «Мальчишка, поганец, не сказал мне, что братья из Вознич. Да и тот парень, у которого нож был, оттуда же. А то я сразу бы понял, что ни при чем».

Пашка зачерпнул из ведра ледяную колодезную воду и умыл лицо. Щеки и нос обожгло ледяным, и Буравин довольно ухнул. Ох, как хорошо! И бог с ней, с Оксаной! Других красивых девчонок в селе нет, что ли?

Он ухмыльнулся, стукнул в стену, давая матери знать, что принес воды, и подхватил следующие два ведра.

Только одна мысль царапала его еле слышно, нарушала вновь обретенное спокойствие. Когда он столкнулся с братьями Сковородовыми и не смог сдержать изумления, они быстро заставили Пашку признаться, в чем дело. Буравин был так растерян, что не смог сопротивляться и выложил все как на духу — и про старуху, и про русалку, и про собственное желание.

Двое Сковородовых оскорбительно посмеялись над ним, и Пашка даже опасался, что теперь станет посмешищем для всего села. И только один выслушал его историю серьезно, неприятно щуря и без того узкие глаза. Кирилл Сковородов — младший брат, по слухам, самый умный из троих. Но Пашке неприятно было вспоминать его скуластое лицо, и он постарался забыть Сковородова, русалку и все, связанное с ними.

Глава 10

Артур лежал в кровати, ожидая жену. Когда дверь распахнулась, и в освещенном проеме он увидел ее силуэт, то привстал и с торжественным видом откинул одеяло.

— Котенок, я заждался, — протянул он с нежным упреком. — И мой мальчик тоже.

Катя вошла в комнату, включила свет, и он увидел ее лицо.

— Котенок, ты что...

И осекся. В руках жена держала маленькую деревянную фигурку.

Катя смотрела, как меняется выражение его лица. Когда изумление сменилось узнаванием, она сглотнула и отступила на шаг.

— Значит, все-таки ты... — проговорила она.

— Где ты ее взяла?!

Катя покачала головой и сделала еще шаг назад. Артур вскочил и рванулся к ней, но запутался в одеяле и упал. Катя выскочила за дверь и захлопнула ее, прижимая к себе статуэтку. В ответ на стук заговорили, проснувшись, Седа с матерью, и Катя затравленно огляделась. В углу стояла швабра, она схватила ее, прижала к двери. В следующую секунду створку толкнули изнутри — сначала один раз, за ним второй, третий, и из комнаты послышалось злобное ругательство Артура.

Катя метнулась в прихожую, сунула русалку в карман пуховика, дрожащими руками натянула сапоги. За ее спиной раздавался методичный стук в дверь и яростный мат мужа.

— Что случилось? — Встревоженный голос свекрови заставил Катю вздрогнуть.

«Сейчас она наденет свой цветастый халат, выйдет сюда, и тогда мне конец. Она мне горло перегрызет из-за сына».

У Кати не было времени, чтобы разбираться, какому из ее голосов принадлежала последняя фраза. Ей было достаточно понимания, что это правда.

Судорожно отперев замки, она успела схватить перчатки и сумку, а затем увидела, как выскакивает из гостиной Диана Арутюновна с безумными глазами и одновременно едет по полу швабра, а в образовавшуюся щель высовывается волосатая рука Артура, пытающегося нащупать палку и отбросить ее. Кто-то закричал — ей показалось, что золовка, — и Катя бросилась бежать вниз по лестнице, панически боясь, что вот-вот упадет на ступеньке и Диана Арутюновна догонит ее, вцепится в шею хищной цветной птицей, начнет рвать вены.

Один пролет... второй... третий...

Услышав, как на ее этаже хлопнула дверь, Катя в ужасе начала перепрыгивать через пять ступенек сразу. Сверху закричали, затопали, и она чуть не уронила сумку и не упала сама, но в последний момент вцепилась в перила и удержалась. Сбежала вниз, в темноте нащупала кнопку, открывающую дверь, и вылетела на холодный зимний воздух, задыхаясь от страха и потрясения.

Возле соседнего подъезда раздались голоса. Мельком взглянув туда, Катя увидела компанию парней, стоявших возле старой иномарки. Включились фары, и она зажмурилась от света, ударившего в лицо.

— Эй! А ну, иди сюда!

Катя быстро пошла в противоположную сторону, стараясь не переходить на бег. «А вдруг Артур выскочит за мной? Нет, он был голый, ему нужно время, чтобы одеться. И Седе, и свекрови тоже». Рассуждала Катя здраво, но панический голос внутри подхлестывал — быстрее, быстрее, еще быстрее. Уходи отсюда, здесь опасно. Запутывай следы, петляй, как заяц, держись в тени.

Повалил снег, но Катя восприняла его как союзника. В метели легче спрятаться, слиться со стенами белых домов. «Падай, падай. Закрывай меня». Она вспомнила, что на Севере попавшие в метель люди могут спастись, если успеют сделать себе что-то вроде норы в сугробе. Представила, как хорошо было бы лежать в белом коконе, дышать, нагревая холодный воздух, и слышать сквозь сон, как метель накрывает ее убежище все новыми слоями белых одеял.

Несколько больших ледяных снежинок упало ей на лоб, и Катя пришла в себя. Она стояла на границе улицы с парком — большим, заброшенным, который отчего-то не нравился ей, хотя она любила деревья. В другое время Катя никогда не сунулась бы сюда, тем более ночью, но сейчас страх гнал ее прочь от людей, от машин с включенными фарами. Она пошла по дорожке, углубляясь в ряды старых деревьев, между которыми медленно оседал снег. Метель утихла, словно лишь хотела проводить ее сюда.

Зайдя недалеко и почувствовав себя в относительной безопасности, Катя села на ближайшую скамейку и прижала руки к замерзшим щекам.

«Господи, как же так... Значит, это Артур убил Олега Борисовича?»

В ее голове все вертелось кувырком. Катю тошнило от мысли, что ее муж, поднялся к Вотчину на восьмой этаж, под каким-то предлогом заставил того открыть дверь и ударил по голове. Забрал русалку и ушел.

— Но зачем? Зачем???

«Ты ничего не знаешь о своем муже, — повторил сочувствующий внутренний голос то, что говорил ей раньше. — Ты ни о ком из них ничего не знаешь. Что они делают, когда тебя нет дома? Кто из них прячется, а кто ходит в магазин? Женщины знали, что Артур убил старика? Не могли не знать, ведь так?»

Десятки вопросов обрушились на Катю, и самый главный был — что ей делать дальше.

— Что мне делать? — беспомощно спросила она у мрачных деревьев, возвышавшихся над ней. — Мой муж убил человека, украл у него русалку, спрятал. А свекровь и золовка наверняка все знали и молчали. Что они предприняли? Бегают по району, ищут меня?

Словно в ответ на ее слова невдалеке раздался негромкий свист, и ему ответил чей-то крик от домов. Мигом насторожившись, Катя привстала со скамейки, напряженно вглядываясь туда, где светил один-единственный фонарь.

Несколько фигур остановились под ним. Приглядевшись, девушка узнала шпану, ошивавшуюся возле соседнего подъезда. «Этим-то что здесь надо?» — подумала она, похолодев от отвратительного предчувствия.

Предчувствие подтвердилось, как только одна из фигур пошла вперед по тропинке, глядя себе под ноги.

«Он... он что, ищет мои следы?»

Она отступила от скамейки назад, к деревьям, и тут же негромкий вскрик показал, что движение выдало ее — девушку заметили.

— Санек, вон она! — крикнул один из парней, показывая на Катю. — Эй, ты куда?

И прибавил грязное ругательство, от которого она оцепенела.

Побледнев, Катя стояла за скамейкой, глядя, как подростки приближаются к ней. В голове билась единственная мысль: «Это происходит не со мной». Она помнила грубые тупые лица — с глазами, глубоко запавшими под надбровными дугами, с тонкими губами и низкими лбами. Не зря она так их боялась. Выродки.

У нее оставалась тень надежды на то, что все обойдется. Потому что не может быть все так отвратительно. С ней, Катей Викуловой, не может!

— Цыпа, — громко позвал один из парней, идя по тропинке уверенным раскачивающимся шагом. — Куда пошла? На скамейке-то удобнее!

Кто-то позади него заржал, другие двое перешли на бег. Расстояние между ними и Катей стремительно сокращалось. Девушка хотела закричать, но не смогла. Она молча развернулась и бросилась бежать в лес.

— Саня, гони ее!

— Стой, сука, куда?

— Чертова шлюха!

Лес взорвался криками. Сонный и спокойный пять минут назад, теперь он превратился в ловушку, в глубину которой загоняли Катю. «И никто не выйдет на крик, — крутилось у нее в голове, пока она мчалась, перепрыгивая через сугробы. — В этом районе никто не выходит на крики».

Она услышала сопение сзади, метнулась вправо, затем влево и, не оглядываясь, помчалась, пытаясь выбежать из парка.

Но шестеро бежавших за ней были быстрее и проворнее.

— Санек, левее бери! Уйдет, сука!

— Не уйдет!

Они играли. Они и не думали всерьез, что она на самом деле куда-то убежит от них. С азартом веселых молодых зверей, они загоняли добычу и были уверены в том, что им ничто не помешает поиграть с ней вволю, когда она окончательно обессилит.

Монстры. Чудовища этого леса, с лысыми головами, изуродованными лицами, омерзительными голосами. Выродки района, в котором никто никогда не выходит на крик.

— А, попалась!

Один из догонявших — страшный, тонкогубый, как вурдалак, — кинулся Кате под ноги, и она упала, выронив сумку. Не успев вскочить, упала снова и покатилась куда-то вниз, не заметив, что выбежала на склон оврага. Перед глазами бешено мелькали кусты, ветка хлестнула ее по лицу, и Катя провалилась в неглубокую яму, скрытую сугробом и кустами.

— Э, где она?

— Там, внизу, никуда не делась.

— Парни, я спускаюсь.

Вжавшись в снег, Катя, онемев, прислушивалась к мату, которым перебрасывались преследователи. У нее не было сомнений в том, что ей найдут через три минуты, максимум — через пять. «Они меня изнасилуют и убьют. Это нелюди. Мне никто не поможет».

Она провела ледяной рукой по горячему лбу и вдруг разглядела на снегу перед собой русалку, выпавшую из кармана. Машинально взяла ее, стряхнула снег и вдруг отчетливо поняла, что все, что ей нужно, — это только загадать желание. Одно желание! Например, спастись от них! И тогда она спасется, и все будет хорошо.

Русалка лежала в ее руке, и время для Кати словно остановилось. Потемневшими глазами она смотрела на русалку, а в памяти ее прокручивалось все, что случилось с того момента, как она взяла с полки теплую фигурку. Она вспомнила, как устроилась на работу, как гуляла с собакой Вотчина, как он рассказывал ей о том, что бережет свое желание. И как его убили.

В глубине ее души поднималось чувство, что она собирается сделать что-то неверное — то, что поможет ей только на время. А потом все вернется на свои места. Только в этом «потом» у нее не будет русалки, глядящей черными провалами глаз, изогнувшейся так, словно она собирается нырнуть в снег. Катя не могла объяснить свою уверенность, но знала, что фигурки у нее не будет.

Слева от Кати темнел какой-то предмет, который она поначалу приняла за короткую ветку. Но, взяв его в руки, обнаружила, что это обломок от лыжи снегоката — прочный, ребристый. Катя спрятала русалку в карман пуховика, закрыла его на «молнию». Собрала остатки мужества. И поднялась из своего укрытия — как раз вовремя для того, чтобы увидеть всех шестерых, спустившихся в овраг.

Они окружили ее полукругом — ухмыляясь, перебрасываясь похабными репликами, готовясь повалить ее на затоптанный снег. Катя смотрела на них, но теперь видела не монстров, каждый из которых был сильнее нее, а подростков — низкорослых, уродливых, туповатых. Вшестером они были силой, с которой она не смогла бы справиться. Вшестером. Но не по одному.

— Чего ждем? — спросила Катя, мысленно прикидывая, кто из них наиболее опасен. Выходило, что самый старший на вид, коренастый — тот, который назвал ее цыпой.

— А ты куда-то торопишься?

Они заржали, и в ту же секунду, воспользовавшись их расслабленностью, Катя рванулась в сторону и ударила ближнего, стоящего к ней.

Это был не настоящий удар — куском обломившегося полоза она полоснула ему по лицу наискось, вцепившись в черный скользкий пластик изо всех сил, чтобы удержать его.

— А-а-а! — Парень с криком отшатнулся, зажимая рукой подбородок, из которого на снег закапали темные капли.

— Чуваки, у нее нож!

— Вот стерва!

Не теряя ни секунды, девушка бросилась бежать вверх по склону оврага. Пробежать ей удалось несколько метров, а затем она начала карабкаться, молясь о том, чтобы не скатиться обратно. Полоз в руке мешал, и она не задумываясь, сунула его в зубы.

— Стой, сучка!

Обернувшись, Катя увидела троих подростков, лезущих прямо за ней. Двое других остались стоять возле раненого. Остановившись на секунду, она подождала, пока один из преследователей приблизится, и лягнула его ногой по голове. Удар был слабый, но и его хватило, чтобы парень, потеряв равновесие, покатился вниз, увлекая за собой второго.

Не прислушиваясь к ругательствам и угрозам, доносившимся снизу, Катя лезла вверх — туда, где из-за снежного края вырастали стволы деревьев.

«Только бы не свалиться. Только б не свалиться».

Бросив короткий взгляд через плечо, она увидела, что последний из ползущих за ней отстал. Неудивительно: Катя карабкалась как зверек — цепкий, проворный, быстрый. Страх по-прежнему оставался в ней, но больше не парализовал движения, не мешал думать и просчитывать действия на шаг вперед. Страх стал ее помощником. От него чутье обострилось, и она безошибочно понимала, куда можно ставить ногу, а какой участок пути нужно обогнуть, чтобы не съехать вместе с лавиной снега.

Елена Михалкова

Когда она выбралась из оврага, то даже не обернулась, чтобы не тратить драгоценного времени. Она опередила их, и опередила изрядно, но у нее не было никаких сомнений в том, что на прямой они быстро наверстают упущенное.

Ей нужно укрытие. Оставаться в парке было равносильно смерти, и Катя, тяжело дыша, побежала обратно к домам, по фасадам которых были разбросаны редкие желтые квадратики освещенных окон.

Маша встала с постели, запнулась обо что-то мягкое и чуть не упала. Внизу визгливо заворчали, и она по голосу узнала Антуанетту.

— Цыц! — тихо, но сурово сказала Маша. — Радуйся, что тебя не раздавили.

Она присела, нащупала в темноте шелковистый загривок и провела по нему ладонью. Терьер быстро облизал кончики пальцев влажным языком.

— А где Бублик? Ты почему на полу спишь?

— Сейчас ты тоже будешь на полу спать! — Бабкин присел на кровати, потер глаза. — Почему колобродишь посреди ночи? Который час?

— Не знаю. Я почему-то проснулась.

Маша виновато пожала плечами, села на кровать. Она и в самом деле не знала, отчего проснулась.

— Сон плохой увидела? — Бабкин положил лапу ей на шею, начал медленно, нежно массировать.

Маша зажмурилась от удовольствия.

— Нет, мне ничего не снилось.

Рука на ее шее замерла.

— А что тогда? — удивленно спросил Сергей.

Удивление его было понятным: Маша спала по ночам, как сурок, и разбудить ее мог разве что Костин плач. Но Костя уже вышел из того возраста, когда дети плачут по ночам. А выражение «не спится» было к Маше неприменимо.

— Не знаю... Сама не понимаю, правда.

Она зажгла ночник и посмотрела на мужа, щурившегося от света. Заглянула в комнату к сыну: Костя крепко спал, свесив руку с кровати. Маша поправила руку, осторожно прикрыла дверь и прошла по квартире, удивляясь себе.

— Отчего-то ведь я проснулась, правда?

Она вернулась в комнату, где хмурый Бабкин разглядывал двух терьеров на кресле: Тонька забралась к Бублику и теперь пыталась потеснить его. Тот в ответ сонно огрызался.

— Никак не пойму, в чем дело, — проговорила Маша. — И Антуанетта наша лежала на полу, когда я встала. Что совсем ей не свойственно.

— Пакость какую-то задумала, наверно. Хотела тебя за голую пятку цапнуть.

Собака подняла голову и выразительно посмотрела на Сергея.

— Да ладно, я пошутил. Смотри-ка, Машка, она обижается.

— Она вообще умница, — рассеянно ответила Маша, думая о том, что заставило собаку лечь на пол. Антуанетта предпочитала кресло и диван. — Кстати, интересно...

Не договорив, что же ей интересно, Маша встала, ни о чем не думая, подошла к окну и раздвинула шторы.

Внизу, на белом снегу, стояла одинокая маленькая фигурка, и, задрав голову, смотрела на Машу.

— Боже мой! — ахнула та. — Катя!

Бабкин в один прыжок оказался возле жены. Ее поражала эта его особенность — с виду большой и неповоротливый, как медведь, Сергей при желании проявлял удивительную ловкость и быстроту реакции.

— Кто это?

— Это Катя!

— Та самая?

— Да! Сережа, у нее что-то случилось. Я пойду...

— Сиди! — оборвал ее Бабкин, уже стоя с другой стороны кровати и натягивая джинсы. — Никуда ты не пойдешь в первом часу ночи. Я сам за ней спущусь.

Пятнадцать минут спустя он сидел на полу, на пушистой искусственной шкуре, купленной Машей специально для него, и рассматривал девушку, сжавшуюся в комочек на кухонном диванчике.

Хорошо было уже то, что она перестала дрожать. Когда Сергей вышел за ней из подъезда, она чуть не бросилась прочь, увидев мужскую фигуру, и подошла только тогда, когда он сказал про Машу. Потом, когда она рассказывала, что случилось, Бабкина поразил контраст между ее относительно спокойным голосом и дергаными, судорожными жестами.

«Изнасиловали», — первое, что мелькнуло у Сергея в голове, как только он увидел ее перепачканный пуховик, спутавшиеся волосы и длинную царапину на лице. Видимо, та же мысль пришла в голову и его жене, потому что, разглядев Катю, она ахнула, бросилась раздевать ее и потащила в ванную, закрыв за собой дверь на защелку.

Однако по Машиному короткому отрицательному жесту, когда она вышла из ванной, Сергей понял, что его предположение было ошибочным. Он поставил чайник, поплотнее закрыл дверь в Костину комнату, чтобы голоса не разбудили мальчика, и сел в ожидании. Ждать ему пришлось недолго — жена привела умытую девушку в кухню и начала «хлопотать».

Бабкин уважительно наблюдал за ее «хлопотанием». Без лишних слов, восклицаний и расспросов она накапала Катерине настойки пустырника, принесла теплый плед, и девушка благодарно улыбнулась, закутываясь в него. «Точно, она ж замерзла, — подумал Сергей. —

Я бы и не сообразил». Маша как ни в чем не бывало, доставала из холодильника какие-то кастрюльки, по очереди демонстрируя их содержимое Кате, как будто не было ничего особенного в том, чтобы малознакомая девушка прибежала к ним под окна в два часа ночи. В конце концов уговорила гостью на бутерброд с сыром и одобрительно глянула на мужа, увидев, что чайник уже вскипел.

На шум прибежала Антуанетта, вспрыгнула на диван и улеглась рядом с Катей, уткнувшись носом в плед. Катя обрадовалась, взяла собачку на руки, сбросила плед и так и сидела, наблюдая за действиями Маши, поглаживая терьера по спинке.

Теперь Сергей смог как следует рассмотреть девушку. Она была среднего роста, светлокожая, с вьющимися каштановыми волосами, глазами такого же красивого орехового оттенка и большим ртом. «Симпатяга. И красотка, должно быть, когда улыбается», — подумал Бабкин. Сейчас она не улыбалась, а глазищи на лице были испуганными, несмотря на то что Катя старательно загоняла страх вглубь. «Хорошо держится. Она в панике, но перед нами сохраняет лицо. Молодец».

Катя боялась смотреть на мужа Маши — ей казалось, что он уставился на нее неодобрительно и зло, как свойственно мужикам, разбуженным среди ночи непонятно зачем. Он сидел почему-то не на стуле, а на полу, на шкуре из магазина «Икея», прямо у стены, и все время молчал. Только пару раз они с Машей обменялись непонятными Кате короткими фразами — фразами для своих, почти никогда не ясными посторонним.

Поэтому Катя смотрела на хозяйку. На нее успокаивающе действовал мягкий Машин голос, и плавность ее движений, и даже то, какими ровными ломтями ложился сыр из-под ножа, приводило Катю в себя. Подумав о сыре, она тут же вспомнила про столовую, в которой его нарезали толстыми, как подошва, кусками, а вслед за столовой в голове всплыла мысль о документах и удостоверении для проходной.

— Сумка! — сглотнув, сказала она, прервав Машу на полуслове. — О господи. Этого еще не хватало!

— Что с сумкой? — хором спросили Маша и Сергей.

— Я ее потеряла. Оборонила в парке.

— Когда?

— Не знаю... наверное, час назад. Может быть, больше.

— Что вы делали в парке? — Бабкин решил, что девочка пришла в себя и теперь можно поинтересоваться, что случилось.

— Я убегала. Там были подростки. Гнались за мной. Упала. Выронила сумку.

— В какой части парка? — спросил Сергей, слегка огорошенный ее словами. «Я-то думал, ее муж из дома выгнал. А за ней, значит, кто-то гнался. Если не врет, конечно».

— Там... недалеко от входа. Скамейка. Дальше деревья. Между ними. — Катя вспомнила, как приглядывались преследователи к ее следам. — Следы. Много следов.

«Ой, как нехорошо ты рассказываешь-то, голубушка, — мысленно вздохнул Сергей, по опыту оперативной работы знавший, какими короткими рублеными фразами начинают изясняться некоторые жертвы или свидетели преступлений. — Разговорить бы тебя как следует, чтобы ты сложноподчиненные предложения вспомнила. Ладно, пусть Машка этим занимается».

— Маш, я в парк, — сказал он, поднимаясь. — Поищу сумку.

— Вы что! — Катя дернулась и вскочила так резко, что Антуанетта свалилась с ее коленей и возмущенно тявкнула. — Там они! Их шестеро! А может быть, и больше. Они же будут меня искать, а встретятся...

— А встретятся со мной, — кивнул Сергей и недобро ухмыльнулся.

Пружинистыми шагами прошел в прихожую, и оттуда раздалось негромкое ворчание в адрес Маши, которая опять что-то куда-то не туда засунула.

— Перчатки в выдвижном ящике, — спокойно сказала жена, затягивая в хвост пышные рыжие волосы и сразу становясь на пять лет моложе. — Телефон не забудь. Никого не убивай, пожалуйста.

Она прислушалась к повороту ключа в замке, неторопливо разлила чай по чашкам, подняла на Катю серьезные серые глаза и сказала:

— Рассказывай. Что случилось?

. . . .

Артур стоял возле окна, напряженно глядя вниз.

— Не придет она, успокойся ты! — лениво сказала Седа, запахивая халат.

Диана Арутюновна покачала головой и хотела сделать дочери замечание, но сын опередил ее.

— Как не придет? — хмуро бросил Артур, не оборачиваясь. — Куда она денется? Я ей муж, ты не забыла?

Тихий смех Седы заставил его покраснеть и вцепиться в холодный подоконник.

— Муж, муж, — пробормотала она. — И куда же твоя красавица от мужа ночью ускакала, а? Думаешь, плачет где-нибудь в подъезде? Размечтался! У жеребца какого-нибудь давно в стойле стоит!

— Не смей! — Артур обернулся, и сестра отвела взгляд. — Сказал — вернется, значит, вернется.

Диана Арутюновна тяжело вздохнула: «Видит бог, хорошие дети, славные, любая мать такими гордилась бы. Чуть бы повзрослее были оба! Ох, тяжело...»

— Придет она, — веско проговорила заявила она, и Артур с Седой посмотрели на мать.

По просящему взгляду сына Диана Арутюновна поняла, что сам он вовсе не уверен в том, что Катя вернется, и ее охватила ярость на невестку, посмевшую причинить боль ее дорогому мальчику.

— Ты видела, как она удирала? — спросила Седа презрительно. — Как собачонка перепуганная!

— Вернется, — непоколебимым голосом повторила мать. — Поверьте мне, дети, я людей знаю. Она на крючке. Скажите мне, рыба сама крючок может вынуть, а? Если он глубоко сидит? Вот именно. Ложитесь спать. И ты, Артур, не стой у окна, иди. Спокойной ночи, мальчик мой.

Она ласково погладила сына по голове, с ненавистью подумала о Катерине: «Нет, не вытащить ей крючка, или я ничего в людях не понимаю!»

Диана Арутюровна Ашотян и в самом деле разбиралась в людях. Она только не просчитала, что, кроме рыбака, крючок из рыбы может вытащить кто-то другой.

. . . .

— **З**начит, твой Артур занял деньги на операцию у каких-то криминальных личностей, потом не смог отдать долг, и из-за этого вы удрали в Москву, — повторила Маша, нахмурившись.

— Да.

— И ты бросила институт, наврала матери, подругам и стала работать здесь, в Москве, чтобы их обеспечивать. А твой муж и его мать с сестрой боятся выходить из дома, потому что у мафии длинные руки. В смысле их могут найти и убить.

— Да.

— А вечером ты нашла русалку, пропавшую из квартиры твоего соседа, которого убили не так давно. Ее, очевидно, украл и спрятал твой Артур.

Катя не стала повторять «да» и просто кивнула. В изложении Маши все звучало как-то... неправильно.

— Оставим пока в стороне русалку и убийство, — медленно проговорила Маша. — Но что за дикий винегрет у тебя в голове? Катя, милая, что ты делаешь со своей жизнью?

Катя недоуменно посмотрела на нее.

— Маша, как же вы не понимаете! Я обязана Артуру! До конца жизни!

— Ах, вот оно что! Понятно, понятно...

Маша встала, подошла к окну, из которого был виден краешек дома, откуда сбежала Катя.

— Второй раз с этим сталкиваюсь, — сказала она себе под нос. — Просто удивительно, до чего способно оно довести людей.

— С чем? С чем вы сталкиваетесь, Маша? И что способно довести?

Маша обернулась к ней, тряхнула рыжими волосами.

— С ложно понятым чувством долга. Второй раз за последний год я сталкиваюсь с тем, что ложно понятое чувство долга обрекает людей на совершение таких поступков, которые можно расценить только как медленное уничтожение своей жизни.

— Почему же «ложно понятое»? Разве вы не думаете, что я и в самом деле многое должна этой семье?

— Нет, конечно. Ты ничего им не должна.

— Почему?

— Потому что ты не можешь нести ответственность за поступки других людей. Если только ты сама не попросила их совершить такой поступок. Чем бы ни были продиктованы их действия — заботой о тебе, собственным эгоизмом или чем-то другим, — их выбор был сделан ими самими. Ты просила своего жениха занять денег на твою операцию?

— Что вы... и в мыслях не было.

— Вот видишь. Это было его собственное решение, за которое он сам и должен нести ответственность. Он обратился к людям, к которым нельзя было приходить. Но самое плохое не в этом, а в том, что в результате он подставил и тебя, и свою семью. Неужели твой муж не знал, что не сможет отдать деньги вовремя?

— Я не знаю. Наверное, знал. Маша, но как же так! Он на это пошел ради меня!

— Ты можешь убеждать себя в этом и дальше, — суховато сказала Маша. — Но я вижу результат его усилий: ты стоишь передо мной и боишься возвращаться в собственную квартиру, не говоря уже о том, что последние месяцы врешь всем, кому только можно, и бросила институт на последнем курсе. Если тебе этого мало, продолжай и дальше думать, что ты по гроб жизни обязана своему Артуру.

Она отвернулась к окну. «Черт бы побрал этих порядочных людей, готовых расплачиваться до конца жизни неизвестно за что. Девчонкой манипулируют, а она успешно поддается».

— Все-таки... — неуверенно начала Катя.

— Если бы Артур убил человека для того, чтобы найти деньги на твою операцию, ты бы по-прежнему считала, что что-то должна ему? — перебила ее Маша.

Катя замолчала. Ей вспомнилось тело Олега Борисовича, закрытое какой-то тряпкой, и его голос, рассказывающий об Антуанетте. Она сглотнула, отрицательно покачала головой.

— Вот именно, — сказала Маша, не оборачиваясь. — Хорошо, что ты не бросаешься мне доказывать, что это было бы сделано для тебя, а значит, ты в неоплатном долгу у своего нелюбимого супруга.

— Почему нелюбимого? — вскинулась Катя.

Маша обернулась к ней, и девушка увидела, что выражение лица у той не насмешливое, а сочувственное. Катя хотела что-то возразить, но вместо этого лишь молча махнула рукой. Нечего было возражать.

В прихожей раздалось звяканье ключей, а спустя минуту в кухню ввалился Сергей.

— Черт, ну и метет!

Он шумно выдохнул, положил на диван Катину сумку и кивнул:

— Проверяй, все на месте?

Секунду она недоверчиво смотрела на сумку, затем, ахнув, бросилась вытряхивать содержимое.

— Паспорт, паспорт... Вот он! Слава богу! Сергей, у меня нет слов! Спасибо вам огромное!

— Не за что. Прогулялся, свежим воздухом подышал.

— Как ты ее нашел? — Маша подошла к мужу, нежно провела рукой по стриженой голове.

— Пришел в парк, побродил и нашел.

— А вы там никого не встретили? — Катя вскинула на него испуганные глаза.

— Никого. А теперь давай ты расскажешь, кого я должен был там встретить.

— Нет, — вмешалась Маша. — Теперь мы разложим диван, потому что завтра Кате, в отличие от нас с тобой, нужно утром идти в офис. Ей необходимо отдохнуть и выспаться. Да и нам не мешает. А все рассказы — потом.

— Потом так потом, — легко согласился Сергей и неожиданно улыбнулся Кате.

Улыбка у него была хорошая, и Катя вдруг перестала его бояться и думать, что он злится на нее и на жену. Ни капли он не злился, теперь это было видно.

Лежа на маленьком кухонном диванчике, Катя чувствовала под рукой равномерное сопение теплой Антуанетты. Собачка не захотела возвращаться в свое кресло и осталась с ней. Ласково проведя по шерстке, Катя сунула руку под подушку и нащупала там деревянную фигурку.

— Спи, — сказала она то ли русалке, то ли Антуанетте и тут же уснула сама.

— Что мы будем с ней делать? — спросил Сергей, выслушав на следующее утро рассказ Маши. — Не на диванчике же ей спать.

До этого Маша выгуляла собак, заодно проводив Катю до метро, и отчиталась перед мужем, что никого подозрительного по дороге не встретила. Теперь она варила кофе и обдумывала, как помочь девушке.

— Пусть в моей комнате спит! — В дверях показался Костя, потянулся, широко зевнул.

— Костя, в школу опоздаешь! Собирайся быстро.

— Мам, я не выспался! Вы ночью шумели!

— Была причина, — веско сказал Сергей, и мальчик тут же перестал делать обиженное лицо и уставился на него во все глаза.

— Дядя Сережа, расскажите! Я тетеньку видел утром, когда она уходила.

— Все рассказы — после школы. Про тетеньку в классе никому не говори, хорошо? Семейная тайна.

Костя кивнул, счастливо улыбаясь во весь рот. Все рассказы дяди Сережи он обожал, и ради обещания Бабкина рассказать о тайне готов был мчаться в школу неумытым.

— Как ты с ним легко справился, — восхитилась Маша, когда в ванной раздался звук льющейся воды. — Я думала, он не уйдет, пока все не выяснит.

— Я сам не уйду, пока все не выясню. Куда девать красавицу?

Вопрос был не из простых. У Бабкина имелась своя квартира, но он сдал ее после того, как переехал к Маше, и теперь в его двух комнатах обитала молодая семейная пара с кошкой и рыбками.

— Может, к Макару? — предположила Маша.

— К Макару... ему сейчас только посторонних девиц не хватает для полного счастья.

— Сереж, что же делать? Можно, конечно, и у нас ее оставить пока... А что потом? И где Кате спать? Девчонка и так на диванчике вдвое скрючилась, бедная.

Маша задумалась и пропустила момент, когда кофе вспенился и полез через край турки.

— Так и знал! Женщина, ты можешь один раз в жизни нормальный кофе сварить, а?

Сергей отодвинул жену от плиты и принялся колдовать над кофе, подсыпая в него по чуть-чуть разных специй. Маша обрадованно села на диванчик и стала ждать своей порции.

— У меня из головы не выходит русалка, которую Катя нашла под ванной, — вслух подумала она. — Девочке только не хватает, чтобы ее муж оказался убийцей.

Сергей медленно отставил турку с кофе с горячей плиты и обернулся к жене:

— Что ты сказала?

— Пока ты искал Катину сумку, она рассказала, что случилось у нее дома. И там есть одна небольшая деталь...

Бабкин подвинул стул и сел рядом с Машей, забыв про кофе.

— Можно поподробнее?

Когда она закончила, он встал, посвистел себе под нос и достал телефон.

— Макар, — сказал он, когда Илюшин взял трубку и что-то пробурчал в нее сонным голосом. — Кажется, у нас есть то, что искал Кирилл Сковородов.

Катя ломала голову весь день, но так и не придумала, куда ей можно уехать, чтобы не обременять Машу и ее семью. Ей было стыдно даже подумать о том, что она снова останется в их маленькой квартирке, будет всем мешать и испортит им выходные, потому что посторонний человек в доме — это сплошное неудобство.

— Были бы деньги, — бормотала она себе под нос. — Уехала бы в гостиницу, а там уж выкрутилась бы как-нибудь.

Но денег не было. Мелкая наличность, которая валялась у Кати в сумочке, предназначалась на еду. До зарплаты еще было две недели. А остальные деньги остались у Артура и его матери. И, кроме того, Катя понятия не имела, какой смысл вкладывает сама в слово «выкрутиться».

«Из водоворота нельзя выкрутиться. Из него лишь только выплыть, если ты очень хорошо плаваешь». Плавать Катя умела только по-собачьи, да и этому нехитрому способу научилась год назад.

С утра, подавив в себе неловкость, она подошла к Снежане Кочетовой и попросила приютить ее на пару дней. Но Снежана, засмущавшись, отказала:

— Катюха, извини, не могу. Уж прости, не буду ничего объяснять. Но если бы могла — пригласила бы. А что, у тебя что-то случилось?

В глазах Кочетовой загорелось такое кровожадное любопытство, что Катя сбежала от нее, отделавшись неубедительной отговоркой и обещанием рассказать все потом.

В течение дня девушка несколько раз заходила в кабинет Кошелева, и каждый раз ей хотелось попросить, чтобы он дал ей зарплату авансом. Тогда она и в самом деле сняла бы номер в самой маленькой, самой захудалой гостинице. А еще лучше — комнату у какой-нибудь старушки. Но Игорь Сергеевич последний месяц был на взводе в предвкушении выигранного тендера, а кроме того, Кате было просто стыдно просить денег и рассказывать о том, что она ушла из дома.

«Я офис-менеджер, а не девчонка, которая нагружает начальника своими проблемами. Не хватало еще попросить, чтобы он сам приютил меня».

До конца рабочего дня она так ничего и не придумала. Коллеги хорошо относились к Кате — все, кроме Аллы Прохоровны, но Викулова прекрасно понимала, что хорошие рабочие отношения — это одно, а напроситься на несколько ночей в гости — это другое. «Не попрошайничай!» — строго говорила ей мама, когда маленькая Катя пыталась выпросить очередную конфету у щедрого гостя. «Не попрошайничай», — повторяла она, когда Катя жаловалась на несправедливую оценку в школе и собиралась поговорить с учителем, чтобы тот ее исправил. Катя крепко запомнила это и не могла заставить себя заниматься тем, что для нее с тех пор так и называлось «попрошайничать».

Вечером она возвращалась с работы в переполненном метро и представляла себе Артура. Как он спит, жует, болтает с сестрой и матерью, почесывает смуглый живот. Он ни разу не позвонил ей за прошедшее время, и Катя чувствовала облегчение от этого. Она боялась звонка мужа. Боялась думать о том, как он попал в квартиру Вотчина и зачем, и старалась просто не думать об этом.

Она представила, как займет денег у Маши с Сергеем, возьмет билет на поезд и сегодня уедет же домой, к маме, и ей на секунду стало так легко на душе, как будто она одной мыслью о возвращении вычеркнула все последние тяжелые месяцы из своей жизни. В следующую секунду ее резко толкнули в плечо, и этот толчок вырвал Катю из ее мечтаний.

«Никуда я не уеду. Я не могу просто так сбежать, ничего не выяснив, бросив все, как есть. Это трусость. И потом, я не могу оставить фирму. У нас тендер через две недели!» Ей вспомнилась маленькая элегантная Наталья Ивановна Гольц, благодаря которой Катю взяли на работу, и она покачала головой. Она никого не подведет. Останется и будет работать как ни в чем не бывало.

Ее снова толкнули перед эскалатором, и внезапно Катю охватила злость на всех вокруг — на толпу, на Артура и его семью, на коллег, на саму себя, потому что она загнала себя в ловушку, из которой не видела выхода.

«Нет, вы не выгоните меня из этого проклятого города! — яростно говорила она неизвестно кому, быстро шагая по переходу. — Можете толкать меня сколько влезет, но пока я не захочу сама уехать, я не уеду! Если нужно вцепиться зубами — я вцеплюсь зубами. Нужно держаться когтями — я отращу когти. Идите вы все к черту!»

Под ноги ей попался какой-то предмет, и Катя зло отшвырнула его ногой.

— Ой, что ж такое! — запричитал кто-то сзади. — Товарищи, помогите вещи собрать! Выпало... выпало из сумки!

Катя быстро обернулась на ходу. Позади нее пожилая опрятная женщина трясла авоськой, показывая дырку в пестрой ткани. Но на нее никто не хотел смотреть. Людской поток обтекал женщину с двух сторон, небрежно наступая на ее вещи, валяющиеся под ногами, не останавливаясь ни на секунду.

— Ой, порвала сумку! Кошелек, кошелек выпал!

«Кричит на весь переход! Подумаешь, кошелек у нее выпал! Мне бы ее проблемы...»

Катя прошла еще несколько шагов и остановилась, как будто ее ударили. На нее волной накатило отвращение к себе самой: «Господи, о чем я говорю? Что я думаю?» Она вернулась обратно, внимательно глядя под ноги, и в хлюпающей грязи, принесенной и размазанной по переходу тысячами пар обуви, нашла дешевенький синий кошелек, который сама отшвырнула ногой минуту назад.

— Деньги! Деньги не могу найти!

Женщина дрожащей рукой зажимала дыру в сумке, и вид у нее был жалкий и нелепый.

— Вот, — севшим голосом сказала Катя, подходя к ней и протягивая перепачканный кошелек. — Это ваше?

— Мое, деточка, мое!

Женщина поспешно выхватила кошелек, открыла, перекрестилась и сунула его куда-то во внутренний карман.

— Девушка, миленькая, спасибо тебе большое! Храни тебя господь, милая! Ох, как перепугалась-то я... Думала, не найду ничего! Главное — деньги на месте, вот что главное. Порвалась сумка, такое дело...

Покивав в ответ на ее благодарности, Катя медленно прошла несколько шагов. В голове у нее беспощадно, во всех подробностях, всплыло воспоминание о том, как она выронила сумку в переходе несколько месяцев назад и как металась, вытаскивая вещи из-под ног не желавших останавливаться прохожих.

— Я никогда не буду такой, как вы! — крикнул кто-то у нее в голове, но это был не ее голос. Это был голос девчонки, которая никогда бы не отбросила ногой чужой кошелек, не прошла мимо воющей бабы, растерявшей вещи из порванной сумки и просившей о помощи.

«Немного же времени тебе понадобилось, чтобы стать такой же, как они. Хочешь вцепляться зубами? Вцепляйся! У тебя хорошо получается. Ты молодец. Ты все делаешь, как надо. Немного черствости, чуть побольше равнодушия, добавить капельку своих проблем — и вот он, славный Человек Перехода. Не слышит чужих просьб, потому что в ушах наушники, а в голове мысли о своем. Не хочет смотреть на других, чтобы и они не смотрели на него. Не подает музыкантам — не потому, что у него нет денег, а потому, что для него ничего не значит их музыка. Ты почти стала такой, я тебя поздравляю».

Голос в ее голове звучал одобрительно, и это было самым страшным. Катя перевела дыхание и почувствовала, что ей не хватает воздуха. Она отошла к стене, опустилась на корточки, постаралась глубоко вдохнуть. «Это... это не я! Просто что-то нашло на меня...Что-то злое, неправильное, нехорошее! Я ведь вернулась, правда? Я все-таки помогла ей. Я ни за что не прошла бы мимо!»

«Прошла бы, — тихо сказал внутренний голос. — Ты почти сделала это».

«Да. Я не просто прошла. Я подумала о том, что глупая тетка орет на весь переход из-за ерунды, и мне хотелось, чтобы она замолчала, потому что ее крик раздражал меня. Что со мной? Что со мной случилось?»

Не думая о том, как она выглядит, о том, что пуховик будет грязным, что нужно торопиться к Маше, Катя горько расплакалась, уткнув голову в колени.

Такой и увидел ее Андрей Капитошин, возвращавшийся домой на метро первый раз за последние три месяца и проклинавший на чем свет стоит глухие московские пробки, о которых сообщил ему вездесущий Яндекс.

Глава 11

Эмма Григорьевна и Алла Прохоровна сидели в кафе, потягивая невкусный зеленый чай. Одна не любила кофе, вторая слишком заботилась о своем здоровье.

«С чего бы начать? — Шалимова пристально взглянула на Эмму Григорьевну, поколебалась секунду. — Нужна она мне, нужна! Без нее ничего не получится».

Орлинкова широкой ладонью поправила и без того безупречную прическу — гладкие блестящие волосы лежали ровно, волосок к волоску. Короткое каре шло Эмме Григорьевне, придавало ей солидности и благородства, но Шалимова вдруг представила ее с длинными распущенными волосами, и Орлинкова тут же превратилась в простую бабу с самым обычным лицом. «Хороший парикмахер для женщины — находка, я всегда это говорила!»

Она уже подготовила вступительную фразу, как вдруг Эмма Григорьевна привстала со стула.

— Гляньте, Алла Прохоровна. Кто там стоит? Уж не Кочетова ли?

Она ткнула пальцем в окно, и насторожившаяся Шалимова, проследив за ее пальцем, увидела на противоположной стороне улицы Снежану, которую держал под локоть какой-то тип. Девушка смотрела по сторонам, и лицо у нее было напряженное. Белая челка торчала, как сено, из-под кокетливого берета, и пару раз Кочетова нервным движением провела по ней пальцами, пытаясь придать волосам приличный вид.

Мужик рядом с Кочетовой был на полторы головы ниже ее, широкоплеч, коренаст, с кривыми ногами «колесом» и неприятной физиономией.

— Ишь ты, ухарь какой, — пробормотала Орлинкова.

Алла Прохоровна мысленно согласилась с ней. Спутник Снежаны и впрямь был ухарем.

— Какой-то он... уголовный, — поморщилась она, глядя, как ухарь одергивает короткую, до пояса, кожаную куртку и снова берет Кочетову под руку хозяйским жестом.

— Приблатненный молодой человек, — хмыкнула Эмма Григорьевна. — Совсем не пара нашей красавице.

— Смотрите, смотрите, он ее ведет!

Спутник Снежаны, видимо, устал ждать и решительно повел ее за собой прочь от дороги, и вскоре странная пара свернула за угол дома.

— Удивительно неподходящий для нее тип. — Орлинкова махнула рукой, подзывая официантку. — К тому же мне казалось, что Кочетовой интересен Таможенник.

— Мало ли, кто ей интересен, — глубокомысленно возразила Шалимова в восторге от открывшейся возможности посплетничать.

Орлинкова крайне редко снисходила до обсуждения иных вопросов, кроме рабочих, и потому Алла Прохоровна даже оставила на время мысли о теме, которая заставила ее пригласить главного бухгалтера в кафе.

— Дети, дети, — добавила она, умиленно улыбаясь. — Для нас с вами, Эмма Григорьевна, они совсем еще дети.

Орлинкова покосилась на нее, но заметила только:

— Вы ведь работали в школе, Алла Прохоровна?

— Завучем, — вздохнула та. — Признаться, скучаю по тем временам. Конечно, деньги в школе смешные, но видеть внимательные детские глаза — это такое счастье! И когда они слушают тебя, затаив дыхание, ты понимаешь, как важен для них учитель. Мне не хватает их беготни, криков, их любознательных вопросов...

Шалимова спохватилась, что слишком впала в сентиментальность, и замолчала. Детей она возненавидела со второго месяца работы в школе, и к тому моменту, когда уволилась, ее ненависть стала устойчивой и постоянной. Дети были омерзительны. Они орали, бегали, выкрикивали глупости и в массе своей были совершенно тупы. Она искренне недоумевала, почему в школах отменили физические наказания. Алле Прохоровне, не имевшей своих чад и так и не сходившей замуж, было очевидно, что детей любого возраста нужно пороть, возможно, даже без причины, в профилактических целях. «С другой стороны, для любого ребенка найдется причина, по которой его следует выпороть», — думала Шалимова, с ненавистью глядя на маленьких поганцев, которых не интересовала география, а интересовали жвачки, велосипеды и прочая чушь.

Правда, Алла Прохоровна и сама была абсолютно равнодушна к собственному предмету. Что в ее глазах совершенно не извиняло школьников, которых требовалось успокаивать по пять минут, прежде чем начать урок.

К концу ее преподавательского стажа сила белой ненависти, исходящей от Аллы Прохоровны, была такова, что ученики чувствовали ее и выстраивались по струнке. На уроках географии у Шалимовой была безупречная дисциплина, чем она заслуженно гордилась. Ее боялись! «И правильно», — радовалась Алла Прохоровна, вслух не забывая упоминать о своей любви к детишкам. Она чувствовала, что не все могут разделить ее искреннюю нелюбовь к ним, а мнению общества Шалимова придавала большое значение.

— А я, признаюсь, не хочу детей, — сказала Эмма Григорьевна с солдатской прямотой. — Никаких — ни своих, ни чужих. Они меня раздражают.

Шалимова понимающе кивнула и пожалела, что ударилась в трогательные воспоминания о беготне и детских глазах. Получалось, что бухгалтер — из своих, с ней можно не притворяться.

— Раньше мы с мужем хотели ребенка, но больше так, для порядка, — продолжала Орлинкова. — Вроде как семья без детей — это и не семья вовсе. Но не получилось. А потом я подумала... И вот что поняла. Мы ведь с вами лошади, Алла Прохоровна.

— Кто? — изумилась Шалимова.

— Лошади. Только не орловские рысаки, а тяжеловозы. Тягловые такие клячи. Посмотрите на себя: вы и жнец, и швец, и на дуде игрец. Все можете, за все беретесь. Надо будет — горы свернете для Кошелева.

Алла Прохоровна промычала что-то невнятное, что было расценено Орлинковой как согласие.

— Вот и я такая же. Всю жизнь все тащу на себе. Как с юности впряглась в телегу, так и волоку ее на своем хребте.

— Вы же замужем, — осмелилась вставить Шалимова.

— Замужем. А что муж? Я что с мужем кляча, хоть без мужа. Еду надо приготовить — приготовила. Картина упала — дырку новую просверлила. Стол привезли — собрала. Ремонт сделать — да пожалуйста. Если мой супруг Иван Демидович заболеет, так он пластом лежит и только бульончика куриного просит. А я за всю жизнь пару раз болела — один раз ногу сломала на гололеде, второй раз спинной нерв защемила. И все. Все!

— Значит, вы счастливый здоровый человек, — глубокомысленно заметила Алла Прохоровна.

В ответ Орлинкова горько усмехнулась.

— Здоровый, говорите? Как бы не так. К нашему с вами возрасту хочешь не хочешь, а болячек наберешь! Вот и я набрала. Только что мне с тех болячек? Хоть и корчусь, а все равно работаю. Давление у меня последний месяц скачет так, что в ушах звенит.

— Вам бы тогда отлежаться...

— Кто же мне даст отлежаться с этим тендером, будь он неладен? Не одно, так другое свалится. В общем, посмотрела я на свою жизнь, Алла Прохоровна, и поняла, что не хочу никаких детей, чтоб остаток жизни вдобавок и их на себе возить. А хочу пожить для себя. Да не клячей, а принцессой.

У Шалимовой вертелась на языке острота про принцессу, но она благоразумно сдержалась. Эмма Григорьевна, несмотря на вспышку откровенности, была женщиной суровой, и забывать о том не следовало.

— Как же вы хотите... принцессой?

— Так, чтобы вокруг меня побегали, а не я бегала. Сейчас я сама и мамонта забью, и разделаю, и приготовлю, и мужа накормлю, и спать уложу. А хочется, чтобы мне этого мамонта разнесчастного приносили на блюдечке с вишенками и приговаривали: «Кушайте, Эмма Григорьевна, не стесняйтесь». А вишенки пускай были бы без косточек!

— Так не бывает, — не сдержалась Алла Прохоровна.

— Не бывает, точно. А хочется, чтоб было. Потому и детей я заводить передумала — хоть своих, хоть приемных, — ведь тогда-то точно из этой колеи не выберешься. Так и будешь пахать, пахать, пахать, пока не сдохнешь.

Две женщины вздохнули, синхронно подняли чашки и отпили остывший чай.

«Разоткровенничалась как... — размышляла Шалимова. — Как бы мне потом это боком не вышло. Так и не получилось у меня затеять разговор... Что же делать? С какого же бока к ней подойти? Ох, впустую посидели».

«Себя кормлю, мужа кормлю, родителей его кормлю, еще и ребенка на шею посадить? — думала Эмма Григорьевна. — Ну уж нет. Впрочем, зря я завелась. Все Шалимова, лошадь рабочая, виновата — как ни погляжу на нее, так сразу «тпру» хочется крикнуть».

Они поболтали еще немного и распрощались, обе недовольные проведенным временем.

Выйдя из кафе и пройдя немного по улице, Алла Прохоровна бросила взгляд на свое отражение в витрине магазина. Отражение показало ей невысокую даму в черном пальто — прямоугольную, внушительную, с широким подбородком. В общем, как раз такую, какой и должна быть приличная дама средних лет, то есть ее возраста.

«Лошадь! Тягловая кляча! Нет, надо же такое сказать! — Шалимова покачала головой, вспомнив нелепое сравнение Орлинковой. — Она, может быть, и лошадь, а я — нет! Удивительная бестактность, удивительная».

К остановке подъехала пустая маршрутка, и Алла Прохоровна, всхрапнув, бросилась догонять ее, дробно стуча тяжелыми каблуками по очищенному от снега мокрому асфальту.

. . . .

Капитошин скорее догадался, что перед ним Викулова, чем узнал ее. Люди проходили мимо, некоторые оборачивались на плачущую девушку, съежившуюся у грязной стены в переходе. Андрей подбежал, чуть не поскользнувшись, и рявкнул:

— Викулова, ты с ума сошла?!

Она даже не подняла голову, и тогда он окончательно убедился, что дело плохо. Так плохо, что хуже не бывает. Викулова не могла реветь, не обращая ни на кого внимания, — это было не похоже на нее.

Капитошин всегда видел Катю очень собранной. Оживленной, веселой, но в то же время настороженной. Он хотел пробить эту настороженность, и пару раз ему даже казалось, что у него почти получилось. Но только «почти». Она снова замыкалась — как будто выглянула из дома в ответ на стук, но, убедившись, что на улице стоит всего лишь Андрей Капитошин, вежливо, но непреклонно закрыла дверь.

— Катюха, что случилось? — другим голосом, оставив все свое командирское рявканье, спросил Андрей, наклоняясь и осторожно отнимая ее руки от лица.

На Катюху она отозвалась. Подняла на него красное, зареванное лицо и, всхлипнув, сказала, даже не разобрав толком, кто перед ней:

— Ничего не случилось. Я себя чувствую свиньей!..

Капитошин еле сдержался, чтобы не выругаться. Он был готов услышать что угодно — что ее избили в милиции, что она просадила в казино свою зарплату, что у нее выкидыш... Это хоть как-то объясняло бы ее плач в метро. Но реветь из-за того, что чувствуешь себя свиньей, не укладывалось у него в голове.

— Понимаю, — насмешливо сказал он. — Трудно не быть свиньей, сидя в грязной луже. Поднимайся. Ты вся испачкалась. И перестань хрюкать, пожалуйста.

Тут, наконец, до Кати дошло, что перед ней не кто иной, как Таможенник. От его издевательского голоса и еще более издевательских слов она разозлилась. «Господи, и так все плохо — зачем же ты послал мне еще и лощеного Капитошина, у которого ботинки сверкают даже после того, как он прошел по хлюпающему месиву перехода!»

— Что ты вообще здесь делаешь? — Катя сама не заметила, как перешла на «ты». — У тебя есть машина. Ты не ездишь в метро!

— Сегодня я решил быть ближе к народу. Дай, думаю, посмотрю, как живут простые, незамысловатые люди.

— Посмотрел?

— Посмотрел.

— Вот и оставь меня в покое! Иди к своей жене!

Катя понятия не имела, что заставило ее сказать про жену. От Снежаны она знала, что никакой жены у Капитошина нет, он разведен. Но ей было так отвратительно от того, что Андрей увидел ее в таком состоянии, что она готова была сказать все, что угодно, лишь бы он оскорбился и ушел. Или просто рассмеялся и удалился. Хуже, чем сейчас, уже не могло получиться.

Вместо того чтобы хмыкнуть в своей издевательской манере, перешагнуть через Катю и летящей походкой устремиться к поезду, Андрей Капитошин сделал совсем другое. Он с легкостью сгреб девушку под мышки, поднял так резко, что она чуть не вывалилась из своего пуховика, и, прислонив к стене, встряхнул ее перепачканную сумку и перчатки. Сумку он повесил ей на плечо, перчатки сунул в карман и, обняв за плечи, как тяжелобольную, сказал:

— Поехали, отвезу тебя домой, там разберемся. Тебя муж встретит?

— Не встретит. Я от него ушла.

— Куда ушла? — после небольшой паузы, спросил Капитошин.

— К Маше.

— Она твоя подруга?

— Нет, не подруга. — Катя шмыгнула носом. — Просто знакомая. Я случайно ее встретила, и они с мужем мне помогли, когда я к ним ночью прибежала.

— Откуда ты к ним прибежала? — не выдержал он.

— Из парка. Я боялась, что те подростки меня все-таки догонят и убьют, а домой было нельзя. Понимаешь?

Злость ее исчезла сама по себе. Катя посмотрела Андрею в глаза — не с вызовом, не агрессивно, не защищаясь, а искренне, словно и в самом деле спрашивая, понятно ему или нет.

— Почему домой нельзя? — Он уже не удивлялся.

Катя открыла рот, чтобы ответить, но в сумке заиграл телефон. Звонила Маша — беспокоилась, не случилось ли чего-нибудь.

— Я уже еду, — сказала Катя в трубку.

— Скажи, что ты будешь не одна, — предупредил Андрей.

— Я буду не одна, — послушно повторила она и тут спохватилась: — Постой, ты о чем? Маша, подожди!

Но Маша уже положила трубку, успокоившись, и сообщила Сергею, что все в порядке.

Катя во все глаза смотрела на Капитошина, понемногу приходя в себя и соображая, что она успела наговорить в своем невменяемом состоянии.

— Нечего глаза таращить, — серьезно сказал тот. — Кстати, у тебя тушь потекла. Пошли.

И они пошли.

Открыв дверь на звонок, Маша ойкнула и удивленно сказала: «Здрасте». Рядом с Катей — заплаканной, покрасневшей, с распухшим носом, — стоял высокий, щегольского вида парень. На щеголе были модные очки без оправы, из-под распахнутого черного плаща выглядывала безупречная белая рубашка.

— Маша, добрый вечер, — начала Катя и хлюпнула носом.

Очкарик поздоровался, не глядя достал из кармана и сунул Кате носовой платок — такой же ослепительный, как и рубашка. «Я бы побоялась в него сморкаться», —

мелькнуло в голове у Маши. Похоже, что Кате пришло в голову то же самое потому что она деликатно махнула платочком под носом, свернула его и спрятала в карман.

Наступила секундная пауза, во время которой Катя мучительно соображала, как представить Капитошина, а Маша так же мучительно соображала, как бы поделикатнее спросить, что это за тип с белоснежными платками и двухдневной щетиной а-ля герой голливудского супербоевика.

— Добрый вечер! — прогудел сзади вовремя подоспевший Бабкин, осторожно отпихивая ногой в сторону двух мельтешащих собачонок. — Катя, ты с супругом?

«Каким супругом? Супруг у нее армянин!»

Маша не удивилась бы, если бы небритый отвесил церемонный поклон и заметил что-нибудь вроде: «Ошибаетесь, сударь, я не имею чести быть супругом этой юной дамы». Она даже успела мысленно прокрутить в голове короткую сценку знакомства. Маша занималась тем, что писала сценарии для детских передач, и Сергей иногда подшучивал, что у его жены профессиональная деформация сознания: слишком развитое воображение.

Но вместо того, чтобы церемонно раскланяться, тип сунул руку Бабкину и со словами: «Через порог не здороваются» — шагнул в квартиру.

— Здорово. Я — Капитошин, Андрей. Ни разу не супруг, а вовсе даже коллега.

— Сергей, — Бабкин крепко сжал ладонь типа, но тот ухмыльнулся, продемонстрировав безупречные зубы, и ответил Сергею таким рукопожатием, что тот чуть не охнул от неожиданности.

— Армреслинг? — осведомился Бабкин, выпуская руку гостя.

— Он самый. Но это было в далеком прошлом, когда я был молод и глуп. Слушай, ну у тебя и хватка!

Капитошин помахал в воздухе ладонью и поморщился.

— Сам виноват, — Бабкин ткнул пальцем в вешалку, достал откуда-то пару тапочек. — Проходи. Катерина, а ты что стоишь столбом? Тебя Машка не пускает?

Женщины запротестовали в два голоса, и Маша, косясь на чужака, которого так беззаботно впустил в квартиру ее муж, принялась хлопотать вокруг Кати.

Когда Катерина и Андрей зашли в кухню, они обнаружили еще одного гостя. На диванчике сидел молодой парень в джинсах и свитере, по виду студент — худой, сероглазый, с отросшими светло-русыми вихрами. Он очень внимательно посмотрел на Капитошина, и у Андрея возникло ощущение, что его только что просканировали с ног до головы.

— Макар Илюшин, — представил его Сергей. — Мой друг и напарник. Катя, расскажи, пожалуйста, все сначала. Для нас это очень важно.

Катя послушно повторила историю о русалке, своем побеге из дома и обо всем остальном. Поначалу она боялась, что не сможет и слова выдавить при Капитошине, но, как ни удивительно, видя отношение к нему Бабкина, а за ним и Маши, она совершенно успокоилась. Рассказ дался ей неожиданно легко, как будто она и в самом деле хотела во всем признаться Андрею, но раньше не могла этого сделать. Он сосредоточенно слушал, не язвил, не смеялся над ней и только странно вздернул верхнюю губу, когда она вспоминала, как металась ночью по парку.

Улучив момент и вытащив супруга из кухни, Маша шепотом спросила:

— Ты этому красавцу доверяешь? С Катькой-то все понятно, она попала в его коварные сети.

— Нормальный мужик, чего ему не доверять? Кто в чьи сети попал — это еще большой вопрос.

Маша хмыкнула, но про себя согласилась с мужем. Как ни странно, бесцеремонный гость ей тоже понравился. Не потому, что он был хорош собой — красавцев Маша опасалась и старалась с ними не связываться, — а потому, что держался он просто, безо всяких выкрутасов, и явно хотел помочь Катерине.

Когда Маша вернулась в комнату, на столе лежала русалка. Илюшин вглядывался в нее с таким выражением лица, словно хотел заговорить с ней.

Фигурка была вырезана мастерски. Она была совсем небольшой, с ладонь величиной; ее прекрасное лицо, повернутое к свету, казалось живым. Пухлые губы чуть улыбались, волосы вились и будто бы падали на поверхность стола. Хвост с аккуратно вырезанными чешуйками, казалось, вот-вот поднимет волну.

— Да, — помолчав, признал Макар. — Редкая работа. Никогда не видел ничего подобного. Теперь меня не удивляет, что люди с такой охотой верили в ее необычные качества. Кто сделал русалку, Вотчин не рассказывал?

— Нет. Он только упоминал название села, в котором купил ее. Или деревни, я сейчас уже не помню. Олег Борисович был совершенно уверен, что она волшебная. Он называл ее желанницей.

— Значит, у него были основания так считать, — Макар взял русалку, положил на ладонь. — Катя, Олег Борисович не показался вам человеком со странностями?

— Я понимаю, к чему вы клоните. Нет, не показался. Даже наоборот — он произвел на меня впечатление расчетливого человека, который хорошо относится к людям, но всегда ищет свою выгоду. Потому я и поверила ему, когда Олег Борисович рассказал про русалку.

— Должен вам сказать, что, говоря простым и понятным языком, это улика. — Бабкин забрал русалку у Илюшина, повертел в руках. — И она должна быть отдана следователю. Катерина, ты говорила мужу про соседа? О коллекции, о том, что он один живет?

— Нет. Артур знал только, что я гуляю с Антуанеттой и мне за это платят.

— Любопытно, любопытно, — протянул Илюшин. — Но тогда совершенно непонятно, откуда... Стоп. Катя, повторите, пожалуйста, еще раз, что коллекционер говорил о ее волшебных качествах?

Катя послушно рассказала все, что говорил Вотчин, и добавила, что фигурка была теплой, когда она первый раз взяла ее в руки.

— Это необычная вещь, — закончила она в полном молчании. — Можете смеяться, сколько хотите, но не зря только ее унесли из квартиры Олега Борисовича. Меня никогда не взяли бы на работу в «Эврику», если бы я не загадала тогда желание. И... это невозможно описать, но она и в самом деле была как живая на ощупь, когда я дотронулась до нее. Я ничего не придумываю!

— Мы и не считаем, что это твоя выдумка, — сказала Маша, косясь на русалку и не решаясь взять ее в руки. — А потом, когда ты брала ее, она тоже казалась теплой?

Катя отрицательно покачала головой:

— Нет. Потом — нет. Но тогда... она как будто знакомилась со мной. Это глупо звучит, я понимаю — живая деревянная русалка.

Капитошин хмыкнул, но ничего не сказал. Бабкин переглянулся с Макаром, что-то прикинул и спросил:

— Катя, куда выходят окна в квартире Вотчина?

— На ваш дом. Только он живет выше, на восьмом этаже. То есть жил.

— А теперь вспомни, во сколько ты была в его квартире, когда он показывал тебе свои сокровища?

— Около половины девятого утра. Я привела Антуанетту, потом выпила кофе, и Олег Борисович рассказывал мне о картинах. А затем я увидела ее, — Катя кивнула на русалку, улыбающуюся на столе.

— При всем моем скептицизме, — начал Капитошин, — проверить историю очень просто. Достаточно одному из нас загадать желание. Например, мне. И ждать результата.

Он ухмыльнулся, но Маше показалось, что Андрей не совсем уверен в своем предложении.

— При всей моей доверчивости, — проворчал Бабкин, — проверить историю еще проще, чем вам кажется. Достаточно сделать вот так.

Он вышел из кухни и вернулся, держа в руках Костину настольную лампу.

— Уверен, что полки в его квартире были расположены здесь. — Он ткнул в стену, где были раковина и плита.

— Да. Откуда вы знаете?

— Потому что других вариантов нет.

Бабкин без всякого почтения сгреб своей лапой русалку и положил ее на стол возле раковины. Подключил лампу и установил ее на подоконник так, чтобы свет падал на фигурку.

— Засекайте время. Я даю минут пятнадцать. От силы полчаса.

Через тридцать минут Катя осторожно взяла русалку и перевела на Сергея взгляд, в котором смешались удивление и разочарование.

— Теплая...

— Естественно, теплая, — пожал плечами Сергей, наблюдая, как Андрей и Маша тянут руки к фигурке. — Я не удивлюсь, если полки в комнате коллекционера были черного цвета или темные. Они притягивают свет.

— Как ты догадался? — восхищенно спросила Маша, поглаживая теплое и впрямь словно живое дерево.

— Потому что я, знаешь ли, с трудом верю в оживающие деревянные скульптуры, которые между делом исполняют желания, — самым язвительным тоном, на который только был способен, заметил Сергей.

Катя густо покраснела.

— Я и в самом деле... Нет, но как же так? Ведь меня действительно взяли на работу!

— Потому и взяли, что вы верили в русалку, — непонятно сказал Илюшин.

Бабкин согласно кивнул.

— Не понимаю... Почему? — спросила Катя.

— Как вы думаете, кто выиграет сражение: воины, которые уверены, что на их стороне духи предков, или те, кто рассчитывает только на себя?

— Первые, — подумав, сказала Катя. — При чем здесь это?

— Ваша русалка — те же духи предков. У вас была уверенность, что все получится, что бы вы ни делали. Естественно, эта уверенность передалась другим людям.

— Не забудь накинуть процент на самое банальное совпадение, — вставил Сергей. — В конце концов, получить желаемую работу — вовсе не такое уж невероятное событие. Если бы ты загадала найти чемодан с миллионом рублей и нашла, то я бы удивился куда больше.

— Хотя и в этом не было бы ничего необъяснимого, — признала Маша с неохотой.

— Совершенно верно. Но ведь все мы с удовольствием подвели бы под этот чемодан, брошенный грабителями инкассаторской машины, какую-нибудь особенно причудливую теорию? Например, что-нибудь о маленьких гномиках, которые таким современным способом решили нас озолотить. Или о золотой рыбке, которая плавает в банке у Кости и бьет хвостом, когда ее берешь в руки. Как будто хочет нам что-то сказать!

— Хватит издеваться, — жалобно попросила Маша.

Катя только вздохнула.

— Мне так хотелось... так хотелось... — Она запнулась, подыскивая слово.

— Верить, — Бабкин выключил лампу, сел на свой коврик под окном. — Я понимаю. Удивительно, как люди хотят верить в чудо. Дай им только маленькую, крошечную соломинку, и они из нее обязательно вытащат большое толстое чудо. Машка, что ты так смотришь на меня? Как будто ты не огорчилась, когда я погрел вашу деревяшку лампой!

— Огорчилась, — призналась она. — Так все здорово складывалось! Каждый человек загадывал желание, и оно исполнялось...

— Оно исполнялось потому, что загадавший был уверен, что оно исполнится, — проговорил Андрей Капитошин. — Сергей прав. Каждому хочется верить в сказку. Даже мне хотелось.

Катя взглянула на него. Она никогда не думала, что ироничному щеголеватому Таможеннику хочется верить в какую-то там сказку. Она даже была не уверена, что он читал их в детстве. Но сейчас ей показалось, что он читал много самых разных сказок, и в детстве ему больше всего нравились те, где были драконы, дальние путешествия и золотое руно, за которым нужно было плыть далеко-далеко...

— Тебе в детстве больше всего нравились легенды и мифы древней Греции? — неожиданно спросила она.

— Нет, — удивленно ответил тот. — Мне в детстве нравилась «Рони, дочь разбойника».

— А мне «Вини-Пух и все-все-все», — сказала Маша.

— А мне в детстве нравилось, когда мне родители разрешали сидеть допоздна, — сказал Бабкин. — Но когда вырос, подумал, что надо было тогда выспаться на всю жизнь вперед. Потому что сейчас спать очень хочется.

Маша толкнула бестактного мужа локтем, а Андрей засмеялся.

— Намек понят, — он выбрался из-за стола. — Катерина, собирайся.

Маша остановилась на середине комнаты с чашкой в руке:

— Ты уезжаешь?

Катя молча смотрела на Капитошина, тот смотрел на нее.

— Мы договорились, что Катя переночует у меня, — спокойно сказал он, не отводя от нее взгляда.

— Да, — кивнула девушка. — Договорились. Маша, Сергей, Макар, спасибо вам огромное!

Она начала искренне и сумбурно их благодарить, но все трое почти хором прервали поток благодарностей.

— Можно уже на «ты» ко мне обращаться.

— Это мы должны тебя за Антуанетту благодарить! Замечательная собаченция.

Уже в коридоре Бабкин напомнил:

— Катерина, тебе нужно позвонить следователю и отдать ему русалку. И все рассказать, по возможности — честно.

Катя, которой Андрей в эту секунду помогал надеть пуховик, остановилась, ткнув рукой в капюшон вместо рукава.

— Я не хочу ему ничего рассказывать, — тихо произнесла она. — Сергей, я не могу.

Бабкин покачал головой.

— Коллекционер убит. Ты нашла единственную пропавшую из квартиры вещь под ванной в собственной квартире. Твой Артур явно причастен к этому. Выводы делай сама.

— Он мой муж. Он помог мне, когда я лежала в больнице и боялась остаться калекой. Я... я не могу его выдать.

Сергей с Машей молчали, и она жалобно посмотрела на них:

— Вы меня осуждаете? Вы сами пойдете и расскажете все в милиции?

— Никуда мы не пойдем и ничего не расскажем, — возразила Маша.

— Катерина, ты взрослая барышня. Решай сама. Ни я, ни Машка лезть в это дело не будем. Но ты, похоже, покрываешь потенциального убийцу или его сообщника.

Катя кивнула.

— В понедельник, — сказала она то ли им, то ли себе самой. — Я позвоню следователю в понедельник.

. . . .

Артур нервничал весь день, а к вечеру его нервозность передалась и матери. Катя не звонила, не объявлялась, а ведь должна была уже вернуться с работы! Неужели и в самом деле права Седа, говоря о любовнике? Завтра суббота, девчонке нужно где-то спать, мыться, переодеваться, в конце концов!

«Я выспрашивала ее обо всех подругах — уверена, что никого у нее нет. Откуда им взяться, если она работает с утра до позднего вечера, никуда кроме магазинов не ходит? Или врала?»

— А вдруг она к матери вернулась? — спросила Седа, заходя в комнату.

Диана Арутюновна покачала головой: «К матери? Бросив Артура? Нет».

Седа пожала плечами и плюхнулась на диван. Она видела, что и мать, и брат сходят с ума из-за того, что Катьки нет, и злость, которую она испытывала к девушке, только усиливалась.

Она искренне не терпела Катю. Жена брата была слишком успешная, слишком красивая, слишком радостная и довольная жизнью. Когда Катя травмировала позвоночник и Артур приезжал к ней в больницу, а вечерами рассказывал, какая его Катюша беспомощная, Седе хотелось огреть его чем-нибудь, чтобы он сменил тему. А она сама не беспомощная? Если бы она упала, Артур ни за что не стал бы сидеть возле ее кровати и приговаривать: «Потерпи, сестренка, потерпи!»

А потом еще и мать заняла сторону этой девицы... Хотя прежде считала, что Артуру нельзя на ней жениться, что нужно найти девушку из своих. Все равно, конечно, Артур настоял на женитьбе — он всю жизнь из матери веревки вил. Вот пускай и расхлебывает теперь.

Седа зло прищурила красивые черные глаза: «Я им говорила, что Катьке нельзя верить!»

Диана Арутюновна побарабанила тонкими пальцами по подоконнику, отметив, что подростков, обычно стоявших у соседнего подъезда, сегодня не видно. «Может, похолодало».

— Артур! — позвала она. — Иди сюда.

Мрачный сын вошел в комнату.

— Позвони ей, — подумав, сказала мать.

— И что сказать?

— Скажи, что ждешь ее. Что очень любишь. Ай, Артур, ты что — слов не найдешь? Красивых слов у тебя больше, чем у нас с Седой вместе! Звони, звони, тебе говорят, — она сунула ему в руки телефонную трубку.

Катя зашла в квартиру Капитошина, с интересом огляделась. Она ожидала увидеть оригинальный дизайн, современный продуманный интерьер, до блеска вычищенные комнаты, но ошиблась. Это была обычная квартира, в меру заваленная всяким барахлом, в меру неприбранная.

— Проходи, — сказал Андрей, кладя на табуретку пакет с вещами, которые они купили Кате по дороге сюда. — Не обращай внимания на бардак.

Елена Михалкова

Катя разулась, стыдливо спрятала сапоги под табуретку, чтобы не бросались в глаза. Капитошин в комнате рассовывал по разным полкам диски, которыми было завалено все — от широкого дивана до стола с компьютером.

— А где у тебя телевизор? — спросила Катя, лишь бы что-нибудь спросить.

— Телевизора у меня нет. Так, я в душ, а вторая комната в твоем распоряжении.

Во второй комнате обнаружился одинокий диванчик, стоявший почему-то не у стены, а посредине помещения. Катя уселась и уставилась в темное окно, на котором не было шторы. Она не любила окна без штор, но в этой комнате чувствовала себя спокойно, глядя на летящие снаружи снежинки.

«А ведь он тебя в постель потащит», — заметил Циничный голос, которому было начхать на снежинки.

«Потащит!» — радостно согласился Щенячий.

«Будем строить неприступную замужнюю женщину?»

«Ага!» — с не меньшим энтузиазмом отозвался Щенячий.

«Господи, о чем я думаю? С моей семьей происходит непонятно что, я убежала из дома сутки назад, ночью меня чуть не изнасиловали, я сижу в квартире у своего коллеги, в кармане пуховика у меня улика, по которой можно найти убийцу Вотчина... А в голове у меня голый Таможенник!»

Катя изо всех сил постаралась ужаснуться самой себе, но ужаснуться полноценно не получилось. В ванной шумела вода, и она представила, что Капитошин выйдет оттуда в одних трусах, подойдет к ней и грубо повалит на диван без всяких прелюдий, будто в каком-нибудь плохом женском романчике.

«Представляю, как ты расстроишься, если этого не случится», — съязвил Циничный.

Вода затихла, и вскоре в дверях раздался голос:

— Ванная свободна. Если хочешь, у меня на кухне есть пачка пельменей. Что сначала — ужинать или в душ?

Катя обернулась и с чувством, близким к разочарованию, обнаружила, что Андрей стоит вовсе не в трусах или нагишом. На нем были обычные спортивные штаны и футболка, мокрые русые волосы торчали ежиком. Очки он снял и теперь смотрел на Катю, прищурившись.

— Сначала ужинать, — решила она. — Давай я хотя бы пельмени сварю.

Пока она хозяйничала на кухне, а Андрей занимался уборкой комнат на скорую руку, до Кати стало доходить, что соблазнять ее никто не будет. И грубо валить на диванчик в лучших традициях бездарных женских романчиков тоже. От этой мысли она неожиданно расстроилась, хотя пять минут назад собиралась дать отпор нахалу Капитошину со взыванием к его совести и указанием на собственное замужнее положение.

«Разумеется, — заметил непоследовательный Циничный. — Ты для него коллега, с которой нельзя спать. К тому же не факт, что ему этого вообще хочется. Он тебя приютил на пару ночей, но с чего ты взяла, что он собирается соблазнять тебя? Критичнее надо к себе относиться, девушка, критичнее».

«Не собирается? Вот подлец!» — вякнул Щенячий, но Катя приказала ему заткнуться и со злости бросила в пельмени не три горошка перца, как собиралась, а четыре.

— Ты со мной будешь спать или в маленькой комнате? — спросил сзади Андрей, подходя и кладя руки ей на плечи.

Катя вздрогнула и уронила в бульон весь пакетик с перцем. Пока она перерывала шкаф в поисках ложки,

Капитошин неторопливо выловил половником размокший пакетик и выбросил в раковину. Катя выключила плиту и повернулась к нему.

— С тобой — в смысле с тобой на диване? — уточнила она на всякий случай.

— Не на полу же.

— А тебя не смущает, что...

Она запнулась на секунду, и тогда он вынул из ее рук ненужную ложку, отложил в сторону и поцеловал — сначала нежно, пробуя на вкус ее губы, затем требовательно, с нарастающей силой. Когда у Кати перехватило дыхание, он отпустил ее, провел губами по ее щеке.

— Меня ничего не смущает, — сказал он. — Кроме того, что волосы у тебя пахнут пельменями. Это, конечно, очень неожиданно и в чем-то даже романтично...

— Пельменями? — ужаснулась Катя. — Господи, какой ужас!

Она метнулась по направлению к ванной, но Капитошин поймал ее за руку, притянул к себе:

— Я пошутил. К тому же мне нравится, как пахнут пельмени.

Катя рассмеялась, и с этой секунды все стало легко. Они поужинали, смеясь и подшучивая друг над другом, устроили потасовку за право мыть тарелки, которая быстро перестала быть потасовкой, и десять минут спустя обнаружили себя на большом диване, с кучей лишних предметов одежды, которые так мешали обоим.

Изнемогая от желания и каким-то дальним уголком сознания удивляясь собственному телу, которое так чувственно отзывалось на каждое прикосновение опытных мужских рук, Катя сбросила блузку и принялась торопливо стягивать с Андрея футболку. И в эту секунду зазвонил телефон.

Наступила пауза. Оба замерли. Телефон продолжал звонить.

— Это твой.

Она и сама знала, что ее.

— Выключи его.

Катя покачала головой и встала. Она поняла, кто звонит, и не могла не взять трубку.

— Катя? — торопливо спросил муж, когда она нажала на кнопку.

— Да, Артур.

— Милая моя, где ты? С тобой все в порядке? Котенок, я с ума схожу, не знаю, что делать без тебя! Девочка моя, мы чуть с ума не сошли! Ты так убежала... Маленькая, где ты? Скажи, где ты?

Капитошин лежал, слушал, как в соседней комнате за закрытой дверью Катя разговаривает со своим мужем, и очень хотел, чтобы этот неизвестный ему парень был убийцей неизвестного ему коллекционера. И совсем хорошо было бы, если бы он оставил отпечатки пальцев и на деревянной фигурке, и на орудии убийства. Тогда все станет просто: Катерина отнесет фигурку следователю, тот быстро прижмет ее непонятного супруга к стенке, и тот во всем признается. Ей, конечно, будет не очень приятно иметь бывшего мужа — убийцу, но...

«Кретин, — сказал себе Капитошин, натягивая футболку. — Не слышал, что ли, как она говорит о нем? С благодарностью! Бла-го-дар-нос-тью! Так что можешь закатать губу обратно. Секс отменяется. И все остальное тоже».

Он собрал и переложил те шмотки, которые успел снять с нее, на стул и уселся среди одеял. Когда Катя вошла в комнату, лицо у Андрея было непривычно злое, и в первую секунду она растерялась.

— Мадам, я закажу такси, — сказал Андрей, снова превращаясь в ироничного галантного прохвоста, слегка огорченного тем, что сорвались запланированные постельные утехи.

— Зачем?

— Как — зачем? Оно доставит вас к страдающему супругу.

Она нахмурилась как-то по-детски, словно собиралась обидеться, но в последний момент передумала, подошла к нему и присела на корточки.

— Если ты по какой-то причине передумал меня оставить у себя, — медленно сказала Катя, тщательно подбирая слова, — то я пойму и не обижусь. Но если ты вообразил, что я собралась вернуться к Артуру, то ошибаешься.

Капитошин вопросительно посмотрел на нее, и Катя пояснила:

— Я сказала, что не вернусь. Но принесу им деньги, когда получу зарплату, на этот счет он и его мать могут не беспокоиться.

— И?

— И его вполне устроил такой вариант, — закончила Катя, немного погрешив против истины.

На самом деле Артур вышел из себя и стал орать отвратительные оскорбления, но она повесила трубку.

Андрей сидел с непроницаемым лицом, и она заволновалась:

— Я что-то не то сказала?

Закончив возносить хвалу неизвестному богу, пославшему в этот мир мужей-подлецов, к которым даже очень правильные жены отказываются возвращаться, Капитошин покачал головой.

— Я боялся, что ты уедешь, — честно сказал он, хотя обещал себе не говорить ничего подобного. — Не стой босиком на полу, иди под одеяло.

Глава 12

С утра в субботу Сергей Бабкин занимался тем, что получалось у него превосходно, — пек блины. Тонкие кружевные блины в дырочках ждали на блюде, пока новые подрумянивались на двух сковородках. Костя валялся перед телевизором, Маша, с утра выгулявшая Бублика и Тоньку, писала в комнате сценарий на тему «Почему не нужно врать».

Обычно темы придумывала она сама, но на этот раз идею навязал ей редактор. Маша сердилась на себя за то, что согласилась, потому что ничего у нее не придумывалось. Герои передачи Мышка, Ежик и Зайчик врали друг другу напропалую, и это было смешно и нескучно. Но как только Маша пыталась привести сюжет к какой-то морали и наказать врунов, сценарий ломался, становился до отвращения фальшивым и глупым.

— Все неправда, — сказала Маша, закрывая файл на компьютере и злясь на себя.

— Точно! — отозвался Костя, заглядывая в комнату. — Мам, пойдем завтракать, дядя Сережа зовет.

За блинами Маша пожаловалась на неуклюжий сценарий, и Костя посоветовал ей не искажать правду и честно написать, что врать можно и нужно.

— Только врать по-умному, — добавил он, макая скрученный в трубочку блин в смесь сметаны и вишневого варенья.

— А ты, значит, врешь по-умному, да? — заинтересовалась Маша подходом сына.

— Само собой. То есть нет, конечно, я тебе вообще не вру!

— Ну да, ври больше!

Пока Маша с Костей в шутку спорили, Бабкин задумчиво жевал блин.

— Дядя Сережа, вам сейчас блинов не останется. Мама все съест.

— Это ты все съешь, а не мама. И не ляпай вареньем на скатерть, Костя!

— А я не ляпаю, оно само капает!

— Машка, — сказал Сергей, и Костя с Машей прекратили препираться, — слушай, а ведь и в самом деле врать надо по-умному.

— Ты о чем?

— Я о Катерине и ее семье.

Маша испытующе глянула на него.

— Ты хочешь сказать, что девочка нам врет? Нет, не желаю даже рассматривать такую возможность.

— Мам, а почему ты ее называешь девочкой? Она же взрослая!

— Взрослая-взрослая, — кивнул Бабкин. — Только младше нас с твоей мамой. Нет, я не хочу сказать, что она врет. Но история, которую рассказали ей муж со свекровью, при ближайшем рассмотрении кажется мне совершенно неправдоподобной.

— Почему?

— А что за ростовская мафия, у которой такие длинные щупальца, что она должника с его семьей даже в Москве достанет? Кстати, кто знает, что они в Москве? Вспомни: Катерина работает за всех, потому что семейству нельзя выходить из дома. Якобы приспешники мафии тут же увидят их, опознают и схватят. Но это же чушь!

— Да, странно, — признала Маша, не придавшая этому факту в рассказе Кати большого значения.

— Если быть последовательными, тогда и Катерине нельзя выходить из дома.

— Тогда им жить будет не на что.

— Вот именно. То есть выходить нельзя, но если очень хочется кушать, то можно. А все, что касается русалки, вообще сплошная тайна. Зачем парню убивать коллекционера? Зачем прятать фигурку у себя под ванной?

— Ты рассуждаешь со своей точки зрения. А он вполне мог верить, что русалка и впрямь магическая. Тогда все объяснимо.

— Неужели? Тогда как он узнал о фигурке, если жена ему ничего не рассказывала? Бред какой-то. Слишком много явных глупостей и несостыковок. Мы вчера разговаривали с Макаром, он сказал то же самое, слово в слово.

— Как он, кстати? Я вчера уснула, а вы там сидели до самого утра...

— Как-как... Рисует свои сумасшедшие рисунки, сегодня собирался ехать к вдове одного коллекционера, поговорить о русалке. Понимаешь, он рассчитывал, что фигурка может вывести его на Сковородова. И вот она — фигурка, а Сковородов неизвестно где. И непонятно даже, с какого конца его искать, раз Вотчин мертв. В этой истории одно противоречит другому.

— Что ты будешь теперь делать?

— Для начала позвоню в Ростов. Слишком дурацкая эта история с побегом от бандитов, чтобы можно было в нее поверить.

— Мне кажется, что Катю используют, — подумав, сказала Маша. — А она еще слишком мало видела и знает, чтобы это понимать. Посмотри — у нее словно жернов на шее от благодарности своему ничтожному супругу. «Я ему должна!» А ведь история и в самом деле странная, ты совершенно прав.

— Только давай договоримся, — предупредил Бабкин. — Что бы я ни узнал о прошлой жизни ненаглядного Катерининого супруга, рассказывать об этом ты будешь ей сама!

— Договорились.

Ни к какому следователю в понедельник Катя не пошла, оправдав себя нехваткой времени. И во вторник тоже не пошла. Хотя времени, откровенно говоря, у нее было более чем достаточно — комплект документов для тендера был давно собран, в четверг уже ждали неофициальных результатов, и в «Эврике» воцарилось относительное затишье. Относительное — потому что, несмотря на затишье, все были какие-то возбужденные, нервные и странные.

Поначалу Катя списывала это на ожидание результатов конкурса, но, нечаянно застав в туалете плачущую Снежану, задумалась. Смешно было предполагать, что Кочетова ревела из-за того, что ее отругала за разгильдяйство Алла Прохоровна, или же она опасалась, что любимая фирма не сможет выиграть миллионный тендер. Дело было в чем-то другом.

«И Шаньский ходит сам не свой, — вспомнила Катя красавца мужчину. — А Эмма Григорьевна недавно повысила голос на уборщицу. Что у них у всех происходит?»

Впрочем, долго она над этим не задумывалась. У нее самой двое суток прошли, как в тумане, наполненные ночами с Андреем, утрами с Андреем, завтраками и ужинами с ним, совместными заходами в маленький магазинчик возле его дома и спорами о том, что есть на ужин. Он был с ней совсем не таким, как раньше, а веселым, ласковым, беззлобно подшучивающим. За прошедшее время она ни разу не слышала, чтобы он заговорил с ней в той отстраненно-ироничной манере, которую предпочитал прежде.

На работу они приходили по отдельности, и без надобности Капитошин старался не подходить к ее столу. Их слишком выдавали взгляды, прикосновения и смех. Он дожидался Катю после работы в машине, отъезжал, останавливался у обочины и начинал жадно целовать, словно брал реванш за все поцелуи, которых у них не случилось днем.

Именно по этой причине Катя и не шла к следователю с рассказом о том, как нашла единственную пропавшую у убитого коллекционера вещь в квартире, снятой ее семьей. Стоило ей остаться одной, как совесть напоминала о том, что она бросила мужа и изменяет ему с коллегой. Совесть тыкала ее острой палочкой в самое чувствительное место, заставляя вспоминать, как самоотверженно Артур вел себя, когда она попала в больницу. Как он занял для нее денег, и они вынуждены были бежать. «Может быть, он и убил, и русалку украл лишь затем, чтобы загадать желание о возвращении к прежней жизни. Он, наверное, не знал, что это обычная деревянная скульптура. Он хотел счастья для всех вас, и для тебя тоже, а ты... С Капитошиным!»

В конце концов Катя нашла для своей совести компромисс: она не возвращается к Артуру, но и не выдает его милиции. Ей самой было противно от такого компромисса, но ничего лучше она не смогла придумать. Совесть на время затихла, но Катя знала — она нашла лишь отсрочку, но не решение проблемы. «Слава богу, хоть мама оставила разговоры о том, что приедет на

Новый год, — думала девушка. — До него осталось не так уж много времени».

В четверг она прибежала на работу к одиннадцати, потому что ездила с водителем за какими-то особенными канцелярскими папками, которые понадобились Кошелеву именно сегодня. И только закрыв за собой стеклянную дверь, сразу поняла, что случилось что-то нехорошее.

Оно витало в воздухе. От него поникли головки желтых хризантем, которые Катя выставила на подоконник в ожидании приезда Натальи Гольц, от него сбилась красная ковровая дорожка, которая почему-то очень нравилась Орлинковой, и никто не удосужился ее расправить. Катя привела дорожку в порядок, переставила вазу в тень с яркого зимнего солнца и пошла к кабинету Капитошина, из которого доносились голоса.

Когда она открыла дверь, голоса стихли, и люди обернулись к ней. Здесь собрались все, кроме самого Кошелева.

— Что случилось? — спросила Катя, нахмурившись. — Что за собрание?

— Позвонил член комитета, — спокойно сказал Андрей. — Официально итоги объявят завтра, но комиссия уже подписала акт, и результаты известны. Мы проиграли.

Катя разочарованно прищелкнула языком: «Действительно обидно. Игорь Сергеевич столько надежд возлагал на этот тендер. К счастью, для фирмы это не смертельно. Или я чего-то не понимаю?»

Она обвела взглядом собравшихся и только теперь заметила, что на лицах у всех не разочарование, а настороженность.

— Что-то еще случилось? Или это все?

— Вот, пожалуйста! — Алла Прохоровна встала со стула и махнула рукой в Катину сторону.

Она была, как обычно, в темно-синем поблескивающем костюме и показалась Кате еще более свирепой, чем всегда. Два волоска в бородавке на втором подбородке угрожающе топорщились.

— Что — пожалуйста?

— Вы видели? Вот лично вы, Андрей Андреевич, видели?

— Я вас не понимаю, Алла Прохоровна, — суховато сказал Капитошин.

— Прекрасно вы меня понимаете, господин Таможенник! Прекрасно! Все — все! — обратите внимание на реакцию Викуловой. По-моему, очевидно, что она ни капли не удивлена. А говорить о ее расстройстве просто смешно!

— Подождите... — начала Катя, но ее оборвали.

— Нет! Нет, я не буду ждать! — Шалимова сильно повысила голос, и Кате некстати пришло в голову, что на уроках географии она так же кричала на школьников. — Я предупреждала, просила, уговаривала! Именно вам, Андрей Андреевич, мы обязаны тем, что мои уговоры остались без результата. Кто заступался за Викулову? Кто говорил, что в ее лице мы обрели хорошего работника? Пожалуйста! Теперь сами последствия расхлебывайте!

— У вас есть какие-то доказательства для таких обвинений? — ледяным голосом спросил Капитошин, и Катя поняла, что он в ярости.

Ей стало не по себе, и вдвойне — оттого, что она не понимала суть происходящего. Снежана с отрешенным видом притулилась на подоконнике, закрывшись челкой. Орлинкова и Шаньский наблюдали за Катей, Капитошиным и Аллой Прохоровной. Эмма Григорьевна сегодня была в белой тунике и оттого особенно похожа на Афину. «Ей бы копье, она бы его обязательно метнула. Вопрос только, в кого».

— Вот стоит мое доказательство! — Алла Прохоровна потрясла обвиняющим пальцем в сторону девушки. — Стоит и не краснеет! «Что-то еще случилось или это все?» — передразнила она Катю противным писклявым голосом. — Преступник всегда выдает сам себя, если он не очень умен. Не сумели, госпожа Викулова, сыграть как следует! Актерских данных не хватило.

— Да что сыграть?! — не выдержала Катя. — О чем вы говорите?!

— Не смейте повышать на меня голос! Чтобы какая-то сопливая девчонка...

— Алла Прохоровна! — Капитошин вышел из-за стола.

— Андрей, согласись, в ее словах есть здравое зерно, — Юрий Альбертович перехватил его за полу пиджака.

В эту секунду дверь медленно открылась, и собравшиеся узрели за ней собственного начальника Игоря Сергеевича Кошелева, а рядом — собранную и спокойную Наталью Ивановну Гольц.

Катя ойкнула, тихо поздоровалась и шагнула в сторону. Шаньский выпустил пиджак Капитошина. Алла Прохоровна, раздув ноздри, устремилась было к Кошелеву, но тот взглянул на нее по-бульдожьи, исподлобья, и Шалимова на полпути передумала и замерла.

— Капитошин, ко мне в кабинет, — прорычал Кошелев. — Остальные — по рабочим местам. Живо!

Сотрудники разбежались быстрой рысцой. Снежана привычно нырнула в туалет, и Катя, поколебавшись секунду, забежала следом.

— Что сейчас было? — спросила она, хватая Кочетову за руку.

Девушка посмотрела на Катю покрасневшими глазами, достала платок и высморкалась.

— Снежан, ты чего? У тебя что-то случилось?

— У меня — ничего. А вот у тебя случилось, — с неожиданной враждебностью в голосе ответила Снежана, глядя на Катю сверху вниз.

— Почему?! Объясни по-человечески!

Кочетова вздохнула и объяснила.

Объяснение оказалось настолько простым, что Катя не сразу поняла, что же в нем плохого, тем более для нее. Одна из фирм, участвовавших в тендере, предложила те же условия, что и «Эврика», но чуть меньшую сумму.

— Ну и что? — спросила Катя.

— Господи, Викулова, не притворяйся такой глупой! Как ты думаешь, почему информация держалась в секрете? Представь, что есть четыре фирмы, которые готовы поставлять компьютеры в Министерство образования. Кому отдадут тендер? Той, которая попросит за свои услуги меньше остальных! Это называется конку-рен-ция!

— Это я понимаю. — Катя пожала плечами. — Я только не понимаю, из-за чего Шалимова устроила...

И замолчала.

— Ага, дошло... — удовлетворенно протянула Снежана. — Кошелев не зря столько сил вбухал в подготовку к этому тендеру! И один из членов комиссии у Гольц, кажется, прикормленный. У нас была самая низкая цена, поэтому мы и должны были выиграть. А в последний момент стало известно, что фирма с таким же предложением, как и у нас, понизила сумму. Совсем на немного.

— Чуть ниже нашей, — кивнула Катя, прозрев.

— Верно мыслишь, Викулова. А о чем это говорит?

— О том, что они знали, сколько мы предложим.

— Вот ты сама и ответила на свой вопрос, почему Шалимова накинулась на тебя. Все понятно? Один из нас положил себе в карман хорошую денежку за то, что продал информацию фирме-конкуренту.

— И Алла Прохоровна, конечно, убеждена, что это именно я! — с горечью сказала Катя.

Снежана молчала, и Катя подозрительно посмотрела на нее:

— Ты что, тоже так думаешь? Снежан, я даже не знаю, о каких суммах идет речь! Я офис-менеджер, ты не забыла? Игорь Сергеевич не делится со мной подробностями продажи компьютеров!

— Все документы через тебя проходили, — пожала плечами Кочетова. — Так что при необходимости ты вполне могла их посмотреть.

— При необходимости любой из нас мог их посмотреть!

— Вот-вот.

Обе замолчали.

— У тебя глаза заплаканные, — примирительно проговорила Катя после паузы. — Может, скажешь, что произошло? Я могу чем-нибудь помочь?

— Потом расскажу: — Кочетова шмыгнула носом. — Ладно, Кать, не обижайся, что я так на тебя... наехала. Я сама вся на нервах, переживаю. Пойдем, работать надо.

— Вот о чем я говорил! — Игорь Сергеевич мотнул бульдожьей головой в сторону кабинета, из которого только что разогнал собственных сотрудников. — Первая склока уже началась. Скоро у меня будет осиное гнездо, а не коллектив.

Кошелев плюхнулся в кресло и сурово воззрился на Капитошина. Тот молчал.

— И ты тоже хорош! — рыкнул на него Игорь Сергеевич, потому что на Наталью Ивановну рыкать было нельзя, а злость требовала выхода. — Я говорил!..

Что именно он говорил, Кошелев не стал уточнять.

— Неприятно, — констатировала Наталья Ивановна. — Давайте подумаем, что делать дальше. Тендер вы проиграли, несмотря на мое содействие, — это обидно, но будут и другие. Куда хуже, на мой взгляд, утечка информации. Если есть дырка, ее надо заткнуть, иначе из нее все время будет что-нибудь вытекать.

Андрей взглянул на маленькую женщину: «Она говорит «вы проиграли» и «мое содействие». Лишний раз напоминает Кошелеву, кто помогал ему и кто виноват в данной ситуации, а заодно открещивается от проигрыша. С холодной головой работает тетка, никаких эмоций, ничего личного. Любопытно, что все мы даже за глаза называем ее «госпожа Гольц», и никак иначе. Есть в ней что-то такое... Железный стержень внутри. Кого бы я ни за что не хотел иметь в своих врагах, так это ее. Но для «Эврики» выгодно, что она играет на нашей стороне».

— Для меня самое плохое состоит в том, — признался Кошелев, — что вместо дружного коллектива я получу свору, в которой каждый подозревает другого. Кто начал скандал, Андрей?

Капитошин пожал плечами. Ответ был очевиден.

— Нет разницы, кто начал скандал, — дипломатично сказал он. — В другой раз его начнет Орлинкова. Или я. Или вы. Вопрос не в этом.

Они с Кошелевым переглянулись. У каждого были свои подозрения о том, кто поспособствовал проигрышу «Эврики», но озвучивать их ни тот, ни другой не торопился.

— Главное — все безосновательно, — поморщился Кошелев, мысленно перебравший собственных сотрудников и пришедший к неприятному выводу: ни одного из них он не знает достаточно, чтобы поручиться за него. «Даже Капитошин не исключение, хотя ему я доверяю больше, чем остальным».

— Можно выяснить, кто именно поработал «кротом», — предложила госпожа Гольц. — Это будет стоить денег, но вы избавитесь от всех подозрений. И от ловушек подобного рода на будущее, что еще важнее.

— Хотите купить имя «крота» у фирмы-победителя? А если они откажутся?

— Мне нравится ход ваших мыслей, Игорь Сергеевич, — усмехнулась Наталья Ивановна. — Однако, к своему стыду, должна признаться, что такая идея не пришла мне в голову. Я мыслила довольно стандартно: есть люди, которые проводят частные расследования, а все, что нам нужно, — это именно маленькое расследование. Думаю, что технически это несложно осуществить. Будь у «Эврики» своя служба безопасности, этим занималась бы именно она. Но раз ее нет, можно привлечь людей со стороны.

— Вы имеете в виду частных детективов? — Игорь Сергеевич поморщился. — Я имел дело с парой из них... как-то раз... несколько лет назад. Они не произвели на меня впечатления людей, способных решить задачи сложнее, чем слежка за неверной женой и подделка компрометирующих фотографий. Нужно искать проверенных специалистов по рекомендациям.

— Рекомендации будут от меня. — Госпожа Гольц невозмутимо посмотрела сначала на Кошелева, затем на Капитошина. — Их хватит? Не удивляйтесь — это люди, с которыми я когда-то имела дело. Если они согласятся, то можете считать, что ваш засланный казачок уже известен.

— Если согласятся? — переспросил Андрей.

— Они могут быть попросту заняты, — после небольшой паузы ответила Гольц, но Таможеннику показалось, что она имеет в виду совсем другое.

— Мы можем быть совершенно откровенны с ними? — уточнил Кошелев, озабоченно барабанивший толстыми пальцами по столу.

— Да. К тому же ни у вас, ни у меня нет столь серьезных секретов, которые стоило бы скрывать. Не так ли?

Взгляд внимательных черных глаз остановился сперва на Кошелеве, затем на Капитошине, и оба торопливо подтвердили, что да, у них нет секретов, которые стоило бы скрывать.

— Вот и замечательно, — подытожила госпожа Гольц, легко поднимаясь с кресла. — Я позвоню этим людям и постараюсь их уговорить.

Она улыбнулась и вышла из кабинета.

— По-моему, у нее два яйца в штанах, — пробормотал Таможенник себе под нос.

— Лучше иметь дело с бабой с яйцами, чем с мужиком без оных. Скажу честно: мне не по душе, что в «Эврике» будут что-то разнюхивать и выведывать. Сработают топорно — и будет скандалов и обид на год вперед. Но деваться нам некуда.

«Это точно, — мысленно согласился Капитошин, — деваться нам некуда».

Сергей Бабкин отправил Машу с Костей и собачонками в парк, а сам уселся «на телефон». Он успел сделать два звонка, когда позвонил Макар Илюшин.

— Сергей, теперь у меня новости. На нас вышла одна знакомая тебе дама, с которой мы имели дело в славном городе Санкт-Петербурге. Предлагает мелкую работу.

— Что за дама? И зачем нам мелкая работа? Пусть крупную предлагает.

— Я бы десять раз подумал, прежде чем снова согласился с ней работать. Интересен не контракт, а заказчик.

— А что с заказчиком не так?

— Подключи память, мой забывчивый друг, и скажи: кто два года назад оставил в дураках и тебя, и

271

меня, и собственную весьма умную и властную родственницу[1]?

— Гольц? — недоверчиво спросил Бабкин. — Наталья Гольц? Не может быть. Что она здесь делает?

— Дела ведет. Имела нахальство позвонить мне и предложить поработать на фирму-партнера, с которой она тесно сотрудничает. Меня ее наглость, признаюсь тебе, даже восхитила. Потому и звоню.

Бабкин покачал головой. Он понимал Макара. Два года назад им пришлось расследовать дело, обещавшее очень крупный гонорар, и тогда он искренне сочувствовал маленькой Наташе Гольц, оказавшейся не в том месте и не в то время. Сочувствовал — и восхищался ею. Она умела держать себя в руках, несмотря на все свалившиеся на нее несчастья. Если бы Илюшин по чистой случайности в последний момент не докопался до истины, она так и осталась бы в их глазах жертвой обстоятельств.

— Стойкая тетка, — признал Сергей. — Мне даже любопытно, чего она хочет от нас.

— Найти «крота», как она сама говорит: якобы кто-то в фирме сливает информацию конкурентам. А что в действительности у нее на уме, знает только она сама.

— А может...

— Нет, не может. Скажу честно, Серега: я не хочу с ней работать. Она непредсказуема.

Бабкин считал, что Макар отказывается работать с Гольц вовсе не потому, что та непредсказуема. Просто Наталья Ивановна была живым напоминанием о том, как легко она переиграла их обоих. Но озвучивать эту мысль благоразумно не стал.

---

[1] О встрече Макара Илюшина и Натальи Гольц читайте в романе Елены Михалковой «Знак истинного пути».

— Нет так нет, — покладисто согласился он. — Фирма-то крупная? От большого гонорара мы отказались?

— Нет, ерунда. В смысле фирма ерунда, а не гонорар. «Эврика» какая-то. Мне это название ни о чем не говорит.

Сергей нахмурился. Что-то неуловимо знакомое было в названии фирмы, ничего не говорившем Илюшину.

— Эврика, эврика, — пробормотал Бабкин в трубку. — Где-то я о ней слышал совсем недавно. Стоп! Это же фирма, в которой работает Катя.

— Ты уверен?

— Да.

— Хм. Занятное совпадение, если это только совпадение. Я выезжаю, буду у тебя через сорок минут — обсудим, что делать с Гольц и со всем остальным.

— Я не смог встретиться с вдовой Зильберканта, — сказал Макар с порога. — Она уехала из России три года назад и сейчас живет в Израиле. Я попытаюсь с ней связаться, потому что у меня появилась одна идея, которая могла бы многое объяснить...

— Какая идея?

— Сейчас скажу. Но сначала давай окончательно решим вопрос с Гольц — мы отказываемся от ее предложения?

— Само собой. Дело неинтересное, а Наталья Ивановна слишком... э-э-э... специфический клиент, чтобы я был рад с ней работать.

— Согласен. Тогда возвращаемся к нашему делу.

Он пододвинул к себе чистый альбомный лист и начал рисовать на нем человечков разного размера.

Бабкин следил за быстрыми движениями карандаша. Время от времени Илюшин останавливался, вспоминал что-то, и лист заполнялся новыми фантастическими картинками, в которых не было никакой видимой привязки к реальности.

Закончив рисовать дерево, перевернутое вверх корнями, Макар ткнул карандашом в его ствол и сказал:

— Мы знаем, что много лет назад неизвестный нам мастер вырезал из дерева русалку. Мы знаем также, что несколько человек наделяли эту русалку магическими свойствами, в том числе тот, кто считался ее последним хозяином.

— Вотчин.

— Да. Он был убит, а русалка у него похищена — вероятнее всего, кем-то из семьи твоей новой знакомой. Вотчин рассказывал Катерине, что вывез фигурку из небольшого села, где приобрел ее по случаю, заинтересовавшись ее особенными свойствами. Но в девяносто третьем году русалку украли из квартиры коллекционера Зильберканта, убив его, а также убрав двух свидетельниц преступления. Правда, разными способами. И в конечном счете фигурка оказалась у Вотчина.

— Напрашивается логичный вывод, что нашим неизвестным коллекционером, заказывавшим убийства коллег, и был сам Вотчин, — буркнул Сергей. — А кражи икон, денег, шкатулок и всего остального были только для отвода глаз.

— Получается, что так. Правда, это противоречит моей идее, и у нас все равно остается масса вопросов. Не говоря уже о том, что это ни на шаг не приближает нас к Кириллу Сковородову.

— Расскажи про идею.

— Нет. Пока рано. У меня нет ни одного доказательства своей правоты, а только голая, ни на чем не основанная догадка. В любом случае нам необходимо выяснить, что собой представляет семья Катерины. Один из них, по-видимому, убил старика, и я хочу знать, откуда этому человеку было известно про русалку.

— Про русалку ничего пока не скажу, но меня заинтересовала странная история про побег из Ростова в

Москву, — мрачно сказал Бабкин. — Вот я и попросил Мишу Кроткого связаться с оперативниками из Ростова-на-Дону.

— Отлично. К завтрашнему вечеру, если есть информация и она не засекречена — а с чего бы ей быть засекреченной? — она будет у тебя. Узнаем, кому перешел дорогу господин Ашотян.

— Раньше.

— Что — раньше?

— Она раньше у меня будет. Она у меня уже есть.

Недоверие во взгляде Илюшина сменилось неприкрытым интересом.

— Хочешь сказать, — медленно протянул он, — что ты уже созвонился с Ростовом?

— Не я. А Мишка. Ему оказалось достаточно сделать два звонка, и он очень быстро получил все нужные сведения. Разумеется, ничего секретного в них нет.

— Так кому перешел дорогу господин Ашотян?

— Вопрос надо ставить не так, — возразил Бабкин. — Вопрос в другом: кто перешел дорогу господину Ашотяну.

После того как Маша с сыном вернулись с прогулки, Сергей повторил ей то, что незадолго до этого рассказывал Илюшину. Выслушав новости, ошарашенная Маша покачала головой и потянулась за телефоном.

— Катя, привет, — сказала она, набрав номер. — У нас есть для тебя новости. Приезжай, пожалуйста.

Катя что-то спросила, и Маша обернулась к Бабкину.

— Спрашивает, можно ли ей взять с собой Андрея, — сообщила она, прикрыв ладонью трубку.

— Пусть берет, конечно. Даже лучше, если он будет с ней.

— Да, приезжайте вместе, — сказала Маша. — Мы вас ждем.

Елена Михалкова

Она посмотрела на выжидательные лица Макара и Сергея, вздохнула и предупредила:

— Я ничего рассказывать ей не буду! И не надейтесь! Мне и так девчонку жалко до слез.

— Черт с тобой, — поморщился Бабкин. — Сам скажу.

Катя вошла в квартиру друзей, предчувствуя неладное. В конце коридора показалась Антуанетта, махнула хвостом, словно извиняясь, что не встречает гостей, и убежала вслед за Машиным сыном, весело помахавшим девушке рукой.

— Ты чего остановилась? — вполголоса спросил Андрей. — Катька, все в порядке?

— Да. Пойдем.

В маленькой кухне не осталось места даже для Бублика, который сунул любопытный нос в комнату. Бабкин сидел на своей «звериной» шкуре, как обычно. Маша примостилась на стуле, и ее нежное лицо в ореоле рыжих волос было грустным и огорченным. Макар Илюшин коротко поздоровался и продолжил рисовать на листе бумаги непонятные фигурки, похожие на детские каракули.

— Какие у вас новости? — осторожно спросила Катя.

— Я позвонил своему бывшему коллеге, — сказал Бабкин. — И попросил его связаться с ростовским УБОПом.

— Ростовским — чем? — не поняла Катя.

— Не важно. Скажу проще: с местными оперативниками. Парень-оперативник оказался вменяемый, тут же пробил фамилию твоего мужа через адресный стол. Затем позвонил следователю.

— Какому следователю? — быстро спросил Капитошин.

— Тому самому, который объявлял Артура Ашотяна в розыск. По факту наезда на пешехода.

— Что?! — ахнула Катя. — Не может быть!

— Может, к сожалению. Твой муж несся вечером на большой скорости по трассе, не справился с управлением, вылетел на обочину. Сбил пешехода, Виктора Семеновича Кудымова, пятидесяти трех лет. Тот скончался на месте.

Катя поднесла руки ко рту.

— Артур Ашотян уехал с места происшествия, — суховато повторил Бабкин подробности дела, которые сообщил ему бывший коллега. — Однако свидетели происшествия — их трое — запомнили и машину, и парня, который сначала вышел из нее, посмотрел на убитого, в затем вернулся обратно и умчался на такой же бешеной скорости, чуть не сбив одного из свидетелей.

— Как же так...

— Семья Ашотяна исчезла из Ростова, сам Артур был объявлен в розыск. Вот, собственно, и все.

— Все... — повторила Катя, словно эхо, и Капитошин обеспокоенно посмотрел на нее. — Со мной все в порядке, — ответила она на его невысказанный вопрос. — Сергей, это совершенно точно — то, что вы рассказали?

— Абсолютно.

— А про бандитов, у которых он занял денег для меня...

— Уверен, что это выдумка. Так же, как и все остальное, что он тебе рассказывал.

В памяти Кати всплыло воспоминание о том, как совещались Артур с Дианой Арутюновной в тот субботний вечер, как свекровь поговорила с ней, убедила немедленно уезжать, и все мелкие несуразицы, натяжки в ее рассказе, на которые прежде Катя не обращала внимания, теперь улеглись в простую и понятную картину.

— Господи, какая же я...

— Катюша, ты не виновата, — Маша торопливо встала и подошла к ней. Девушка смотрела на нее огромными сухими глазами. — Милая, не ругай себя. У тебя привычка во всем в первую очередь винить себя, а это несправедливо.

— Я должна была проверить! — Катя сжала кулаки. — Должна была позвонить подругам, попросить их разузнать!

— Ты сама рассказывала мне, что свекровь запретила звонить подругам! Ты бы ничего не узнала.

В комнате наступило молчание.

— Я хочу поговорить с Артуром, — наконец решительно сказала Катя. — Черт возьми, я хочу посмотреть ему в лицо! Всем им!

— Напрасно, — сказал молчавший до этого Макар. — Это опрометчивый шаг, который ничего не даст.

— Вы не понимаете... Я хочу услышать, что мне скажет мой собственный муж!

Она с таким отчаянием произнесла последние слова, что Илюшин покачал головой и не стал возражать.

— И про русалку, — добавила Катя уже тише. — Я хочу узнать у него про русалку.

Глава 13

В квартиру позвонили несколько раз — требовательно, настойчиво. Диана Арутюновна испуганно переглянулась с сыном и пошла к двери.

Артур, увидев Катю в прихожей, не поверил собственным глазам.

— Котенок! Девочка моя, малышка! Вернулась!

Он бросился к жене, обнял ее, начал снимать пуховик, но Катя извернулась, и пуховик остался в руках Артура.

Седа, стоявшая поодаль, брезгливо изогнула губы. Она понимала, что мать права и вернуть Катьку необходимо. Но все равно не могла смириться с тем, что снова придется плясать вокруг этой заносчивой стервы.

— Ах, Катюша, мы так переживали за тебя! — От избытка чувств свекровь промокнула глаза рукавом халата. — Отчего же ты убежала тогда, Катенька? Где ты была?

— Котенок мой, пойдем скорее, согреешься. — Артур растерянно посмотрел на Катин пуховик, словно не понимая, что с ним делать, а затем всучил его сестре.

— Конечно, Катеньке нужно согреться! Такой мороз ударил, да? У нас в кухне пришлось щель затыкать газетами, мы весь вчерашний день возились. Ничего, теперь с Катюшей дело быстро пойдет на лад. Правда, Седа?

Диана Арутюновна, щебеча, провела Катю в большую комнату, положив пухлую руку на ее плечо, а сама чувствовала, что все идет неправильно. Невестка смотрела на нее со странным выражением на лице и не говорила ни слова.

— Что же ты молчишь, девочка?

— Котенок! — сунулся Артур. — Я так скучал по тебе.

Пощечина прозвучала в комнате, как хлопок. Артур отшатнулся, схватился за щеку. Свекровь ахнула.

— Ты по мне скучал? — прошипела Катя, надвигаясь на мужа. — Жалкий лгун! Может, ты еще скажешь, что мы сидели в этой дыре три месяца, потому что ты занял денег на мою операцию и теперь тебя хотят убить бандиты?!

— Катя, я и правда занял... — пробормотал Артур, отступая назад.

Его слова оборвала вторая пощечина.

— Ты трусливая сволочь, — процедила Катя. — Наконец-то я могу сказать тебе это в лицо!

— Как ты посмела?! — Диана Арутюновна в ярости пошла на невестку, но та не сдвинулась с места.

— А вы... — Она повернулась к свекрови. — Вы отлично все придумали! Артур никогда бы не догадался рассказать мне историю о бандитах. У него фантазии маловато.

Диана Арутюновна остановилась. Ах, как некстати, как некстати... «Получается, Катерина и в самом деле все узнала, а не просто закатывает истерику». Она чуть не прищелкнула языком с досады. Конечно, Артур не сообразил бы обмануть жену, он, бедняжка, после возвращения домой только трясся и говорил, что его посадят. И посадили бы, точно. Она вспомнила, как кинулась звонить Тиграну, который всегда мог решить любые их проблемы, и тот сухо сказал ей, что теперь ничем помочь не может. Твой сын, сказал он, не только себя, он и меня подставил. Или ты, Диана, с закрытыми глазами живешь? Забыла, что в городе происходит? Волки вокруг — им только кусок мяса брось, они из тебя самого куски рвать начнут. Пусть Артур идет с повинной, готовится к худшему.

Готовить сына к худшему Диана Арутюновна не могла. Она умолила Тиграна дать ей возможность сбежать, и тот, хоть и назвал ее и Артура бранным словом, согласился. Не смог отказать жене покойного брата. Но предупредил, чтобы сидели тихо, как мыши, а летом он поможет им переправиться на юг, к родственникам. «Если к лету жив буду», — добавил он, и Диана поняла, что свояченик не шутит.

Вот тогда и родилась у нее мысль увезти с собой Катерину. Раз уж она согласилась на этот брак — неправильный брак, с какой стороны ни взгляни, — значит, надо это использовать. Им нужен человек, который станет обеспечивать семью всем необходимым, а кто, кроме невестки, сможет с этим справиться? Им нельзя будет выходить из дома, чтобы не наткнуться на милиционеров — Артура объявят в розыск, может попасться дотошный мент, от которого не отделаешься деньгами. А главное — девчонке можно навешать любую лапшу на уши: она доверчива, не разбирается в жизни и очень благодарна Артуру. История с занятыми у бандитов деньгами была придумана за десять секунд, и Диана Арутюновна почти физически ощущала, что крючок глубоко вошел в рыбку. Про себя она так и называла невестку — «рыбка моя».

— Артура объявили в розыск, правда? — спросила «рыбка», глядя на свекровь ненавидящими глазами. —

Елена Михалкова

Потому вы и боялись выходить из дома, а вовсе не из-за выдуманных вами бандитов.

— Откуда ты узнала? — Диана Арутюновна перестала притворяться и заговорила жестко, напористо.

— Какая вам разница? Вы все время говорите не о том. Ты! — она перевела взгляд на мужа. — Ты человека насмерть сбил, помнишь об этом?! Или уже забыл?

— Я случайно это сделал, клянусь матерью!

Катя еле удержалась, чтобы от отвращения не сплюнуть на пол — такое презрение вызывал у нее этот красивый парень с карими глазами, который на беду стал ее мужем. «Господи, как я могла так обмануться в нем?!»

— Скорость случайно превысил? Из машины вышел, чтобы посмотреть на тело, тоже случайно? И уехал оттуда по чистой случайности, правда? Оно само так получилось, наверное!

Она покачала головой.

— А потом, когда вы столько недель мне врали, чтобы я чувствовала себя виноватой перед вами, это тоже вышло случайно? Ну, отвечай мне.

Диана Арутюновна раздула тонкие ноздри, метнула взгляд на младшую дочь. Та стояла с растерянным лицом — не ожидала, бедная, такого напора от Катерины. И Артур словно онемел... Впрочем, его реакция была предсказуемой — он всегда медленно соображал. «Кто же ей рассказал? Ай, неважно! Девчонка сейчас бросится на Артура. Ох, нехорошо, нехорошо. Ничего, надо ключик к ней подобрать — и она образумится».

— Мы не хотели говорить тебе правду, потому что боялись, что ты бросишь Артура, — Диана Арутюновна сокрушенно покачала головой. — Ты же знаешь, как он тебя любит! Мы были не уверены в тебе. Прости нас за это.

— Вы не хотели говорить мне правду, потому что я была вам нужна, — с тихой яростью ответила Катя. —

А вовсе не потому, что Артур меня любит. Вы и свою семью постоянно увещевали обращаться со мной поласковей, потому что боялись, что у меня кончится терпение и я уйду. И кто бы тогда стал кормить вас и вашего ненаглядного сына? Уж конечно, не Седа!

— Как тебе не стыдно! Мы терпели эту ужасную жизнь... взаперти...

— Вы, может, и терпели. А вот Артур и Седа нет. Кто покупал вам сигареты? Не смейте мне врать!

— Ну, я покупала, — развязно сказала Седа, приходя в себя. — Подумаешь, вышла пару раз в магазин!

— Врешь ты все, — презрительно бросила Катя. — Наверняка ты выходила на улицу много раз, пока я была на работе. Тебя ничто не удержало бы дома, даже беспокойство за брата. А потом, наверное, глядя на тебя, и Артур начал высовывать нос наружу. Я даже знаю, когда он делал это в последний раз. В тот вечер, когда убили нашего соседа. Я ведь очень крепко сплю, и Артур об этом знает. Грех было не воспользоваться — правда, Артур?

Тот бросил умоляющий взгляд на мать, но промолчал.

— Самое смешное, что каждый из вас тянет одеяло в свою сторону, — сказала Катя, усмехаясь. — Я бы еще поняла, если бы все вы защищали Артура. Но вы даже не смогли довести до конца собственный идиотский план отсидеться в этой квартире до лета. Не вытерпели. Диана Арутюновна, вам, наверное, тяжело приходилось с ними, правда?

От издевательского сочувствия в голосе невестки женщину передернуло.

— Седа меня ненавидела, Артур был близок к тому, чтобы возненавидеть, — задумчиво продолжала Катя. — Одна вы, бедная, пытались всех примирить и делали вид, что мы дружная семья. Убеждали меня то кнутом, то пряником. Наверное, у вас бы все получилось, но Артур оказался слишком плохим актером.

— Катенька, — со слезами в голосе проговорила свекровь, — я согласна, что все мы сделали много ошибок. Но я точно знаю, что Артур любит тебя! И ты его любишь! Иначе ты не вернулась бы к нам.

— Я вернулась, чтобы посмотреть на ваши лица, — отчеканила Катя. — И окончательно убедиться в том, что мой муж — преступник и трус, потому что у меня до последнего оставались в этом сомнения. А теперь их нет.

Она обернулась на Артура, так и стоявшего, прижав руки к щекам, хотела что-то сказать, но сдержалась.

— Котенок, ты все неправильно поняла! — возмутился тот. — Как ты можешь бросать нас в такую минуту?

— Она и не бросает. — Свекровь встала перед дверью, преградив Кате дорогу. — Куда ты собралась?

— Не ваше дело. Отойдите.

Несмотря на то что сама уговаривала Артура повременить с женитьбой на Катерине, Диана Арутюновна была уверена в том, что сможет вертеть невесткой, как захочет, с той самой минуты, когда впервые увидела ее. Потому и согласилась на свадьбу, хотя Седа правду говорила: нечего Артуру на русской жениться, это позор для всей семьи. Но Диана Арутюновна тогда возразила, что русские разные бывают: они приручат девчонку, будет по их правилам жить, а не по своим. Девочка красивая, бойкая, веселая, но совсем молоденькая и воспитана одинокой матерью в строгости — а значит, будет старших слушаться, ее уважать, Артуру угождать.

Так оно и случилось — не зря Диана Арутюновна считала, что хорошо разбирается в людях. Она чувствовала, что поводок у нее в руке. Только один раз ей показалось, что Катерина чуть было не оборвала его — когда Седа по глупости закрыла собачонку в ванной, чтобы та помучилась-поскулила, а выпустить до прихода девчонки забыла. Но и тогда достаточно оказалось напомнить невестке про ее место, чтобы та устыдилась.

Но теперь, видя, с какой яростью смотрит на нее Катерина, Диана Арутюновна поняла, что поводок оборван окончательно. Никогда раньше не посмела бы она ни с мужем так разговаривать, ни с ней. «Мы для нее теперь никто. И она нам ничем не обязана. А если еще и решит Артура врагом считать...»

— Седа! — на армянском приказала Диана Арутюновна. — Седа, Артур, держите ее!

— Что?

— Мама, зачем?

— Затем, что она нас выдаст! — сорвалась женщина. — Ты слышал, что она сказала? Что ты преступник! Что ты убил человека! Она сейчас пойдет прямиком в милицию и всех нас сдаст.

— Прочь с дороги, — тихим от бешенства голосом прошипела Катя.

Она не понимала сказанного свекровью, но ей показалось, что та просит сына и дочь не выпускать ее из квартиры.

Диана Арутюновна перевела на нее тяжелый взгляд, и Кате стало не по себе. Мать Артура напомнила ей тяжелую располневшую кошку.

— Думаешь, сможешь так просто уйти, а? — с неожиданным акцентом спросила свекровь. — Думаешь, мы останемся сидеть, думать, не выдала ли нас дорогая Катюша?

Она снова сказала что-то на родном языке, и дочь быстро ей ответила. Артур, помолчав, бросил одно-единственное слово. Почувствовав опасность, Катя со всей силы оттолкнула свекровь, но успела добежать только до двери в прихожую.

Они набросились на нее одновременно — свекровь и золовка — и потащили из тесной прихожей обратно в комнату. Артур стоял, оцепенело глядя на сплетенные женские тела, катающиеся по ковру.

— Ударь ее! — придушенно крикнула ему мать. — Не стой, ударь ее по голове.

Артур шагнул за большой вазой, стоявшей на полу в углу комнаты, и в эту секунду громко завизжала Седа — Катя укусила ее за руку.

— Тварь! Паршивая тварь! — Она ударила Катю свободной рукой по лицу, и та разжала зубы.

Артур, придя в себя, сдернул покрывало с кровати и набросил на женщин. Под покрывалом завозились, раздался приглушенный стон, и в конце концов Диане Арутюновне удалось набросить ткань на голову невестке и выбраться самой.

— Держи ей ноги! — взвизгнула она, и Артур послушно сел на дергающиеся Катины ноги в джинсах. — Седа, руки!

Она обмотала голову извивающейся Кати плотной тканью и, задержав дыхание, прижала руки к ее лицу. «Потом придумаем, что делать с телом. Боже мой, скорее бы она уже...»

Сзади нее раздался визг, и Диана Арутюновна не сразу поняла, что визжит ее собственный сын. А в следующую секунду ее сбил с тела Кати удар такой силы, что она отлетела к окну, ударилась головой о батарею, и на минуту перед ее глазами встала черная пелена.

Когда пелена спала, Диана Арутюновна увидела, что комната наполнена людьми. Один из них, высокий парень в очках, прижимал к себе Катю, хватающую воздух ртом. Второй — здоровенный мужик с короткой стрижкой — быстро перевязывал руки Седе, у которой рот уже был залеплен скотчем. Третий — по виду студент — держал за плечо Артура.

— Ну что? — спросил здоровяк, присаживаясь перед Катей. — Жива?

Та кивнула, всхлипнув.

— А еще ключи отдавать нам не хотела! — Он погремел перед Катиным лицом связкой ключей, в которой Диана Арутюновна узнала ключи от их квартиры — она лично отдала их невестке, чтобы та не будила звонком Артура, придя поздно с работы.

— А я предупреждал! — подал голос студент. Артур рванулся, но застонал от боли — хватка у студента оказалась железной. — Сидите, молодой человек, сидите. Вы, Катя, в другой раз слушайте опытных людей.

— Другого раза не будет, — сказал очкарик, прижимая девушку к себе. — Слава богу, в этот раз вовремя успели. Катька, я бы тебя своими руками придушил, клянусь.

Катерина уткнулась лбом ему в плечо, и Диана Арутюновна закрыла глаза.

Макар с Бабкиным отправили Катю в квартиру к Маше, а вместе с ней и Капитошина.

— Мы с ними сами поговорим, — в третий раз повторил Сергей, мягко, но непреклонно подталкивая уже одетую девушку к двери. — Бить их не будем.

— Наверное, — добавил Макар и поймал укоризненный взгляд Андрея Капитошина. — Шучу, шучу. Не будем, конечно. За что их бить? За то, что они барышню хотели придушить?

Катя побледнела и непроизвольно дотронулась до горла, а Бабкин шепнул напарнику, что тот — подлый провокатор.

— Все сделаем, как договорились. — Сергей устало закатил глаза. — Только узнаем у этой милой семейки то, что необходимо.

Катя неуверенно кивнула, но прежде, чем выйти из квартиры, сама не зная зачем, прошлась по комнатам. Она чувствовала себя заключенной, которая внимательно осматривает свою камеру, в которой провела несколько лет жизни, перед тем как навсегда покинуть ее. Серые драные обои, облупившаяся тоскливая синяя штукатурка с потеками, скособочившиеся двери с дырками вместо замочных скважин, из которых торчат фанерные лохмотья... Катя толкнула дверь в их с Артуром спальню, прислушалась к ее неприятному скрипу.

И остановилась на пороге комнаты, где под присмотром Сергея сидела ее семья. Бывшая семья.

Она хотела сказать им что-то важное, недосказанное, что можно выразить только пафосными словами: например, что она никогда их не простит и что они чуть не испортили ей жизнь или что она постарается забыть их навсегда... Но вовремя почувствовала, что говорить это ненужно, потому что будет фальшиво, да и неправда.

Она только качнула головой и уже собиралась выйти, но ее остановили слова мужа.

— Слушай! Не смей уходить! Ты мне должна! — с исказившимся лицом выкрикнул Артур, подавшись к жене. — Забыла, что ты мне должна?

Катя помолчала. Затем тихо, но твердо ответила:

— Ты забыл, что я с тобой расплатилась, Артур. Сполна.

После того как все закончилось, Сергей предложил всем разойтись и обсудить вопрос завтра, но с ним никто не согласился.

— Ночь на дворе! — воззвал он к здравому смыслу напарника, потому что ни Катя, ни Маша, ни Капитошин не собирались прекращать разговор: девушка полчаса назад вернулась от следователя и теперь отвечала на вопросы Андрея и Маши.

— Завтра выспишься, — невежливо отозвался Макар.

— Черт с вами, — сдался Бабкин. — Катерина, ты сама-то в порядке? Я бы на твоем месте уже уснул давно.

Катя кивнула. Часы показывали полтретьего ночи, но спать ей не хотелось.

— Следователь тебя не мучил?

— Нет. Он очень подробно обо всем расспрашивал, потом привел свекровь...

Катя махнула рукой, не желая рассказывать дальше.

— Не приставай к человеку, — тут же вмешалась Маша. — Видишь, ей тяжело об этом говорить.

— Да нет, — покачала головой Катя. — Все в порядке. Знаете, у меня как камень с души спал, когда Артур сказал, что он никого не убивал.

— То есть как не убивал? — встрепенулась Маша, которой Сергей с Макаром не успели ничего рассказать. — Не он убил коллекционера?

— Нет. Он говорит, что не делал этого.

— А откуда у него русалка? Собралась ночью искупаться и сама под ванну заползла?

Катя подняла на нее глаза и сказала:

— Ты будешь смеяться, но Артур утверждает, что нашел ее на лестнице.

Артур чувствовал, что ему никто не верит. Но человека на фотографии он видел первый раз в жизни! Он даже не знал, что это тот самый сосед, который платил его жене за то, чтобы она гуляла с собакой.

— Не видел я вашего Вотчина! — с отчаянием повторял Артур. — Не убивал, не знаю!

Да, он выходил из квартиры в тот вечер. Жена крепко спала, и он, как обычно, пошел на лестничный балкон. Ему нравилось стоять там, смотреть на фонари.

— Я просто стоял! — убеждал Артур пожилого мужика, саркастически усмехающегося каждому его слову. — Клянусь мамой, ничего не делал!

— Зачем же ты там стоял, а?

— Просто... красивый вид оттуда. Снег падал, я думал обо всем. В квартире душно, устал я там сидеть, как зверь в клетке. А на балконе и покурить можно, чтоб жена не почуяла.

— Красиво, говоришь... Да ты, парень, романтик.

— Романтик, не романтик — не убивал я его, говорю тебе! Куклу нашел на лестнице, когда ушел с балкона.

Артур вспомнил, как поздно вечером услышал быстрые шаги за дверью, отделявшей грязный балкончик от лестничной клетки. Кто-то пробежал с верхнего этажа вниз, бесшумно вышел из подъезда, не хлопнув тяжелой дверью с кодовым замком. Подъезд выходил на другую сторону дома, а то Артур обязательно посмотрел бы, кто так носится по темной лестнице. Он не знал никого из жильцов — ему просто было любопытно, мужчина это или женщина. Мозг, уставший от однообразного сидения взаперти, требовал хотя бы скудных развлечений вроде игры «угадай, кто пробежал».

Уже после того, как затихли все звуки, Артур сообразил, что слышал что-то еще, кроме быстрых шагов. Негромкий стук. Как будто за пробежавшим что-то упало. Он постоял в нерешительности, затем приоткрыл дверь и высунул голову на лестничный пролет.

Здесь было темно, пахло кошками и стройкой, хотя дом построили невесть сколько лет назад. Артур прошел по ступенькам вверх, затем вниз и со второй попытки наткнулся на то, что обронил бежавший. Это оказалась всего лишь игрушка — правда, очень красиво вырезанная. Артур считал, что понимает толк в таких вещах.

Ему не захотелось показывать находку ни матери, ни сестре. О жене и говорить было нечего — если бы она узнала, что по вечерам он выходит в подъезд, закатила бы скандал. Поэтому он спрятал фигурку в первое попавшееся место, завернув ее в тряпку, чтобы не запачкалась. Артур не хотел, чтобы на игрушке оставалась грязь — она была такой красивой...

— Получается, что убийца по-прежнему неизвестен, — закончила Катя. — Если только Артур не врет.

— Надо же… — протянула Маша. — Получается, твой супруг слышал шаги убийцы. Слушайте, это даже смешно: если все так, как рассказывает Катин муж, то хотелось бы мне посмотреть на лицо убийцы, когда он обнаружил, что потерял то, за чем приходил в квартиру коллекционера.

— Может быть, не потерял, а специально бросил, — возразил Андрей Капитошин. — Мы же не знаем, зачем ему понадобилась русалка.

— Да, слишком много странностей вокруг одной маленькой фигурки, — задумчиво сказал Илюшин. — Может, мы в ней что-то просмотрели? Секретный ключик, тайнопись, указывающую дорогу к кладу, потайную дверцу в спине?

— Как бы то ни было, сейчас поздно об этом говорить. — Бабкин потянулся на своем коврике так, что у него на всю кухню хрустнул позвоночник. — Снимут с деревянной красавицы отпечатки, если они там есть, и будет она лежать в темном пыльном ящике. Кать, следователь что-нибудь сказал про русалку?

Девушка молчала.

— Катя?

Бабкин с Машей переглянулись. Андрей, не понимая, чем вызвано ее молчание, озабоченно заглянул Кате в лицо.

— Катюха, ты что молчишь? Не пугай нас.

И тут раздался смех Илюшина. Остальные с удивлением посмотрели на него — все, кроме Кати.

— Серега, ты ошибся, — заявил он, отсмеявшись. — Что-то подсказывает мне, что мы сами сможем проверить, не скрывает ли русалка в себе какого-нибудь хитрого шифра. Я прав, Катя, не так ли?

Та кивнула, не глядя на него.

— Ты не отдала русалку? — изумилась Маша. — Почему?

— Не знаю. Не смогла, — Катя виновато оглядела сидящих в кухне. — Я обманула следователя. Сказала, что потеряла ее, когда бегала по парку, а потом не нашла. Он предложил написать заявление — ну, о тех подростках, которые меня приследовали. Говорил, что кто-то из них, возможно, нашел статуэтку, и таким образом можно ее отыскать... Но я отказалась. Я даже толком не могу объяснить, почему сделала это.

— На ней могут быть отпечатки пальцев убийцы... — начал было Капитошин, но Бабкин покачал головой.

— Меньше надо смотреть зарубежных фильмов. Отпечатки — вещь неустойчивая. После того как мы все подержали русалку в руках, на ней только наши пальцы и остались, да и те смазанные. А если убийца был в перчатках, то и говорить не о чем. Я тебя, Катерина, не оправдываю, а только объясняю, положение дел.

— Думаю, что это и к лучшему, — вмешался Макар. — Катя, вы не возражаете, если я возьму ее на время? Я пожалел о том, что не попросил об этом раньше, но теперь, раз уж русалка все равно осталась у вас...

— Конечно, возьмите! Если она может чем-то помочь...

— Может. У меня даже есть надежда, что она исполнит мое желание.

Катя бросила на Илюшина недоверчивый взгляд, но тот был совершенно серьезен. Бабкин про себя выругался. Он не думал о том, что произойдет, когда Макар закончит свое расследование, и только теперь ему в голову пришла мысль, что, возможно, для них обоих было бы лучше, если бы он его не закончил.

— Катя, постарайтесь вспомнить название села, — попросил Илюшин.

Она задумалась: «Какое-то простое слово, очень простое... Я тогда еще подумала, что оно каким-то образом связано с русалкой, и не только потому, что Вотчин купил ее именно в том селе. Господи, какое же?»

Ей очень хотелось вспомнить, но чем больше она старалась, тем отчетливее понимала, что у нее ничего не получится.

— Не помню, — огорченно призналась она.

— Попробуем по-другому, — сказал Макар. — Сергей, открой карту, пожалуйста, и посмотри там населенные пункты, которые находятся рядом с деревней под названием Красные Возничи.

Пока Бабкин искал в Интернете крупную карту, все напряженно ждали.

— Возничи, Лукавинки, Кудряшово, Залесское, — перечислил Сергей. — Подождите, есть еще одни Возничи…

— Не нужно! — сказала Катя. — Я вспомнила. Кудряшово.

— Вы уверены?

— Абсолютно. Олег Борисович говорил, что привез русалку из Кудряшова. Я вспомнила, потому что у нее волосы волнистые, как кудри.

— Макар, откуда ты знал про Красные Возничи? — не удержалась Маша. — Что это за место?

— Это место, откуда родом Зинаида Яковлевна Белова. А вместе с ней и Кирилл Степанович Сковородов. Теперь, во всяком случае, понятно, откуда он знал про русалку. А значит, мне нужно…

Макар замолчал.

— Что вы хотите сделать? — спросил Капитошин.

— Есть у меня одна идея… — Макар пристально посмотрел на Бабкина. — Одна очень неплохая идея…

Макар не стал делиться своими мыслями, и Катя с Андреем вынуждены были уйти, ничего от него не добившись. Капитошин, ожидавший, что Катя спросит, когда Макар вернет ей русалку, так и не услышал от нее этого вопроса.

После того как Сергей Бабкин развеял все Катины иллюзии о русалке, она чувствовала себя неловко, беря ее в руки. Фигурка напоминала ей о том, что она, взрослая девица двадцати лет, поверила в сказку для детей, и поверила охотно, как будто только и ждала волшебника, Деда Мороза или на крайний случай русалку, способную исполнять чужие желания. Илюшину она доверяла беспрекословно — он был другом Маши и Сергея — и испытала облегчение, когда он забрал у нее фигурку.

Маша ушла спать, и Сергей с Макаром остались одни. В кухню на минуту заглянули два терьера с ночным обходом, но, убедившись, что ничего интересного им не предложат, убежали, цокая коготками по плитке.

— Макар, что ты задумал? — устало спросил Сергей, прикрыв дверь за собаками.

— Завтра вечером поеду электричкой в Кудряшово. Все началось именно там, а мне до сих пор ничего не известно. Это ненадолго, надеюсь, займет не больше пары дней.

— Что ты станешь делать, когда отыщешь Сковородова? — задал Бабкин вопрос, давно вертевшийся у него в голове.

Илюшин молчал.

— Макар, так нельзя, — тихо сказал Сергей. — Ты себя самого убьешь своим прошлым.

Илюшин покачал головой и неожиданно заявил:

— Я хочу встретиться с Натальей Гольц и отказать ей при личной встрече.

— Зачем? — поразился Бабкин, сбитый с толку резкой сменой темы разговора. — В смысле, не зачем отказать, а зачем встречаться?

— Мне любопытно увидеть, как она сейчас выглядит. Интересно узнать, насколько оправдались мои прогнозы. Пойдешь со мной на встречу?

Бабкин хотел выругаться и сказать, что куда больше, чем Наталья Гольц, его занимает сам Макар Илюшин, но не стал.

— Пойду, конечно, — обреченно проговорил он. — И в дыру русалочью под названием Кудряшово поеду, если нужно будет.

Во взгляде Макара мелькнуло что-то, отдаленно похожее на благодарность. Но голос его звучал, как обычно, чуть насмешливо, когда он сказал:

— В дыру не нужно ехать. В дыру я и без тебя съезжу. Ты здесь останешься, на хозяйстве.

Наталья Ивановна с нескрываемым любопытством рассматривала двоих мужчин, сидевших напротив нее за столиком в тихом ресторане.

— Макар, вы продали душу дьяволу за вечную молодость? — негромко спросила она и рассмеялась тихим, глуховатым смехом. — Я видела вас последний раз два года назад, и с того времени вы, кажется, помолодели на несколько лет.

Бабкин покосился на напарника. Илюшин и впрямь выглядел несерьезно: студент студентом, в синем свитере крупной вязки, с легким полосатым шарфом, обмотанным вокруг шеи.

Илюшин улыбнулся, но ничего не ответил. Он отметил про себя, что его прогноз двухлетней давности оправдался: Наталья Ивановна стала если не красавицей, то очень и очень запоминающейся дамой. Невысокая, тонкая, стильная, с незаметным макияжем, она сидела в расслабленной позе и совершенно не напоминала ту перепуганную, но сдерживающую страх молодую женщину, какой он ее запомнил. До того, как увидел в последний раз — уже хозяйкой дома госпожи Гольц.

— Итак, вы отказываетесь браться за работу, — с легким сожалением проговорила Наталья Ивановна. — Жаль. Я рассчитывала на вас. Пожалуй, к другим людям мы не будем обращаться.

Макар пожал плечами, придав лицу подобающее выражение понимания и сочувствия, хотя ему было совершенно безразлично, как Наталья Гольц станет решать свои проблемы.

— И с девушкой придется расстаться, хотя я к ней уже привыкла, — задумчиво закончила госпожа Гольц, говоря больше с самой собой, нежели с мужчинами напротив.

— Какой девушкой? — насторожился Бабкин.

Наталья Ивановна перевела на него внимательный взгляд темных, почти черных глаз.

— Дело в том, — объяснила она, — что не так давно в фирму устроилась молоденькая девушка. Она мне очень нравится, но руководитель конторы считает именно ее основной подозреваемой, поскольку она работает недавно. К тому же он утверждает, что хорошо знает всех сотрудников, кроме нее... Называя вещи своими именами, было решено найти козла отпущения. — Госпожа Гольц покачала головой. — Я убеждала его оставить девушку и поэтому решила прибегнуть к вашим услугам, чтобы доказать ее невиновность. Она для меня — хороший знак. Такая милая, ответственная... похожа на олененка, с большими глазами...

Гольц вздохнула и сложила салфетку.

— Ну что же... — проговорила она. — Несмотря на ваш отказ, мне было приятно увидеться с вами.

— Постойте, — неожиданно остановил ее Бабкин. — А нельзя ли подробнее узнать суть работы?

— Охотно расскажу, — чуть удивленно отозвалась Наталья Ивановна, бросая взгляд на молчавшего Макара.

Бабкин слушал госпожу Гольц и постепенно мрачнел. Одноразовый «крот» — это совсем не то же самое, что постоянный, и ловить его куда сложнее. «Если он получил деньги и оборвал все контакты, то вычислить его почти невозможно. А если он достаточно умен, чтобы использовать другой телефон, то про слово «почти» можно забыть».

— Сколько человек работает в «Эврике»? — спросил Сергей, когда Наталья Ивановна закончила рассказ.

— Кажется, пятнадцать.

Бабкин покачал головой.

— Что вас смущает? — быстро спросила Наталья Ивановна. — Пятнадцать человек — это не сто.

— Если бы их было сто, я не стал бы даже говорить об этом деле, — честно ответил Бабкин. — Но если ваш «крот» проявил мало-мальскую предусмотрительность, то могу сказать: мы его не найдем.

— А если не проявил?

Сергей выдержал паузу, нехотя признался:

— Если не проявил, тогда шансы есть. Но все равно не такие большие, как нам бы хотелось.

«Как тебе хотелось бы», — поправил его про себя Макар, мысленно ругавший добросердечного напарника.

— Макар, а что вы скажете? — обратилась к нему Наталья Ивановна.

Илюшин взглянул на Бабкина.

— Решение о вашем деле принимает Сергей, — честно сказал он и поймал удивленный взгляд Бабкина. — Поскольку я сейчас занят другим заданием. Если он согласен...

— Сергей, вы согласны? — с надеждой спросила госпожа Гольц.

Бабкин представил, как он в одиночку будет изучать биографии пятнадцати человек, и мысленно поежился. Но тут же ему вспомнилась Маша, рассказывавшая про девочку из своего двора, избитую папашей-алкоголиком, и по непонятной ему самому прихоти он кивнул и подтвердил:

— Согласен. Давайте обсуждать условия.

— У меня нет слов, — сказал Макар, когда они сели в машину.

— Это хорошо, — пробормотал в ответ Сергей, ругая себя за согласие работать с Гольц. — Могу представить, какую джигу ты бы сплясал на мне, если бы слова у тебя были.

— Нет, скажи: с чего ты вздумал согласиться?! Только потому, что Катерину бы уволили? Так она нашла бы другую работу. В Москве, слава богу, нет недостатка в вакансиях офис-менеджеров.

— Резюме было бы подпорчено, — попытался оправдаться Сергей, но сам чувствовал, что выходит неубедительно.

— Конечно, конечно. И, радея за ее резюме, ты взвалил на себя ношу тяготного скучного расследования.

— Не забывай, что мне за это заплатят.

— Если ты вычислишь «крота». Я не совсем понимаю, как ты собираешься искать его при таких вводных, но тебе, безусловно, виднее.

Илюшин фыркнул и уставился в окно.

— Ну жалко мне ее, жалко! — не выдержал Сергей. — Я уверен, что никаких секретов она никому не продавала. Муж ее обманывал, в Москве ей пришлось тяжело, а ее собираются выгнать с работы, где обретается ее красавчик. И не просто так выгнать, а с позором.

— Ладно, не оправдывайся. Я все понимаю. — Илюшин усмехнулся, покачал головой. — Ты, конечно, сделал большую глупость, но и в ней можно найти свои плюсы. Полагаю, это расследование надолго отобьет у тебя тягу к филантропии. Забрось меня домой, через три часа моя электричка.

Глава 14

Никакого плана у Илюшина не было. Когда он вышел из электрички на занесенную снегом платформу в небольшом городке Темниково, единственное, что он знал, — что ему нужно в село Кудряшово. Самым простым и разумным он считал проверить рассказ Вотчина о приобретении русалки, но Илюшин справедливо опасался, что за давностью лет никто не вспомнит приезжавшего в село москвича, купившего по случаю какую-то деревянную игрушку. Русалка лежала в его кармане, застегнутом на «молнию».

— Либо Вотчин говорил неправду, либо вдова Зильберканта, — пробормотал Макар. — Нужно выяснить, кто именно из них. Зильберкант далеко, поэтому начнем отсюда.

Он огляделся, ощущая себя человеком, попавшим в другую страну. В Москве пешеходы месили слякоть, а с неба падало что-то мелкое, противное, не похожее ни на снег, ни на дождь. Здесь лежал белый снег, и от мороза в окнах деревянных домов цвели узоры.

Поторговавшись для вида с местным оборотистым таксистом, Макар погрузился в помятую «шестерку», и машина поехала, взметая за собой свежевыпавший снег. По дороге он выдал словоохотливому и любопытному водителю обычную легенду: студент из Москвы, должен написать работу об истории нескольких сел этого района. Потому и едет в Кудряшово. Будет с людьми разговоры разговаривать. Таксист удивлялся, сочувствовал парнишке, что вовсе не помешало ему запросить с «бедного паренька» сумму в полтора раза большую, чем та, о которой они договаривались.

— Нет, дядя, так не пойдет, — отказался Макар, у которого по легенде лишних денег не имелось. — Сколько запросил, столько и получишь.

— Да я тебя коротким путем... — начал было таксист, но махнул рукой и пробурчал себе под нос что-то о жирующих москвичах.

— Сам ты москвич, — оскорбился Илюшин, в планы которого не входило портить отношения с кем бы то ни было из местных. — Я ж в Москву учиться приехал. А так-то я с Вологды.

То, что привезенный им парень «с Вологды», несколько примирило мужика с неудачей. Он показал Макару две основные улицы, развернулся и уехал. Илюшин забросил сумку на плечо и неторопливо пошел по скрипящему снегу, осматриваясь на ходу.

Кудряшово не постигла участь многих российских сел, и оно по-прежнему оставалось именно селом, а не вымирающей маленькой деревушкой. От широкой улицы отходили небольшие проулки, одни — в сугробах, в других были протоптаны тропинки. Большинство домов стояло с заколоченными окнами, но Илюшин понимал, что летом сюда приедут и дома оживут. Вдалеке поднималась колокольня небольшой церквушки, и солнце играло на куполах.

На улице было тихо, солнечно и морозно. Пахло дымом, поднимавшимся из труб. Илюшин вдохнул густой чистый воздух и чуть не закашлялся — горло обожгло холодом. Оглядываясь по сторонам, он думал, что, возможно, Кирилл Сковородов не пропал, а вернулся в родное село, стоявшее в нескольких километрах от Кудряшова, и сейчас идет по улице, так же дыша морозным воздухом.

«Я ничего о нем не знаю — где он был, чем занимался, отчего умерли его братья... Пока Сергей собирает данные об их жизни, пройдет слишком много времени, а я не хочу ждать». Обострившаяся интуиция подсказывала ему, что он был прав, поехав в это глухое село, но чем могла обернуться его правота, Илюшин не хотел гадать.

Часть домов вдоль основной дороги были бревенчатыми, но попадались и каменные, и, пройдя еще с десяток шагов, Макар оказался напротив большого двухэтажного дома с мансардой. В окнах висели яркокрасные занавески с белой тесьмой, из-под ворот высовывал острую черную морду здоровенный пес.

— Фью, фью, — посвистел ему Илюшин.

В ответ пес открыл пасть и лениво гавкнул. С верхушки ближайшего дерева слетела ворона, тяжело маша крыльями, так же лениво каркнула и полетела в сторону леса.

— Хорошая у вас жизнь, братцы, — сказал им Макар. — Неторопливая.

Пес широко зевнул и вытащил башку из-под ворот.

Илюшин потоптался на дороге, сам не зная, почему не идет дальше. Дом ему нравился, но он знал, что в таких домах не принимают постояльцев. Ему нужно было искать маленький покосившийся домишко с одинокой старушкой, которая обрадуется и лишним деньгам, и возможности вволю поболтать с новым человеком. К тому же старушка могла помнить те времена, когда сюда приезжал Олег Борисович Вотчин.

«Неплохо бы еще знать, когда он приезжал. Все-таки многовато неизвестных».

Илюшин собрался идти дальше, но тут ворота тяжело раздвинулись, и на улицу вышла высокая русоволосая женщина, кутаясь в мохнатый серый платок.

— День добрый! Ищите кого? — громко спросила она. Пес стоял за ней, настороженно наклонив большеухую голову. — Я смотрю, перед домом стоите...

— Залюбовался, — с самой широкой улыбкой, на какую был способен, ответил Макар, подходя к женщине. — Очень уж дом у вас красивый.

— Муж строил! Правда, на совесть выстроил, — с гордостью сказала женщина. — Так ищите-то кого? Знакомых?

— Я вообще-то ищу, у кого остановиться можно... ненадолго...

— Так у свекрови моей можете остановиться, — не задумываясь, сказала женщина. — Она свекра похоронила в прошлом году, одна живет, к нам не перебирается. Отсюда недалеко, на соседней улице. Только сейчас ее нет, муж повез мать в город, ко врачу. Часа через два вернутся.

Она замялась, окинула Илюшина неуверенным взглядом. Макар понимал, что сейчас его оценивают и от результатов оценки зависит, придется ли ему гулять по селу еще два часа или он проведет их в теплом доме с красными занавесками на окнах.

«Молодой парнишка, ровесник Кольке моему... Вроде ничего, славный. Курточка-то какая тоненькая на нем, господи!» Вид илюшинской курточки решил дело окончательно.

— Нечего вам морозиться, — сказала хозяйка. — У нас пока посидите. В вашей одежке только и бродить!

Макар радостно поблагодарил ее и мысленно сказал спасибо тонкой финской альпинистской куртке. Куртка выглядела худой и скромной, при этом защищала его от любых морозов. Но ноги в утепленных ботинках уже начало покалывать, поэтому приглашение пришлось как нельзя кстати.

Дом, в который пригласили Илюшина, оказался уютным и не очень большим — куда меньше, чем казался снаружи. Ковры на стенах, стол с белой скатертью у окна, иконы над полкой с швейной машинкой...

— Я шью, — объяснила хозяйка, заметив изучающий взгляд гостя. — Шестеро мальчишек у меня — на всех покупать одежду замучаешься. Да и своя-то качественнее. Старший мой, правда, в городе живет, теперь там штаны-куртки покупает. А то бы и его обшивала.

«Шестеро детей!» Макар пристально взглянул на хозяйку дома. На первый взгляд он дал ей лет сорок с небольшим, но теперь подумал, что ошибся, и она старше. Крепкая, румяная, с веселым лицом, она была бы красавицей, если бы не шрам на левой щеке: он начинался от виска и обрывался ровно в ямочке, появлявшейся от улыбки.

— Наталья меня зовут, — сказала хозяйка. — Наталья Алексеевна.

— А я Макар.

— Хорошее у тебя имя. Ну, снимай курточку свою, Макар, садись за стол.

Из-под стола навстречу Макару выдвинулась рыжая кошка, выгнула спину и встопорщила короткую шерсть. Вторая, черно-белая, неслышно спрыгнула откуда-то сверху и, торчком подняв пушистый, как у енота, хвост, ревниво мяукнула. Илюшин рассмеялся, погладил кошек. Ему нравились и приветливая красивая хозяйка, и дружелюбные кошки, и светлая теплая комната с рукодельными занавесками. «Интересно, где ее дети?»

— Мальчишки-то мои кто в школе, кто в институте, — отвечая на невысказанный им вопрос, объяснила Наталья, доставая чашки из старого буфета. — Старшие только на лето и приезжают. А младших отец из школы заберет после обеда. Каникулы у них скоро, такой бедлам начнется! — Она покачала головой. — Хоть сейчас отдохну, с тобой поговорю.

Наталья присела, провела ладонью по голове, приглаживая русые волосы, только начавшие седеть на висках.

— Рассказывай, что тебе в Кудряшове зимой понадобилось. У нас летом хорошо, а сейчас-то и нет никого, и пойти некуда. Или ты не отдыхать приехал?

Илюшин открыл рот, чтобы повторить свой рассказ о бедном студенте, и вдруг неожиданно для себя интуитивно почувствовал, что врать не надо. Более того, он почему-то проникся уверенностью, что стоит ему рассказать придуманную историю, и его тут же выставят из дома. Макар не анализировал то, что подсказывало ему чутье, не искал объяснений — у него было очень мало времени, и он быстро принял решение.

— Сейчас, — сказал он, расстегивая сумку. — Вот. Я приехал, чтобы узнать кое-что об этой штуковине.

Он положил на стол деревянную фигурку русалки. И увидел, как заинтересованность в глазах хозяйки сменяется изумлением. Наталья наклонилась к русалке, недоверчиво хмуря брови, ахнула и схватила фигурку.

— Господи, быть такого не может!

— Вы что, видели ее раньше? — не поверил Илюшин.

— Видела? Скажешь тоже, видела! Да с этой красавицы, может, все счастье мое и началось! Уж не знаю теперь, она ли тому причиной или нет, но только запомнила я ее крепко, на всю жизнь. Что так смотришь на меня? Не веришь?

Илюшин ей верил. Он никак не мог поверить собственной удаче, благодаря которой первый же встреченный им человек оказался тем, кто был ему нужен.

— Думал, придется вас не один день разыскивать, — честно признался Макар, — да и не знал, кого искать. Расскажете мне про русалку, Наталья Алексеевна? А я вам открою, зачем мне это понадобилось.

После того как Наталья отдала русалку соседке, она забыла про фигурку. Нежданное счастье, свалившееся на нее, было слишком огромно, чтобы она могла думать о чем-то другом. Все девять месяцев, что Наталья носила ребенка, она прекрасно выглядела, но — странное дело — теперь собственная внешность стала для нее совсем неважна. Все ее мысли были только о мальчике, который у нее родится.

После рождения малыша она не только не подурнела, но стала еще привлекательнее. Ребенок казался ей ангелом — маленький, невинный, дивно пахнущий молочком, с нежнейшим пушком на макушке. Ее собственный маленький ангел, копия мужа. Она тетешкалась с ним, могла возиться с утра до вечера, укачивала, убаюкивала и умилялась до слез каждому его агуканью. На нее снизошло счастье, которого она даже представить себе не могла, и все мысли о собственной непривлекательности, о том, что муж не любит ее, стали казаться мелкими и незначительными.

Но по иронии судьбы еще во время беременности Натальи Николай не на шутку влюбился в собственную жену. Он недоумевал: за короткое время она стала совсем другой. Похорошела несказанно, держалась гордо, в глазах мелькало что-то загадочное, манящее. Ему никогда не нравились беременные, но с Наташкой вышло иначе: его возбуждала кошачья тягучесть ее жестов, ее округлившиеся формы, и то, что соски у нее теперь были постоянно приподняты и просвечивали сквозь платье. Когда Николай поймал себя на том, что хочет врезать соседу, с которым жена перебрасывается шутками через забор, ему стало смешно.

— Ревную я ее, что ли? — спросил он самого себя.

И уже без всякого смеха честно признался, что да, ревнует.

Теперь Наталья вела себя с ним по-другому: не ловила каждое слово мужа, не бежала сломя голову исполнять любое его пожелание, не затихала робко, если он сердился. Погруженная в себя, она стала холодновата с Колькой, и это тоже было странным и притягательным. Ему нравились такие женщины — с изюминкой, с загадкой.

После рождения сына Колька преисполнился детским восторгом перед женой, родившей ему такого отличного парня. И когда Наталья ухитрилась забеременеть вторым, еще кормя грудью Сережку, оба смеялись от радости. Тогда-то Наталья первый раз заметила, что муж смотрит на нее другими глазами, и не поверила себе. Но Николай и в самом деле пытался проявлять ласку и, кажется, побаивался, что не угодит жене.

Накануне вторых родов Наталья разделась догола, встала перед большим зеркалом, пристально оглядела себя — первый раз за весь прошедший год.

— Красавица, — протянула она, любуясь большим, как арбуз, животом. — Как есть, красавица. Ой, хороша ты, Наташа свет Алексеевна.

И пошла выплясывать как была, нагишом, придерживая живот, в котором возмущенно брыкался собиравшийся вот-вот родиться Сеня.

С тех пор Наталья рожала одного ребенка за другим. На четвертом над ними стали в селе подтрунивать — мол, Колька одних пацанов своей бабе делает, а сами, видать, стараются девчонку получить, все успокоиться не могут. Колька с женой не обращали внимания на смешки, понимая, что им попросту завидуют. Наталья рожала легко, быстро и с каждым ребенком по-прежнему хорошела. Николай трудился на работе и по дому и чувствовал себя счастливым в окружении детей и жены. Каждый из них получил то, что хотел, и после окончательного развала колхоза они, недолго посовещавшись, решили остаться в селе. Николай организовал на пару с приятелем небольшую лесопилку, и хотя доход она приносила небольшой, им хватало на жизнь. Мальчишки в семье Котиков росли здоровые, славные и все, как один — копия отца. Наталья баловала каждого, пока они были маленькими, но после пяти лет воспитывала в строгости. Была у нее удивительная способность — она чувствовала, когда ей врут, — и все ее сыновья с детства усваивали, что мать обманывать нельзя. Во-первых, нехорошо, а во-вторых, все равно бесполезно.

Закончив рассказывать о себе, Наталья Котик покачала головой, и улыбка постепенно исчезла с ее лица.

— Я все о себе рассказываю, а ведь тебе, поди, другое интересно.

— Мне все интересно. Что значит — другое?

Наталья помолчала немного, теребя скатерть, и Макара вдруг окатило предчувствие, что весь ее рассказ был только крошечной прелюдией к тому, что он сейчас узнает.

— Кому счастье она принесла, а кому и несчастье, — сказала она, помрачнев от воспоминаний. — Ты знаешь, что из-за нее человека убили?

— Человека убили... — повторил Илюшин очень медленно, не сводя с нее глаз. — Знаю. В Москве?

— Почему в Москве? Здесь. Только не у нас, нас-то бог миловал, а в соседнем селе. Эй, малый, ты что в лице-то поменялся?! Макар, плохо тебе?!

Она с испуганным лицом наклонилась над Илюшиным, сидевшим неподвижно.

— Спирту нашатырного сейчас принесу! — захлопотала она. — Господи, да что с тобой такое? Парень, сердце у тебя не болит? Скажи, сердце не болит?

— Не болит, — тихо ответил Илюшин, приходя в себя. — Почти прошло. Кого убили в соседнем селе? Кирилла Сковородова?

Наталья ахнула, опустилась на стул.

— А ты откуда знаешь? — недоверчивым шепотом произнесла она. — Ой, парень, не все ты мне рассказал... Убили его, да. Страшную смерть он принял, помилуй господи его душу.

Она перекрестилась, глядя на Илюшина большими глазами, из уголков которых разбегались морщинки.

— А все Мишка Левушин, проклятый! Господи, и как только рождаются такие люди! Он ведь мучил Кирилла, пытал! Всю ночь пытал, пока тот, несчастный, богу душу не отдал. А потом пришел ко мне и все кричал: не та, мол, русалка! Не та! Признавайся, куда ту дела!

Она всхлипнула, вытерла глаза ладонью.

— Пять лет прошло, а до сих пор забыть об этом никто не может — ни у нас, ни в Возничах.

Кириллу Сковородову пришлось вернуться в родное село, потому что вся налаженная жизнь сбилась и вошла в кривую колею.

Он принял, как данность, что русалка не может вернуть к жизни его братьев. Сначала Колька, потом Алешка... И ведь по глупости, по глупости! Колька ввязался в пьяную драку с собутыльниками, Алешка лихачил на мотоцикле и долихачился. Два дня, пока брат лежал в реанимации, Кирилл уговаривал русалку исполнить только это его желание, самое последнее — и все! Не исполнила. Не могла она никого возвратить к жизни, слишком маленькая была для этого, видно. А может, он сам из нее желания вычерпал, вот они и закончились. Потому что после смерти Лешки она и ему больше не помогала, о чем бы он ни просил.

А ведь тогда, когда он забрал ее из квартиры старика-еврейчика, желанница все делала, что он ни загадывал! Братья, конечно, смеялись над Кириллом, но он всегда знал, кто из них троих самый умный. Он-то их на все и подбил — без братьев ему было не справиться.

Кирилл словно заболел мечтой о русалке после того, как выпытал про нее у Пашки Буравина. Прошел по соседнему селу, со всеми поговорил, посмотрел из-за калитки на красивую бабу, про которую соседи болтали, что раньше не то коровой была, не то лягушкой. И вдруг — поверил! А то, что у Пашки ничего не получилось, так это потому, что его желание не всерьез загадано было, а так — покричать со злости.

В селе их держала только мать, а когда она умерла — сгорела за пять месяцев от опухоли, так и вовсе ничего не осталось. Жить здесь братья не хотели, ехать в город, начинать все с нуля — тоже. Вот тогда у Кирилла и оформилась окончательно мысль о том, как им зажить счастливо.

Как звали человека, приезжавшего в соседнее Кудряшово и забравшего русалку, никто не помнил. Отец Никифор из церкви, очень не любивший всех троих братьев, наотрез отказался разговаривать с ними о том, что за московский гость участвовал в реставрации, а на вранье Кирилла об увлечении историей церкви ехидно посоветовал ему обратиться в краеведческий музей области. Но младший Сковородов не зря считался самым умным. Краеведческий-то музей им и помог. Правда, в списке, который брезгливо сунула ему сотрудница музея, старая крашеная крыса, было семь фамилий, но Сковородова это не смутило.

Братьев он легко убедил тем, что они заживут хорошо, стоит только им пройтись по квартиркам этих хапуг, которые натащили себе икон из церквей. Колька с Алешкой и в самом деле радовались, продавая иконы скупщику и пересчитывая деньги, а вот Кирилл бесился с каждым разом все больше. Русалки не было! Кирилл гнал от себя мысль о том, что музейная крыса обманула его и что нужно было прижать отца Никифора к стенке, чтобы показал толстым пальцем на правильную фамилию из списка, или допытать старую дуру, у которой останавливался приезжий, как его звали... Не сделал, не позаботился! Надеялся, что все просто получится само собой! И вот четыре квартиры уже взяли, а того, что нужно Кириллу, для чего он все и затеял, не было.

А на пятой им повезло. Когда Кирилл увидел русалку на полке, среди похожих фигурок, то бросился к ней, а чернявого старикашку-еврея, сунувшегося к нему с криком, злобно ткнул ножом — не лезь, не покушайся на чужое! Загадал свои желания — теперь дай другим пожить в свое удовольствие. Старикашка всхлипнул и повалился, как подкошенный. Колька осуждающе покачал головой, но ничего не сказал — сам побаивался младшего брата.

Правда, когда выходили, судьба им еще одну свинью подбросила. Тетушка Пашки Буравина как вышла из-за угла с какой-то девчонкой, так и застыла на месте, а потом в улыбке расплылась: «Кирилл, Коля, здравствуйте!»

«Здравствуй, тетя Зина, чтоб тебе провалиться». Еще свидетелей им не хватало.

Сам бы Кирилл без лишнего шума прикончил и глупую бабу, и девчонку, но тут Колька помешал, и пришлось тетку Зину оставить в живых. Кирилл поначалу ругал его, а потом догадался: теперь у него русалка есть, можно только загадать, чтобы Буравина молчала, вот и все дела.

И ведь сбылось! Тетка Зина сбежала неизвестно куда, а не пошла в милицию писать заявление. Работу Кирилл нашел хорошую — водителем, а заодно и охранником у большого человека, директора рынка. Захотел себе бабу — и красивая баба с ним жила, пока не надоела и он ее не выгнал. Денег просил — валились деньги с неба, только по рынку пройди, дань собери с торговок. И когда он пару раз в неприятные ситуации попадал, выручала его русалка, отводила беду.

А потом как отрезало. Сначала он Кольку похоронил, потом Лешку... Директора рынка посадили в один момент, а рынок стали делить, да под шумок чуть самого Кирилла не пришили — кто-то вспомнил некстати, как он над чурками издевался. Деньги были, да все закончились, а новые с неба не сыпались. И русалка не помогла, не откликнулась. Тогда-то и подумал Кирилл, что желаний можно было загадывать не столько, сколько душе угодно, а не больше десяти. Или двадцати. Он не знал, потому что сам счет потерял своим желаниям — по любой просьбе обращался к русалке, чтобы уж наверняка исполнилась. От других ее берег, а от самого себя не догадался.

Из Москвы ему пришлось бежать, потому что нашли бы, не пощадили. Как жить дальше, он не знал, вот и вернулся в село. Их собственный дом был продан, и на последние оставшиеся от прежней хорошей жизни деньги Кирилл купил развалюху на окраине и стал потихоньку обживаться, приходить в себя после того, как лихо переменилась его жизнь.

Выпивать он начал не сразу, а на четвертый год — когда понял, что никуда отсюда не денется, потому что подвела его русалка, оставила один на один с его желаниями. Сама собой сложилась и подходящая компания, к которой иногда присоединялся Мишка Левушин из соседнего Кудряшова. Левушин медленно спивался, и Кирилл знал, что жена сбежала от него в город и вернулась спустя два года лишь затем, чтобы оформить развод — она собиралась снова выйти замуж. Теща умерла от сердечного приступа, а тестя забрала с собой теперь уже бывшая супруга. Мишка остался один, не считая собутыльников.

Когда люди стали разъезжаться из села кто куда, Левушин попытался пристроиться к односельчанину Кольке Котику на лесопилку, и хозяин поначалу даже решил попробовать его в деле. Но Мишка оказался никудышным работником, и от него быстро избавились. Тогда он запил окончательно, теперь уже до белой горячки, и в селе судачили, что жить ему осталось недолго.

Левушин опустился, распродал все из дома, ходил по поминкам и редким свадьбам в кургузом засаленном пиджачке и рассказывал о том, как хорошо жилось ему с тещей и какой светлой души была она человек. Хотя все знали, что Мишка с тещей жили как кошка с собакой, а помирились непонятно как за несколько лет до ее смерти. Незаметно он прибился к Сковородову и, если были силы, доходил до соседнего села, чтобы выпить с Кириллом.

В тот вечер, напившись, обычно молчаливый Кирилл вдруг разговорился. Они сидели вдвоем с Левушиным, и Кирилл не столько с ним разговаривал, сколько жаловался неизвестно кому на неудачную судьбу. Раскачиваясь, он перечислял все, что случилось с ним, и Мишка сидел, слушая и кивая, до тех пор, пока Сковородов не повторил в третий раз, что во всех его бедах виновата русалка.

— Если бы на нее не надеялся, а на себя, — с горечью рассказывал Кирилл, — глядишь, по-другому жизнь свою построил бы. Ну ничего, я еще отсюда уеду!

— Какая русалка? — неожиданно трезвым голосом спросил Левушин.

Кирилл, потерявший осторожность, махнул рукой и сказал, что есть у него одна особенная вещица, только ему больше пригодиться не может.

— Мне отдай, а? — вкрадчиво попросил Левушин. — Мне, может, она и пригодится...

В глазах его мелькнуло что-то странное, и это странное не понравилось Кириллу. Даже будучи пьяным, он почувствовал, что сказал лишнее, и попытался отшутиться. Но Мишка шутить не захотел.

— Отдай, Кирюша, — ласково уговаривал он, подходя к Сковородову. — Мы же с тобой друзья! Говоришь, много желаний она у тебя исполняла, да? Значит, и у меня могла бы...

Кирилл, кляня себя за болтливость, попробовал прогнать Левушина, но уговоров тот не слушал, а от табурета увернулся.

— Отдай... — просил он, быстро перемещаясь от стены к стене, зажимая мечущегося Сковородова в угол. — Ну отдай же!

Высокий, исхудавший, с заостренными чертами лица, он вдруг показался Кириллу таким жутким, что его оставила всякая способность к сопротивлению.

— Да забери! — выкрикнул он тонким голосом, закрывая лицо. — Забери!

— А где она у тебя, а? Скажи, где? Только не ври мне!

Тонкие холодные пальцы провели Сковородову по горлу, словно перерезая его, и Кирилл дернулся.

— Вот черт сумасшедший! Не трогай меня, понял? Там, в шкафу, твое сокровище...

Мишка преодолел пространство до шкафа молниеносно, так что Сковородову, сидящему на полу, на секунду показалось, что по комнате движется призрак. За окном сгустился вечер, и в тусклом свете единственной лампочки, свисавшей с потолка, все казалось нереальным.

Кирилл видел, как Мишка, стоя к нему спиной, открыл дверцу шкафа, взял с полки русалку и застыл. А потом засмеялся негромким смехом, пронзительным, как писк комара, и от его смеха Кириллу стало совсем не по себе.

— Вот, значит, что такое... — не переставая смеяться, сказал Левушин.

А затем повернулся к Кириллу.

Лицо у Мишки было такое, что Сковородов быстро пополз вдоль стены, ощущая, что ноги у него дрожат и встать он не сможет. Левушин, посмеиваясь, пошел за ним, размахивая русалкой.

— Обмануть меня хотел... — прошептал он, остановившись над Кириллом, забившимся в угол. — Подсунул мне куклу. Думал, я все мозги пропил? Где русалка?

— У тебя она, дурак! — крикнул Кирилл, не понимая, что происходит. — В руке ты ее держишь.

— В руке-е? Это, что ли?

Мишка взмахнул фигуркой, и в глазах его заплескалось безумие.

— Разве я что-то держу? Нет, ничего у меня нету. Нету, нету... Была, да пропала. А ты меня обмануть хотел, дурачок. Нет, не обманешь.

Он повернулся и взял со стола тупой кухонный нож, которым они резали хлеб. К лезвию присохли крошки, и Кирилл застрял на них взглядом, не в силах отвести его. Дикая мысль о том, что нужно попросить Левушина стряхнуть крошки, пришла ему в голову, а в следующую секунду Мишка отбросил русалку в сторону и резанул Кирилла ножом по лицу.

— Тело его только на следующий день нашли, — закончила Наталья Котик. — Милиция приезжала, много людей было. Шутка ли — его всего изрезали! Потом кто-то сказал, что он до утра не умирал, а Мишка над ним все глумился. Окна закрыл ставнями, дверь запер и творил расправу. Страдалец тот, Сковородов, может, и кричал, да только дом стоит на отшибе, и Левушин ему, видно, рот затыкал. Соседка потом сказала, что крови было — по всем комнатам. Не смогли отмыть, и покупателя на дом не нашлось. Так и стоял он, пока весь не обветшал и не развалился.

Она отпила воды, провела рукой по лицу.

— Если б я все это знала, когда Мишка утром ко мне пришел, не остаться бы мне живой.

— К вам?!

— Ко мне, Макар, ко мне. Я на огороде работала, а Колька мой был дома. Ты думаешь, шрам-то мой откуда? От него, Левушина, ирода.

Утром, увидев покачивающуюся тощую фигуру, Наталья не удивилась — Мишка часто побирался по соседям. Она хотела сказать, что и рубля алкоголику не даст, но Левушин опередил ее.

— Расскажи мне, Натальюшка, про русалку, которую я тебе подарил, — ласковым голосом попросил он, и Наталья отчего-то не осмелилась его прогнать. — Кому ты ее отдала? Или себе оставила?

Наталья честно сказала, что русалки у нее нет, но Левушин ей не поверил.

— Отдай! — слезно попросил Мишка, дергаными движениями вытирая руки о рубашку, всю в каких-то темных пятнах. — Что тебе, жалко? Я же вижу, ты получила все, что хотела.

Сама не зная, зачем, Наталья спросила, откуда у Левушина взялась фигурка, и Мишка рассказал ей все, что знал.

— Не принесет она тебе добра! — начал пугать он. — Помнишь, что с Хохловым случилось? Утопился он, вот как! Беду принесет тебе русалка, точно говорю. Отдай, а? Отдай, Наталья!

— Отдала бы, — сказала она, глядя на него с жалостью и брезгливостью. — Только я ведь ее, Миш, и правда подарила.

— Кому?!

От его крика Наталья испугалась и поспешила ответить:

— Марье Авдотьевне отдала, соседке.

Мишка нахмурился, припоминая.

— Какой Авдотьевне? Которую пять лет, как похоронили?

Наталья кивнула.

— А русалку... — прошептал Мишка, наступая на нее, — русалку она где спрятаа?

— Она мне рассказывала, что отдала ее, а кому — не помню. Ей-богу, Миш, не помню. Ступай своей дорогой, забудь ты про свою игрушку.

— Игрушку?! Игрушку?!

Левушин вмиг пришел в дикую ярость.

— Ты, значит, поигралась игрушкой, получила что хотела, а Левушину — шиш? Отдала, стерва! Я — тебе, а ты — подарила!

Он заверещал что-то совсем невнятное, брызжа слюной ей в лицо, и перепуганная Наталья слишком поздно поняла, какую ошибку она совершила. Вытащив из кармана нож, покрытый темными разводами, Мишка бросился на нее, размахивая лезвием перед лицом Натальи.

— Ты!.. — запыхавшись, выкрикивал он, и из его рта разило перегаром. — Я тебе подарок сделал царский, а ты Левушина без жизни оставила! Выпила жизнь мою, кровушку мою! За мой счет пировала, подлая! Все обманули Левушина, все!

Он понес что-то совсем невразумительное, и Наталья, выйдя из ступора, завизжала по весь голос. В следующую секунду Мишка, изловчившись, дотянулся до ее лица ножом и распорол ей щеку.

— Убил бы он меня точно, — рассказывала Наталья Илюшину, трогая шрам, — если бы Колька мой не выскочил из дома. Пока он до огорода добежал, Мишка успел сбежать в лес, а там ищи-свищи его, алкаша ненормального! Я так Коле своему и сказала: радоваться, мол, надо, что не убил он меня. Потому что как вспомню его глаза бешеные, так в дрожь меня бросает. Сколько лет прошло, а до сих пор страшно: снится иной раз, что вернулся он и хочет меня зарезать. А когда тело Сковородова нашли и мне все рассказали, я чуть сознание не потеряла. Поняла, какой судьбы избежала.

— А что потом с Левушиным стало? — спросил Макар.

— Нашли его возле Марьиного омута через двое суток. Он как собака бешеная, что напиться не может, возле воды лежал. Я сама его не видела, а Колька мой говорил, что лицо у него было дикое, страшное. От белой горячки умер, не иначе.

— Наталья Алексеевна, а вы сами-то знаете, кому ваша соседка продала русалку?

— Знаю, — призналась она. — Я Мишке говорить не стала, почуяла неладно и соврала, что не помню. На самом деле помню. Он ко мне приходил, владелец-то новый. Во всех подробностях меня расспрашивал — ну прямо как ты. Подожди-ка... постой, так ведь он и с Мишкой разговаривал! — Она взглянула на Макара расширившимися глазами. — Точно! Все выспрашивал меня, как до его дома дойти, а потом мне Левушин говорил, что с важным человеком встречался, рассказывал ему про Кольку Хохлова и про себя. Ой, батюшки, как же я сразу-то не вспомнила! Вот с тобой разговорилась, оно само в голове и всплыло... Получается, Левушин зря ко мне приходил? Он ведь знал, кому русалка-то досталась! Как же так... Зачем же он меня ножом резал?

В голосе ее прозвучала детская обида.

— Хотел проверить, не врали ли вы ему, — сказал Макар. — Была у него идея-фикс, он на ней и свихнулся окончательно. Говорите, и к нему тот коллекционер ходил?...

— Московский-то? Точно, приходил! Надо же, голова у меня дырявая — мы ведь с Колькой сразу и не подумали, что незачем Левушину было меня выспрашивать.

Наталья Алексеевна все никак не могла успокоиться и приговаривала, зачем же Мишка ее ножом резал, если все знал.

— А вы рассказывали мужу о русалке? — поинтересовался Илюшин.

— Раньше-то нет, а после того, как Левушин на меня напал, рассказала. Я, признаться, не особенно ее вспоминала. Сама не знаю, почему. Сейчас-то я думаю, может, русалка и ни при чем была... Просто так жизнь моя легла, прямой дорогой.

Она улыбнулась, погладила рыжую кошку, вспрыгнувшую ей на колени. От улыбки шрам глубже прорезал кожу, вырастая из ямочки на щеке.

Два часа спустя Илюшин стоял на кладбище, до которого его довез муж Натальи Котик, возле простого металлического креста с датами жизни и смерти Кирилла Степановича Сковородова. «Страшную смерть он принял, помилуй господи его душу», — всплыл в его памяти голос Натальи Котик.

— Хорошо, что она не мучилась, а умерла быстро, — сказал Илюшин над могилой человека, убившего Алису Мельникову. — И хорошо, что ты мучился, а не умер быстро. Ты, наверное, даже не понял, какую шутку с тобой сыграли.

Он обошел крест, вышел на тропинку и направился, не оглядываясь, к машине, в которой его ждал бородатый муж Натальи. «Со своим прошлым я разобрался, теперь хочу разобраться с настоящим. Если не Сковородов убил Вотчина и не Ашотян, то кто это сделал? Кому еще так нужна была русалка, что он готов был из-за нее убивать?»

Глава 15

Обдумав со всех сторон поставленную перед ним задачу, Бабкин составил план. В этом плане было всего два пункта, потому что операторов сотовых компаний, обслуживающих телефоны фирмы «Эврика», тоже было только два.

— А разве менеджерам не запрещено давать информацию о звонках их клиентов? — удивилась Маша, когда муж поделился с ней своими намерениями.

— Запрещено, конечно же. Это совершенно противозаконно.

— Как же ты тогда...

— Через черный ход, — лаконично объяснил Бабкин, прицеливаясь, какую компанию выбрать первой. — И с помощью мзды.

Замысел Сергея был очень прост и состоял в том, чтобы выйти на начальника службы безопасности каждой из компаний и, заплатив ему некоторую сумму, купить распечатки телефонных переговоров всех сотрудников «Эврики» за последние два месяца, а кроме них и всех сотрудников фирмы, выигравшей тендер, — «Фортуны».

— Сорок с лишним человек в «Фортуне», — вслух подумал Сергей. — Не так уж много.

— По-моему, у тебя тяжелое умственное заболевание, — фыркнула Маша. — Называется эйфория Илюшина. Неужели ты думаешь, что стоит тебе прийти с конвертом к незнакомому человеку, как он тут же нарушит ради тебя должностную инструкцию? Ничего он тебе не продаст!

— При некоторой доле сопутствующей мне удачи — продаст. Даже не задумается. Поверь мне на слово, Машка, — в этой стране все продается гораздо проще, чем тебе кажется. А особенно легко продается секретная информация, которая вообще не должна продаваться.

Однако вскоре выяснилось, что удача в тот день почти целиком досталась Макару.

Начальник службы безопасности первой компании, на которого через знакомых вышел Бабкин, наотрез отказался с ним разговаривать.

— Я вторую неделю работаю, — сказал он, — из-за тебя вылетать с работы не собираюсь.

Он хотел прибавить, что предлагает визитеру проваливать на все четыре стороны, пока того не выкинули с лестницы, но оценил габариты гостя и решил, что благоразумнее будет промолчать. «Черт его знает — то ли подсадная утка, то ли нет... Обидно, конечно, от дармовых денег отказываться, только лучше уж мне перестраховаться».

Сергей посмотрел на хмурую небритую физиономию начальника, на которой отражались все его внутренние метания, мысленно плюнул и поехал во вторую фирму с самыми мрачными предчувствиями.

Однако здесь ему повезло. Безопасник, оказавшийся его ровесником, с шутками и прибаутками выдал Бабкину желаемое через полтора часа. Сергей быстро просмотрел листы распечаток, убедился, что получил то, что и требовалось, и покинул офис компании, оставив довольному балагуру конверт с купюрами и пакет с коньяком и закуской.

Водоворот чужих желаний

Вернувшись домой, Сергей методично начал проверять каждого из работавших в «Эврике». Вторым оператором пользовались семь человек, и Бабкин надеялся, что один из этих семи и окажется «кротом». Однако проверить необходимо было всех, и он продумывал, как же получить распечатки в обход первого начальника службы безопасности, у которого трусость преобладала над жадностью. Получалось, что никак. Обращаться с такой ерундой к бывшим коллегам Сергею не хотелось, но он понимал, что другого выхода скорее всего не останется.

Через пятнадцать минут после начала сверки он зашел в комнату, где работала Маша, и торжествующе помахал у нее перед носом листами.

— Что? — спросила она, устало потирая глаза. — У меня сценарий никак не пишется, а теперь еще и ты пришел мне мешать?

— Капитошин с Викуловой пока вне подозрений. Скажу честно, меня это радует.

— Здорово. Хотя, знаешь, я и не сомневалась, что никто из них не станет продавать информацию на сторону. Подожди, а ты уверен?

— Нет, не уверен. Я только начал проверять. Но пока в списке их звонков за последнее два месяца нет сотрудников «Фортуны». К счастью, почти все их сотрудники пользуются второй компанией, а не той, где трусливый безопасник.

— Не трусливый, а честный, — уныло поправила Маша. — У меня как раз сценарий о честности. Вторую неделю не могу его дописать, а редактор требует. Я уже пять других придумала и записала, а этот никак не идет.

— Нет в нем ничего честного. В смысле в мужике, а не в сценарии. Будь он стопроцентно уверен, что я не подослан его начальством для проверки, он бы продал мне сведения, не задумываясь. Напиши об этом в своем сценарии, и получится у тебя якобы про честность, а на самом деле совсем наоборот.

Маша задумалась на секунду, и лицо ее просветлело.

— Сережа, точно! Если я напишу, что ежик был честным только из страха попасться, то это будет соответствовать требованиям редактора! А слащавости я избегу. Выведу правильную мораль, и…

Она быстро забарабанила по клавишам, не обращая внимания на мужа.

— Мавр сделал свое дело, мавр может уходить, — буркнул тот. — Пойду проверять остальных.

. . . .

Всю последнюю неделю Катя чувствовала себя не в своей тарелке. Когда на нее обрушились события, связанные с побегом из дома, она понимала одно: нужно где-то переждать, пока все придет в норму, а там видно будет . И вот она переждала. Вся семья Ашотянов находилась под следствием, и Катя без малейших угрызений совести собиралась подать на развод. С одной стороны, все утряслось, и она была счастлива от этого. «Закончилось. Все закончилось», — напоминала себе Катя по утрам, глядя в зеркало, и даже зажмуривалась от недоверия. Неужели она никогда больше не вернется в ту страшную квартиру? «Нет, — отвечал внутренний голос. — Не вернешься. Успокойся, все прошло».

С другой стороны, пришло время, когда «видно будет», и Катя оказалась в растерянности. Ничего не было видно. Она не знала, что делать дальше, и никто не мог ей подсказать. И Андрей в последнее время вел себя как-то странно. Он по-прежнему подшучивал над ней, смеялся, но за его шутками и смехом Катя чувствовала напряжение, и это ее пугало.

Он ничего не предлагал, а она ничего не просила, и ее положение стало неопределенным и оттого глупым. Кто она для него? Что он думает об их отношениях? Проще всего было спросить у него, но Катя боялась ответа и трусливо пережидала очередной день, мысленно вздрагивая, когда ей казалось, что Капитошин собирается завести серьезный разговор. Но он не заводил. Они вообще не говорили ни о чем серьезном с тех пор, как она отдала русалку Макару, — только спали вместе, завтракали, перебрасываясь пустыми фразами, работали, не видя друг друга, и возвращались домой. Ночью Катя снова становилась счастливей — до тех пор, пока Андрей не засыпал, отодвинувшись от нее.

«Он меня приютил на время, а теперь не знает, как избавиться», — чуть не плача, ныл Щенячий голос.

«Ну да, — соглашался Циничный. — Поматросил и собирается бросить. Но как порядочный человек испытывает угрызения совести».

Катя затыкала оба голоса, но сама не могла не замечать, что отношение Андрея к ней изменилось. Он стал сдержаннее, и пару раз она ловила себя на том, что боится подойти к нему вечером, чтобы обнять. Ей было страшно, что он поморщится, или отшутится, или честно скажет, что ему не хочется, чтобы она его обнимала. «Мне нужно поговорить с ним», — внушала она себе, но не могла начать разговор.

«Может быть, он хочет, чтобы я съехала? Может, он привык жить один?» — Катя задавала себе бесчисленные вопросы, ни на один не могла ответить, и сама придумывала очередную мелочь, портившую ей настроение на целый день.

Катя разложила по ящикам документы, выключила компьютер. Был конец рабочего дня, и большинство сотрудников уже разошлось. Расходились не маленькими компаниями, как раньше, а поодиночке. С тех пор как они проиграли тендер, все словно чего-то ждали, и ожидание было напряженным.

Ее вывел из раздумий голос Андрея.

— Катюха, ты готова?

Она кивнула, не глядя на него. Капитошин задержался на секунду возле ее стола, собираясь что-то сказать, но передумал.

— Жду тебя в машине, — суховато бросил он.

По дороге домой оба молчали, и Катя все отчетливей ощущала, что между ними стоит что-то невидимое, тяжелое, мешающее им обоим относиться друг к другу, как прежде.

«Он не знает, как сказать мне, чтобы я уехала».

«Он устал от наших отношений».

Они поднялись в квартиру, и Капитошин пошел на кухню, а Катя встала перед темным окном, на которое они так и не купили шторы.

«Тебе надо собирать вещи и уезжать, — трезво сказал Циничный. — Что ты хочешь выяснить? А главное — ты уверена, что хочешь что-то выяснять?»

«А вдруг... А если... — заныл Щенячий. — Нет, надо остаться! И вообще, нам некуда ехать!»

В комнату вошел Андрей, остановился в дверях.

— Над чем задумалась? — безразлично спросил он.

Не слушая ни Циничного, ни Щенячьего, Катя обернулась к нему, помедлила чуть-чуть, собираясь с духом, и неожиданно для самой себя сказала:

— Над тем, что мне нужно собрать вещи. Я уезжаю, Андрей.

. . . .

Сергей отложил листы в сторону и запрокинул голову, так что хрустнули позвонки. Поводив подбородком вправо-влево, он снова потянулся за распечаткой. Он сверял каждого из сотрудников «Эврики», смотрел все его звонки за последние месяцы, но пока ни один номер не совпал с имеющимися у него номерами «Фортуны».

Бабкин понимал, что ловит призрачную удачу за хвост, и вовсе не обязательно, что поймает ее. «Крот» мог быть из другого списка — точно так же, как и тот сотрудник «Фортуны», с которым он связывался. Он мог звонить с другого телефона. «Фортуна» могла выйти на «крота» через третье лицо, и тогда предстоит искать его, а это удлинит время поиска и усложнит работу на порядок.

Передохнув от мельтешащих в глазах цифр, Сергей взял очередной лист и сразу выхватил глазами знакомый номер. Он ему уже встречался. Просмотрев список работников «Фортуны», Бабкин выяснил, что номер принадлежит личному водителю генерального директора. Он снова покрутил шеей, недобро улыбнулся и выписал на бумагу имя человека, созванивавшегося с водителем генерального директора регулярно на протяжении последних полутора месяцев.

«Снежана Кочетова».

Бабкин отложил списки и набрал номер Илюшина.

— Привет, — сказал он. — Как я и говорил, даже при отсутствии везения кропотливая работа все равно даст результаты. Похоже, я только что нашел нашего «крота».

. . . .

— Почему? — спокойно спросил Андрей. — В принципе, я ждал такого ответа. Только объясни, пожалуйста, почему.

Катя обернулась, со страданием посмотрела на него. Он снял очки и вертел их в руках, держа за тонкие поблескивающие дужки.

— Потому что мне тяжело, — тихо сказала она. — Мне стыдно.

— Перед твоим мужем?

— Перед самой собой. Мне нужно, чтобы все это закончилось, и тогда я смогу...

Она не сказала «вернуться к тебе», так как вдруг поняла, что не знает: хочет Капитошин ее возвращения или нет. Он молчал, стоя возле двери, и по его лицу невозможно было понять, о чем он думает.

— Совесть тебя замучила, — протянул он в конце концов. — Я, конечно, предполагал, что этим закончится...

— А я не хочу, чтобы этим заканчивалось, — не сдержалась Катя. — Не хочу, понимаешь?!

Андрей не сделал попытки подойти к ней, не сказал ничего утешительного, не пообещал, что ничего не закончится, как втайне надеялась Катя... Вместо этого он просто спросил:

— А чего ты хочешь?

«Хочу остаться с тобой и быть счастливой», — хотела сказать Катя, но это была неправда. Все то время, что она была с Капитошиным, ее терзала мысль о том, что она поступает нехорошо, и от этой мысли все счастье куда-то пропадало. «Хочу уйти от тебя», — но и это тоже было неправдой. «Хочу, чтобы кто-то взял на себя ответственность за то решение, которое я приму».

«Вот! — шепнул кто-то из ее голосов. — Наконец-то ты сказала правду».

— Я хочу пожить отдельно, пока идет следствие. Артуру нужна будет моя помощь... я не знаю... передачи, посылки... как это все называется? А потом, когда все закончится и я разведусь с ним, вот тогда... — Она запнулась и скомканно закончила: — Тогда не знаю. Посмотрим.

Капитошин по-прежнему молчал, и она попросила:

— Скажи что-нибудь. Пожалуйста.

Он усмехнулся.

— Надеюсь, ты начнешь реализовывать свою программу с завтрашнего утра, а не с сегодняшнего вечера? Кстати, если не секрет, где ты собираешься жить?

— Найду комнату. Сниму в общежитии. Что-нибудь придумаю.

Капитошин сделал неопределенный жест рукой, изображавший согласие, вышел из комнаты и зашумел тарелками на кухне. Катя постояла еще немного, чувствуя, как ее охватывает серая тоска, и пошла за ним.

— Ты мог бы сказать, что подождешь меня, — остановившись на пороге, произнесла она. — Или сказать, что не будешь ждать. Ты мог бы сказать хоть что-нибудь, чтобы я поняла, как ты к этому относишься.

— Ты не уходишь в армию, кажется, чтобы я обещал тебя ждать, — бросил Андрей. — И тем более не на войну.

Катя молча кивнула. Конечно. Не в армию. И тем более не на войну. Глупо было и спрашивать.

— Пойду соберу вещи, — тихо сказала она.

Голос Капитошина догнал ее, когда она уже была в коридоре.

— Я тебя подожду, разумеется, — буднично проговорил он ей вслед. — Глупо было и спрашивать.

Утром они с Андреем опоздали на работу, и потому Катя вбежала в офис, предчувствуя очередной скандал с Шалимовой. Но вместо злорадно поджидающей ее Аллы Прохоровны увидела возле своего стола Снежану. Глаза у той были красными и опухшими, а губную помаду она съела, что означало для Кочетовой крайнюю степень волнения.

— Привет, Снежан. Что случилось?

— Мне надо с тобой поговорить. Срочно! — выпалила та и потянула Катю за собой в привычное убежище — в женский туалет.

Пятнадцать минут спустя Катя вышла из туалета, оставив захлебывающуюся рыданиями Снежану, которая никак не хотела успокаиваться. «Мне надо прореветься, — всхлипывала она. — Катька, ты иди, а я еще пореву».

— Валерьянки тебе надо, — озабоченно сказала Катя, прибавив про себя «дурында». — Сиди здесь, я принесу.

История, рассказанная Кочетовой, оказалась довольно банальной. Снежана влюбилась «не в того человека».

— Мы с ним раньше встречались, — рассказывала она Кате, разглядывающей фотографию низкорослого мрачного парня с некрасивым лицом. — В девятом классе. Знаешь, он и тогда был хулиган, но я от него с ума сходила! Не смейся, правда, сходила! У него руки такие мускулистые, и вообще он был красавец.

Катя чуть не ляпнула, что с тех пор объект страсти Снежаны сильно изменился, но благоразумно прикусила язык.

— А потом я переехала с родителями в Москву и больше его не видела. Пока не залезла на этот несчастный сайт!

Тут Снежана снова разрыдалась, и Кате пришлось выпытывать у нее, о каком сайте идет речь. Кочетова объяснила, что в Интернете есть несколько сообществ, организованных для того, чтобы люди могли найти бывших одноклассников или одногрупников.

— Что меня дернуло там зарегистрироваться и фотографию выложить! Жила бы себе спокойно, ничего не знала о Пашке... Ы-ы-ы!

С трудом прервав поток ее слез, Катя заставила Кочетову рассказать, что случилось после.

А после все было весьма банально. Красавец Пашка, найдя свою бывшую одноклассницу, написал ей письмо, в котором сообщил, что он теперь тоже проживает в столице. Предложил Снежане встретиться, небрежно намекнув, что он не последний человек в городе Москве. Снежана согласилась больше из любопытства, чем из желания повидаться с забытым приятелем. Но когда увидела Пашку...

— Он совершенно не изменился! — восхищенно говорила Кочетова. — Такой же красавец, какой и был. И знаешь, Катька, у него такие мужественные повадки! Вот как взглянешь на него, так сразу чувствуется, что он кому угодно может набить морду! В общем, настоящим мужиком стал.

Дальше Катя узнала, что настоящий мужик устроился работать водителем к директору небольшой фирмы. Он водил Снежану по злачным местам, рассказывал о трудностях своей профессии, и на второй встрече девушка поняла, что влюбилась в него окончательно. В ее глазах он остался тем самым хулиганом, который распевал под гитару похабные песни на заднем дворе школы и имел пять приводов в милицию за драки. Она была бы счастлива, но Паша заявил, что их любовь в прошлом и со Снежаной его теперь могут связывать исключительно общие воспоминания.

— Ты у нас девочка мажорная, — объяснил бывший одноклассник, он же самая большая любовь ее жизни, — у тебя запросы высокие. А я — человек рабочий, на цырлах вокруг тебя ходить не собираюсь. Знаю я, чем наши отношения закончатся: тебе сначала одну бирюльку захочется, потом другую, потом на Мальдивы поехать... Что я, не вижу по тебе, что ли? А я, Снежка, в такие игры не играю.

Снежана приложила все усилия, чтобы донести до Паши, что она вовсе не та гламурная расчетливая девица, какой он себе ее представляет. Паша скептически качал головой в ответ на ее уверения в бескорыстности и в конце концов предложил Кочетовой доказать ее намерения не словом, а делом. Снежана обрадованно согласилась и все последнее время доказывала своему Паше, что ее интересует только его незаурядная личность, а вовсе не те материальные блага, которые он может ей предоставить.

«Скудные, — добавила про себя Катя, невольно восхищаясь неизвестным ей Пашей, сумевшим так хитро повернуть дело. — Значит, не он должен доказывать Снежане свою состоятельность, а она ему! Надо же, какой орел!»

— Вдруг он меня больше никогда не полюбит? — закончила Кочетова трагическую историю, утирая глаза бумажным платком и размазывая тушь еще больше. — Он ищет совсем другую женщину, не такую, как я! Паша говорит, как только я его упрекну за то, что он водитель, так тут же и конец нашим отношениям! А разве я могу его упрекнуть?! Как он не понимает! Ы-ы-ы!

Катя уже собиралась сказать Снежане, что ее Паша никогда не бросит такую красавицу, но тут Кочетова прибавила еще кое-что:

— Кстати, он работает водителем у директора «Фортуны». Ну, той фирмы, которая выиграла у нас тендер. Я только недавно об этом узнала. Но это ведь неважно, правда?

Катя открыла рот, но тут же закрыла.

— Водителем директора «Фортуны?» — недоверчиво переспросила она. — Снежана, ты что! Это очень важно! Ты понимаешь, что если об этом узнают, то тебя обвинят в том, что именно ты продала информацию?

Снежана снова всхлипнула и подняла на Катю заплаканные голубые глаза.

— Но я не продавала! И Пашенька ни о чем меня не спрашивал! Честное слово!

— Иди и расскажи обо всем Кошелеву, — решительно сказала Катя. — Я тебе сейчас принесу валерьянки, ты немного успокоишься и пойдешь к Игорю Сергеевичу. И нечего на меня так смотреть!

Она пошла к двери, и вслед ей безнадежный голос снова вопросил:

— А вдруг он меня не любит?

Циничный сплюнул, более деликатный Щенячий фыркнул.

— Любит, любит, — не оборачиваясь, заверила Катя. — Даже не сомневайся.

«Издеваешься над Кочетовой, да? — язвительно спросил Циничный, когда она вышла из туалета. — А кто не так давно страдал: ой, что же сделает Андрей: плюнет, поцелует, к сердцу прижмет, к черту пошлет? А? Вот то-то же».

— Викулова, почему вас опять нет на рабочем месте? — резкий голос Шалимовой заставил Катю остановиться. «Неужели она следит за мной?»

Катя обернулась к Алле Прохоровне. Черная блузка с воротником-стойкой под горлышко, длинная черная юбка — Шалимова не выходила из образа.

— Интересно, зачем бы вам понадобилась русалка?

— Что? — поразилась Алла Прохоровна, и Катя слишком поздно сообразила, что, задумавшись, произнесла свой вопрос вслух.

Она собралась извиниться, но Шалимова резко замотала головой, словно лошадь, и быстро прошла мимо Кати, выпятив вперед тяжелый подбородок. Девушка смотрела ей вслед, и нехорошая догадка вертелась у нее в голове.

— Валерьянка, — напомнила она себе. — Сначала — валерьянка, затем — все остальное.

Что «остальное», она не знала, но готова была ручаться, что пять секунд назад первый раз увидела испуг в глазах Аллы Прохоровны Шалимовой.

Сергей Бабкин выложил на стол перед Игорем Кошелевым распечатку, из которой следовало, что юрист компании Снежана Кочетова неоднократно созванивалась с личным водителем директора «Фортуны». По договоренности с госпожой Гольц все отчеты по поиску «крота» они с Илюшиным должны были предоставлять директору «Эврики».

— Разумеется, я не знаю содержания их разговоров, — сообщил Сергей. — Мне нужно было посоветоваться с вами, чтобы решить: либо вы сами беседуете с Кочетовой и пытаетесь вывести ее на чистую воду, либо это делаю я, либо мне нужно работать дальше и искать более весомые доказательства.

— Кочетова утром поговорила со мной и призналась, что тесно общается с этим... с водителем. Она утверждает, что у них исключительно личные отношения. Они бывшие одноклассники.

— Почему вы не сообщили мне эту информацию?

— Потому что вы позвонили первым. Кочетова вышла из моего кабинета десять минут назад. Если хотите, можете побеседовать с ней, но я не вижу в этом большой необходимости.

— Вы так уверены, что она говорит правду?

— Нельзя быть на сто процентов уверенным в бабе, тем более в такой, как наша Снежана, — буркнул Кошелев, насупившись. — У нее в голове не пойми что, дребедень какая-то. Но девчонка-то она хорошая, честная, хоть и глуповатая.

— Это серьезный аргумент в ее пользу, — съехидничал Бабкин и поймал себя на том, что подражает Илюшину. — Игорь Сергеевич, давайте говорить по делу. Я могу оперировать только фактами, а «честная девчонка» — это не факт, а лишь ваша оценка. Она может быть верной и ошибочной, но основываться только на ней я не могу. Если вы хотите, я прекращу работать по девушке и стану искать другую кандидатуру. Но в таком случае я могу ее и не найти.

— Пытаетесь переложить ответственность на меня? — прищурился Игорь Сергеевич, которому не слишком нравился этот самоуверенный мужик под два метра ростом.

— Кто принимает решения, тот и несет за них ответственность. Я бы не удовлетворился трогательным рассказом Кочетовой и проверил ее досконально.

— Каким образом?

— Для начала — в разговоре.

— То есть вы бы попытались ее... как это говорится на вашем сленге... расколоть, да? Правильно я понимаю?

— Я не следователь, а Кочетова — не подозреваемая, — отрезал Бабкин. — И никакого «нашего» сленга у меня нет.

— Снежана — не тот человек, которого вы ищете!

— Мы ищем, — Бабкин подчеркнул слово «мы». — Значит, вы не хотите, чтобы я проверял ее дальше?

— Я считаю это пустой тратой времени.

Кошелев сам понимал, что зря завелся, но отступать ему не хотелось. Для него это было равносильно признанию в поражении.

— Хорошо, — согласился Бабкин. — Пустая так пустая. Я сообщу вам, когда будут новости.

«Если будут, — мрачно поправил он сам себя, выйдя из кабинета. — Черт возьми, что за упертый мужик! Теперь нужно проверять всех остальных, хотя, возможно, именно это пустая трата времени. И не исключено, что в конце концов мы вернемся к той самой Кочетовой. Опять-таки, никто не отменял вопроса, как это сделать. Снова сунуться к начальнику службы безопасности? Бесполезно, да и опасно. Пойти к моим бывшим коллегам на поклон? До чего ж не хочется их по такой ерунде дергать... И так каждый раз к ним обращаемся, пора в штат включать всех, с кем я в одном отделе работал. Эх, дернула меня неладная взяться за это дело. Один геморрой от него получим и никакого удовлетворения. И, черт возьми, что там с Илюшиным?»

Второй день не могу до него дозвониться, впору самому в это село ехать».

Илюшин лежал на старом диванчике в комнате, выделенной для него свекровью Натальи Котик, и чертил на альбомном листе схему. Точнее было бы назвать каракули Макара не схемой, а рисунком, но сам он любил говорить, что это схема.

В середине листа на ветвях дуба, изображенного Илюшиным, сидела русалка, а снизу на нее смотрел кот. У кота на морде имелись модные очки, точь-в-точь такие же, как у пижона Капитошина. Из-за кота выглядывала кривая физиономия с кустами на голове.

В понятном лишь ему порядке Макар выстраивал на листе бумаги корявые, не похожие ни на что фигурки, пририсовывал им штаны или юбочки, проводил между ними стрелки, быстро чертил какие-то значки, напоминающие пляшущих человечков. Три домика и шесть колобков рядом с ними символизировали для Илюшина семью Натальи Котик, но если бы кто-то спросил его, почему он рисует колобков, а не детей, Макар не смог бы ответить. Фирму «Эврика» можно было опознать, потому что Илюшин изобразил, как умел, компьютер на четверть листа, внутри монитора сидели те же разнообразные человечки, отличавшиеся друг от друга выражением лиц и странной одеждой. Он целенаправленно старался не анализировать свои ощущения и рисовал, полагаясь только на фантазию и интуицию, зная, что в конце концов у него в голове начнет складывать картинка, включающая только необходимые элементы.

«Оперативники должны были исходить из того, что Вотчин открыл дверь знакомому человеку. Викулова рассказывала об осторожности коллекционера, и наверняка могли были найтись другие свидетели, подтверждавшие это. Разумно: если в твоей квартире хранится коллекция, которая тебе дорога, ты не будешь открывать дверь на любой звонок».

Макар не обольщался на собственный счет и не сомневался, что оперативная группа поднимет все связи Вотчина гораздо быстрее, чем это сможет сделать он сам. Однако убийца до сих пор не найден.

— Предлагаю копать с другой стороны, — сказал Илюшин русалке, которой он нарисовал разные глаза: один большой, другой маленький. — Знакомых исследуют и без нас. Но почему бы не предположить, что он открыл дверь незнакомому человеку? Или тому, которого он когда-то знал, но забыл.

Макар взял телефон, убедился, что в доме нет сигнала, и выскочил на улицу, приплясывая от холода и выдыхая пар в трубку. Сперва он набрал номер Кати, чтобы исключить ошибку.

— Катерина, здравствуйте, — быстро проговорил он, ощущая, как леденеют руки и уши. — Скажите, вы рассказывали следователю о том, что ваши коллеги в курсе истории с русалкой?

— Нет, — чуть растерянно ответила Катя, не сразу узнав Макара по голосу. — Я… я решила, что это неважно. Я об этом совсем забыла.

— Отлично, спасибо.

Не думая больше о Викуловой, которая только подтвердила то, о чем он и без нее догадывался, Макар напряженно вслушивался в гудки, мысленно упрашивая Бабкина побыстрее достать телефон, потому что чертовски холодно.

— Серега? У меня мало времени, записывай быстрее…

— Илюшин? — прервал его Бабкин. — Мать твою, Макар, ты где?! До тебя не дозвониться! Что с тобой? Что ты выяснил?

— Я все выяснил, — спокойно ответил Макар, перестав прыгать на месте. — Сковородов мертв, убит.

По мертвому молчанию напарника он понял, что подумал Сергей, и торопливо добавил:

— Его убили шесть лет назад. Подробности расскажу, когда приеду.

— Шесть лет? — недоверчиво переспросил Сергей, и вдруг в трубке что-то изменилось, и его стало слышно очень хорошо, словно он стоял рядом. — Шесть лет? Макар, Сковородов мертв?

— Да. Все они мертвы, как ты правильно сказал, мой философски настроенный друг. Думаю, что эта история закончилась.

Бабкин глубоко вдохнул и выдохнул. Только теперь он ощутил, насколько все это время его не отпускала тревога за Макара, пытавшегося найти убийцу Алисы Мельниковой.

— А теперь к делу, — сказал Илюшин, возвращаясь к прежним насмешливым интонациям. — Я хочу довести расследование до конца, раз уж влез в него. И ты мне поможешь. Мне нужны фотографии всех сотрудников «Эврики», включая тех, кто не слышал рассказ Викуловой о русалке.

— Когда я успею?! — взвыл Бабкин, но Илюшин уже нажал кнопку отбоя и скачками бросился в дом, испугав старую собаку своей хозяйки.

— И куда их присылать? — спросил Сергей в пространство, стоя с телефоном в руках возле своего подъезда. — На деревню дедушке? Тьфу!

Он понимал, что раз Макару потребовались фотографии, они должны быть качественными и снятыми не камерой мобильного телефона, а приличным аппаратом, с разных ракурсов. Это значило, что предстоит вылавливать каждого сотрудника «Эврики» после работы и осторожно фотографировать, стараясь остаться незамеченным. Нужная камера — крошечная, незаметная — у Сергея имелась, но беда заключалась в том, что одних рук для такой работы категорически не хватало. «Размножиться бы мне на троих, — ругался Бабкин, поднимаясь в квартиру. — А еще лучше — на четверых. Тогда работы будет на один вечер. А одному нужно трое суток вкалывать, чтобы раздобыть чертовы снимки».

Выйдя из лифта, он остановился на лестничной площадке, потому что у него родилась идея. Он тут же позвонил Кошелеву, не успевшему уйти с работы, и, поговорив пять минут, пошел обратно к машине.

К его приезду тот уже приготовил снимки.

— На корпоративе снимали, — объяснил он, выводя на экран компьютера фотографии. — Поэтому здесь все, но некоторые в нетрезвом виде. Стоп! Нет, не все: Викуловой не хватает.

Он покосился на Сергея, но защищать Катю не стал.

— Викулова не нужна, — покачал головой Бабкин. — Этих достаточно. Спасибо, Игорь Сергеевич.

Он перезвонил Илюшину, удачно оказавшемуся на улице, и поинтересовался, что ему делать со снимками пятнадцати пьяных сотрудников «Эврики».

— Как что? — удивился Макар. — Вышли их мне.

— А ты не забыл, что коммуникатор ты отдал в ремонт две недели назад? — в свою очередь удивился Бабкин. — Или ты живешь на складе факсов-принтеров-ксероксов? У меня есть распечатанные снимки, есть на флешке. А толку-то? Могу почтой отправить в твое Кудряшово. Как раз через месяц-другой дойдут. Если не потеряются по дороге.

— Записывай номер факса. Вышлешь на него, сделаешь приписку: Анатолию Ивановичу. Понял?

— Кто такой Анатолий Иванович? — недоверчиво спросил Сергей.

— Местный гробовщик. Але, Серега, ты чего молчишь? Опять связь пропала?

— Какой еще гробовщик? — выдавил Сергей.

— Обычный немолодой гробовщик. В Темникове живет хороший человек, делает резные гробы на заказ для всей области. Двоюродный брат здешнего таксиста, к слову сказать. А таксист, ты не поверишь — приятель мужа Натальи Котик.

— Кто такая Наталья Котик? — спросил Бабкин, чувствуя себя героем горячо любимого мультика, в котором парень-пройдоха дурачил злого волшебника. «Какой тулуп? Какой заяц?» — мелькнуло у него в голове.

— Очередное звено в цепочке, на которое я случайно попал.

— На хромой блохе с того берега моря? — не выдержал Сергей.

Макар замолчал. Затем хмыкнул и сказал:

— Завтра я поеду в город к одиннадцати, так что не торопись отправлять снимки сегодня. Лучше выспись как следует. Я чувствую, тебе это просто необходимо, мой впечатлительный друг.

Он повесил трубку, прежде чем Бабкин успел сказать, что до сих пор его действия не увенчались успехом, и пока Сергей перезванивал, вышел из зоны действия сети. Обругав и Макара, и связь, злой Бабкин вернулся домой и стал думать, к кому обратиться завтра, чтобы получить полные распечатки переговоров всех людей, работающих в «Эврике» и «Фортуне».

Катя возвращалась с работы одна — она успела найти по телефону два подходящих варианта с комнатой и теперь собиралась посмотреть ближний из них. Москву уже начали украшать перед Новым годом, и между рекламными растяжками висели гирлянды, словно мостики от одной стороны улицы до другой.

Ветер дул слабый, но Катя так привыкла мерзнуть в своем пуховике, что по привычке ежилась и втягивала голову в плечи. Капитошин уговаривал ее купить полноценную теплую куртку, но Кате психологически тяжело было потратить большую сумму денег только на себя одну. Она привыкла отдавать все, что зарабатывала.

Подумав о семье, Катя вспомнила, что звонила маме пять дней назад. Пять дней! Господи, как давно! Пять дней назад она еще мучилась, убежденная, что Андрей не хочет никаких отношений с ней и мечтает остаться один в своей квартире без штор.

«Позвони сейчас же, — посоветовал внутренний голос. — Ты так много врала ей, что очередное вранье ничего не изменит».

Катя спряталась от ветра за угол дома, достала телефон озябшими пальцами, но тут ее внимание привлекла пара: женщина и мужчина, закутанные в шарфы так, что нельзя было разглядеть лиц, вылезли из машины, припаркованной рядом с домом, за которым она пряталась, и прошли мимо Кати. Что-то в облике мужчины показалось Кате смутно знакомым.

— Я не верю, — захлебывающимся, высоким голосом говорила женщина. — Просто не верю! Юрочка, я молиться на тебя буду!

Ее спутник что-то глухо ответил — Катя не разобрала, что именно, — и взял женщину под руку. Та провела рукой по лицу, и Кате показалось, что она плачет.

Со странным ощущением, что ей просто необходимо пойти за этими людьми, Катя сунула телефон в карман и сделала несколько шагов. Пара перед ней неожиданно остановилась, и женщина прислонилась к мужчине, уже не сдерживая слез.

— Сонечка, — со страданием в голосе сказал ее спутник. — Прошу тебя, возьми себя в руки.

Мимо проходили люди, бросая на них косые взгляды, и Катя отошла в сторону, встала перед киоском с газетами и журналами.

— Я поверить не могу, — донесся до нее прерывистый женский голос. — Слезы сами текут. Прости, Юрочка…

— Так давай вернемся в машину, ты выплачешься, и мы пойдем к врачу, — с раздражением в голосе сказал мужчина. — И не будем стоять посреди улицы и ждать, пока ты придешь в себя. Никите нужна наша помощь, а не наши слезы, и, наконец-то, мы можем ему помочь! А ты без конца рыдаешь.

— Все-все-все... Сейчас, дорогой, сейчас. Все, уже все прошло.

Она обернулась, ища урну, чтобы выкинуть бумажный платочек, и обнаружила одну рядом с киоском печати. Подошла, бросила белый комок и снова всхлипнула. Мужчина медленно пошел прочь, засунув руки в карманы, но при этом держа спину очень прямо.

В сумочке у женщины что-то зажурчало, и Катя не сразу поняла, что это звонит телефон. Вглядываясь для вида в обложки с лицами, улыбающимися одинаковыми белоснежными улыбками, она внимательно вслушивалась в разговор.

— Лена? Да, Леночка, это я. Не могу сейчас, милая, мы с Юрочкой идем беседовать с врачом. Да нашли! Сама не верю, господи, столько сил на это положила, а тут Юра все достал, и теперь нужно только с врачом договориться, когда они начнут курс. Дорого, милая, очень дорого. Если бы не Юрочка... Да. Да. Все, Леночка, прости, потом поговорим, я опаздываю.

Она вернула телефон в сумку и бросилась догонять своего Юрочку.

— Юрочка, значит, — задумчиво произнесла Катя, глядя вслед паре. — Вот, значит, как...

Забыв о том, что собиралась звонить маме, Катя огляделась в поисках ближайшей станции метро и быстро побежала к подземке.

На следующее утро красавец мужчина Юрий Альбертович Шаньский вошел в офис «Эврики» и тут же наткнулся на Снежану Кочетову.

— К шефу забеги, — бросила она. — Он тебя два раза спрашивал.

Перебирая в голове клиентов, с которыми могли возникнуть проблемы, Шаньский постучал в белую дверь и заглянул в кабинет.

— Заходи, — без выражения сказали от стола.

Войдя, Юрий Альбертович обнаружил в кабинете, кроме Игоря Сергеевича, незнакомого ему мужика лет тридцати пяти с коротко стриженной башкой («под уголовника», — как называл такие стрижки Шаньский) и с впечатляющими габаритами.

— Знакомься, — без малейшего дружелюбия в голове предложил Кошелев. — Это частный детектив, нанятый нами для того, чтобы разобраться в ситуации с тендером.

Он смотрел на Юрия Альбертовича так, словно хотел просверлить в нем две дырки. Шаньский спал с лица. На долю секунды у него перехватило дыхание, потому что он осознал, что означает и этот разговор, и присутствие детектива в кабинете.

«Все. Они все знают. Иначе не вызвали бы меня. И Кошелев разговаривал бы по-другому».

— Послушай господина сыщика, — угрюмо сказал шеф. — Тебе это будет интересно.

Шаньский на негнущихся ногах подошел к стулу и сел, безотчетно проведя вспотевшими ладонями по брюкам.

— Как я уже сказал, телефон Софьи Кротовой был поставлен на прослушивание, — сообщил стриженый, словно продолжая начатый с Кошелевым разговор и доставая из портфеля какие-то бумаги... — вчера она разговаривала с подругой, которой рассказала... — он вгляделся в верхний лист, провел пальцем по строке, — рассказала, что вы, Юрий Альбертович...

Верхний лист вылетел из его руки и плавно опустился на пол. Чертыхнувшись, мужик наклонился за ним и начал шарить под столом. Шаньский не стал дожидаться, пока тот достанет записи. Он поднес пальцы к вискам, в которых вдруг загудело, и обреченно закрыл глаза.

— Дура, какая же дура! — простонал он. — Тысячу раз говорил идиотке...

Кошелев издал звук, отдаленно напоминающий рычание.

— Ты?! Зачем?! Юра, какого хрена? Я тебе мало платил?

Шаньский покачал головой, не открывая глаз. «Искали, значит... Частного детектива наняли. А Сонька, курица пустоголовая, всем подружкам растрепала, что я нашел средства на реабилитацию Никите».

— Нормально вы мне платили, Игорь Сергеевич, — тихо сказал он. — Только мне понадобилось больше, чем вы могли бы дать. Сын у меня в больнице...

— Почему ко мне не пришел? — рявкнул Кошелев, перегибаясь через стол так резко, что Шаньский открыл глаза и отшатнулся. — Почему?! Я что — зверь? Что, денег не нашли бы твоему сыну?!

Бабкин вылез из-под стола с листом, на котором Капитошин любезно распечатал ему прайс на ноутбуки известной фирмы, и отодвинулся от орущего Кошелева вместе с креслом.

Юрий Альбертович ошеломленно посмотрел на своего начальника, пораженный не тем, что тот повысил голос, а содержанием его последней фразы. Ему и в голову не пришло обратиться к Кошелеву — не потому, что он ждал отказа, а потому, что он просто не подумал об этом. Легкий путь был так близок, так доступен, что для Шаньского не имело смысла искать другие пути.

— Я... я не подумал, — пробормотал он, бледнея. — Не подумал... Такие деньги, кто же знал? Я и представить не мог...

— Чего ты представить не мог?! Что я тебе денег дам? Ты, мать твою, сколько лет со мной работаешь, а?

Глядя на его красное лицо, Шаньский отчетливо понял, что Кошелев и в самом деле дал бы ему требуемую сумму. Он чуть не расплакался, осознав, что можно было не искать выхода на «Фортуну», не предлагать конкурентам свои услуги, не ожидать со страхом результатов тендера, а выбрать куда более простой, а главное, честный вариант. Юрий Альбертович перевел взгляд на детектива в кресле и прочитал на лице того плохо скрытое презрение. Шаньский не мог допустить, чтобы к нему так относились — он слишком любил себя, — и подавно не мог допустить, что он и в самом деле заслужил презрение. Юрий Альбертович мог только восхищаться собой.

И он уцепился за спасительную мысль. Мысль заключалась в том, что на том самом простом и честном пути ему пришлось бы пройти через унижение, а унижения он не терпел.

— Я не привык просить! — выкрикнул Шаньский, поднимая подбородок. — Слышите?! Не привык!

Он взял себя в руки, и лицо его, минуту назад вялое, снова стало красивым и волевым. Сергей Бабкин подумал, что Юрий Альбертович напоминает ему какой-то памятник из виденных недавно. «Только лошади под ним не хватает».

— Я унижаться перед вами не буду! — нес свое Шаньский. — Никогда ничего не просил и не собираюсь!

— Тогда пошел вон отсюда! — скомандовал вмиг разъярившийся Кошелев. — Не просил он! Воровать мы умеем, предавать мы умеем, а просить — нет? Вон, я сказал!

Рык его раскатился по кабинету. Игорь Сергеевич разве что не плевался от злости. Перепуганный Шаньский вскочил и попятился к выходу, безуспешно пытаясь сохранить достоинство, но Кошелев схватил что-то со стола, собираясь метнуть в него, и Юрий Альберто-вич обратился в бегство. Он выскочил в коридор, за-хлопнул дверь и заторопился к выходу, боясь, что шеф попытается его догнать. Но Кошелев остался сидеть за столом, тяжело дыша и ругаясь про себя.

— Вы бы степлер-то положили, — посоветовал Баб-кин. — Не ровен час, прищемите чего-нибудь.

Игорь Сергеевич перевел взгляд на предмет, кото-рый схватил в ярости, и обнаружил, что действитель-но сжимает в кулаке степлер.

— И в самом деле чуть не швырнул, — признался он, возвращая степлер на место. — Может, и стоило. Надо же, унижаться он не будет! Просить он не хотел!

Кошелев снова начал заводиться, но, бросив взгляд на сыщика, успокоился.

— Спасибо, Сергей, я в ваш план до конца не ве-рил. Думал, глупость мы затеяли, зря только челове-ка обидим.

Он откинулся на спинку кресла, испытывая облегче-ние. Злость прошла, и ему было жаль, что именно Шань-ский, работавший в фирме едва ли не с первого дня, ока-зался «кротом». Но радость от того, что теперь можно не подозревать всех сотрудников скопом и прикидывать, кто же продал информацию, перевесила огорчение.

Бабкин довольно хмыкнул, а про себя подумал, что блеф оказался на редкость успешным. Он и сам сомне-вался в результате своей затеи. Накануне вечером Ка-тя Викулова прибежала к ним домой с рассказом о раз-говоре между Шаньским и его подругой, случайно под-слушанном ею. Этот разговор мог ничего не значить; он мог вовсе не иметь отношения к получению Шаньским большой суммы денег, но Бабкин решил проверить это, потому что вспомнил слова Макара: «Если увидел кон-чик ниточки, тяни за нее. Что-нибудь да вытянешь».

Самым сложным оказалось убедить директора «Эврики» подыграть ему. Игорь Сергеевич упорно не хотел подозревать Шаньского без доказательств, а доказательств Бабкину катастрофически не хватало. Юрий Альбертович пользовался услугами того сотового оператора, в котором начальник безопасности отказал Сергею, и потому Бабкин не мог предоставить распечатку телефонных переговоров в обоснование своих подозрений. Оставался только блеф. И он полностью себя оправдал.

Сергей расспросил Катю о Шаньском и решил, что если тот виноват, то его можно взять на испуг, ошеломив и заставив поверить, что против него собраны неопровержимые улики. «Юрий Альбертович не очень быстро соображает, — сказала Катя. — Мне даже кажется, честно говоря, что он немного глуповат».

После ее рассказа Бабкин просмотрел все фотографии, изучая Шаньского. Сергей уже имел дело с такими красавцами: женщины от них были без ума, ценя за красоту и галантность. И сами красавцы прекрасно знали, как обращаться с женщинами, словно это знание было у них врожденным. Однако в среде мужчин они легко терялись, потому что привычные способы общения не действовали. Особенно — в среде агрессивно настроенных мужчин.

— Если бы не Викулова, все было бы куда сложнее, — сказал Бабкин вслух, вспоминая, что уже почти решился позвонить бывшим коллегам, не видя другого выхода. — Конечно, слишком многое оказалось замешано на случайностях, но в конце концов мы получили нужный результат, а это, как говорит мой коллега Илюшин, все перевешивает.

Кошелев не ответил, но про себя подумал, что госпожа Гольц была права, когда советовала ему взять девчонку в штат. Ее знаки оправдали себя.

Глава 16

С утра знакомый таксист отвез Илюшина в Темниково к своему брату, ворча по дороге, что его заставили рано встать, хотя торопиться вроде бы некуда. Макар не спорил. Его подгонял азарт человека, вышедшего на след и чувствовавшего, что охота скоро закончится.

Трясясь в легковушке, Илюшин вспоминал все, что рассказывала Катерина Викулова о русалке и Вотчине. У него была отменная память, и он легко мог почти дословно воспроизвести сказанное при нем. «Итак, главный бухгалтер проявила любопытство, и девчонка в ответ честно выложила все о своем устройстве на работу. При этом присутствовало несколько человек, включая госпожу Гольц. Наивно было бы думать, что только этих людей можно подозревать в убийстве Вотчина: другие сотрудники могли слышать разговор, либо кто-то из присутствовавших передал историю родственникам или знакомым... Однако всех мы проверить не можем, поэтому проверим тех, кто оказался непосредственным слушателем Викуловой».

Мысли Илюшина прервал звонок.

— Макар, мы нашли его, — меланхолично сообщил Бабкин. Связь то и дело прерывалась, и Илюшин поморщился от потрескиваний в трубке.

— Кого вы нашли? — быстро спросил он, и тут связь снова пропала. — Алло, Серега! Ты меня слышишь? Кого вы нашли?

Трубка потрещала, и в ней воцарилась тишина.

— Что, не работает? — Водитель сочувственно глянул на парня. — Бывает. До Темникова доедем, там все ловит.

Тут телефон проснулся, и Сергей снова прорезался в трубке.

— Третий раз повторяю, — раздраженно сказал он так отчетливо, будто сидел на заднем сиденье за Макаром. — Шаньский наш «крот». Юрий Альбертович, менеджер по продажам.

— Ты уверен?

— Он сам признался.

— И где он сейчас?

— Понятия не имею. Моя задача была вычислить человека, а не составлять ему компанию. Кстати, никто из нас не может дозвониться до Гольц, чтобы сообщить ей радостную весть.

Илюшин нахмурился. Последние слова Бабкина ему не понравились, но не успел он ничего ответить, как Сергей невнятно булькнул в телефоне и пропал окончательно.

— Будем надеяться, он не забыл выслать фотографии, — проговорил себе под нос Макар. — Посмотрим на сотрудников «Эврики».

Смотреть на сотрудников «Эврики» ему не понравилось. Факс исказил изображения, и лица на черно-белых листах казались похожими друг на друга.

Илюшин с досадой поморщился, вспомнив, что отличный коммуникатор, которым они с Сергеем успешно пользовались в случаях, когда нужно было быстро передать информацию, отдыхал в ремонте после того, как Макар лично уронил его в ванну с водой. А новый он не успел купить, торопясь в Кудряшово.

— Извиняй, парень, качество малость подкачало, — развел руками хозяин дома, высокий крепкий мужик с ярко-голубыми глазами, называвший себя не гробовщиком, а гроботесом. — Мне этот агрегат не для картинок нужен.

— Я все понимаю, — сказал Макар. — Большое спасибо, что согласились помочь.

Он вышел из дома, провожаемый двумя огромными палевыми псами-кавказцами, и плюхнулся в тарахтящую машину.

— Теперь куда? — недовольно спросил водитель. — В Москву, что ли?

— Обратно едем, в Кудряшово. До Москвы я уж как-нибудь без тебя доберусь.

Снег скрипел под ногами, пока Макар перебегал улицу до дома Натальи Котик. Пес по кличке Малый нехотя брехнул из подворотни и заволновался, когда Илюшин попытался открыть щеколду.

— Макар, ты, что ли? — спросили от крыльца. — Погодь, сейчас открою.

Наталья Алексеевна впустила гостя, и Малый радостно завилял хвостом.

— Смотреть на твою курточку страшно, — проворчала женщина, ведя Илюшина в теплый натопленный дом, в котором пахло печкой. — Воспаление легких подхватишь не дай бог. Мой Санька заболел как-то, думала, не вылечу, и пришлось...

— Наталья Алексеевна, — перебил Макар. — Я фотографии привез. Пожалуйста, посмотрите на них внимательно.

Он разложил на столе листы, пришедшие от Бабкина, и сбросил куртку, напряженно ожидая, что скажет хозяйка.

Наталья надела очки и неторопливо рассмотрела все снимки, задержавшись на том, где Юрий Альбертович позировал фотографу, гордо выпрямив спину и выпятив подбородок.

— Интересный мужчина, — отметила она.

— Вы его знаете? — подобрался Илюшин.

Она покачала головой:

— Нет, Макар, никого я здесь не знаю.

Наталья сняла очки, виновато посмотрела на него.

— Никого… — огорченно повторил тот. — Ну что ж… значит, не повезло на этот раз. Хорошая у меня была версия. Простая и все объясняющая. Ладно. Спасибо, Наталья Алексеевна.

Он взял первый лист, на котором сотрудники «Эврики» стояли группой и улыбались в объектив, и прочитал подпись Сергея под фотографией. Да, здесь были все пятнадцать человек, работавших на Кошелева. Илюшин уже рассматривал дома фотографии и потому знал, что никого не забыли. Снимки были сделаны восемь месяцев назад, и за прошедшее время уволилась лишь одна женщина, на место которой взяли Катю Викулову.

— Викуловой здесь нет, — вслух подумал Макар. — Она была бы подходящей кандидатурой, если бы не ее алиби. Хотя Ашотяны могут и врать, конечно. Но это мне уже никак не проверить. И нет Натальи Гольц… Конечно, очень сомнительно, но все-таки…

— Давай еще раз твои фотографии посмотрю, — предложила Наталья, переживая за парнишку. — Вдруг и в самом деле узнаю кого…

Илюшин видел, что она и первый раз очень внимательно изучила снимки, и понял, что Наталья просто жалеет его, но протянул ей листы и предупредил:

— Наверное, тот человек очень изменился. Много лет прошло. У него может быть другая прическа, манера держаться, и уж точно он должен быть по-другому одет. Попробуйте, Наталья Алексеевна.

Снова нацепив очки, она проглядела фотографии. С каждым листом, который Наталья откладывала в сторону, Илюшин ощущал, что и без того слабая надежда исчезает окончательно. В конце концов в руках у нее осталась копия последнего снимка, в который она вглядывалась, нахмурившись, словно пытаясь вспомнить что-то.

И вдруг подняла на Макара расширившиеся глаза и недоверчиво произнесла:

— Это же... это же...

Илюшин быстро наклонился к снимку, посмотрел на лицо, которое фотограф взял крупным планом.

— Как же так? — выдохнула Наталья Котик. — Столько лет прошло! Мы-то думали...

— Кто это? — резко спросил Макар. — Имя!

Наталья назвала имя, ничего не сказавшее Илюшину. Но секунду спустя он понял.

— Вот кто... — медленно протянул он. — Наталья Алексеевна, вы уверены? Посмотрите еще раз, прошу вас.

— И смотреть нечего. Хочешь — дождись Кольку моего, он тебе то же самое скажет. Ох, что время-то с людьми делает...

— А еще интереснее — что оно с ними не делает, — сказал Макар, собирая фотографии и прикидывая, согласится ли таксист, задержавшийся у своего родственника в Кудряшова, отвезти его в Темниково немедленно или придется ждать. — Наталья Алексеевна, дайте расписание электричек, пожалуйста.

В «Эврике» было шумно — все обсуждали увольнение Шаньского. Две «девочки» из бухгалтерии с утра пару раз успели шмыгнуть мимо Кати в кабинет Снежаны, якобы по делам, но Катя прекрасно понимала, что там перемывают кости Шаньскому.

Ей было жалко Юрия Альбертовича, а потому, когда «девочки» попробовали посплетничать и с ней, она оборвала разговор и довольно резко сказала, что не видит предмета для обсуждения. Те обиделись, отправились к «мальчикам» в таможенный отдел, но там их быстро шугнул Капитошин, и Катя слышала, как они, возвращаясь обратно, ругают высокомерного Таможенника.

Человек, опознанный Натальей Котик, чувствовал себя так, словно его обложили и вывесили повсюду красные флажки, за которые не прорваться. Он кивал, вслух удивлялся вместе с остальными поведению Шаньского, ругал и сочувствовал ему, а сам все время ощущал опасность.

Интуиция у него была развитой. Он знал, что нужно собирать вещи и исчезать следом за Шаньским — но так, чтобы никто не смог его найти. Не было никаких видимых признаков опасности — наоборот, все, казалось, успокоилось после того, как узнали виновника проигрыша фирмы в тендере. Но человек знал, что появление сыщика в фирме не сулит ему ничего хорошего, и ощущал угрозу, исходившую от крупного, похожего на медведя, насупленного мужика, дважды заходившего накануне.

Поэтому человек методично копировал данные с компьютера, быстро просматривал документы, откладывая нужные и отбирая все, касавшееся его лично. Он знал, что сегодняшний день будет последним, проведенным им в этом кабинете, и тщательно убирал все по ящикам, расставлял на полки по старой привычке оставлять за собой порядок. Он не успел придумать никаких объяснений своему исчезновению, но это было и не нужно: гораздо важнее было исчезнуть отсюда навсегда, пока в коридоре снова не появился насупленный мужик с медвежьими повадками. Или кто-то другой вместо него.

Человек проходил по коридорам, кивал, когда к нему обращались, а в голове у него часы отсчитывали время, оставшееся до вечера. Пять часов. Четыре часа. Три часа.

Он все время был словно на иголках. Даже пару раз хотел сорваться до окончания рабочего дня и уже брал пакет с отложенными бумагами, но в последний момент решал не дергаться, не привлекать к себе излишнее внимание. Дотянуть до вечера пятницы, тем более что день сокращенный, уйти как ни в чем не бывало — а там наступят два выходных. А в понедельник его уже здесь не будет. И в городе этом не будет. Был человек — и исчез.

Чтобы не проводить оставшееся время впустую, человек обдумывал, куда уедет. Тогда, с Вотчиным, все случилось неожиданно, поэтому он не оставил никаких запасных путей. Глупо получилось, потому что ведь он, собственно, не собирался убивать коллекционера, это вышло само собой. Но теперь надо все разложить по полочкам, прикинуть, в какой глуши можно спрятаться, потому что его будут искать, обязательно будут. Особенно когда он не придет в понедельник и его телефон не будет отвечать на звонки.

Два часа до окончания рабочего дня.

Полтора.

За час до конца работы человек понял, что не сможет больше выдержать ожидания. Он оставался внешне спокойным, как обычно, но внутри что-то сжималось от страха, и два раза он вздрагивал, когда шел по коридору и слышал, как открываются на их этаже двери лифта. «За мной придут», — отчетливо говорил кто-то внутри его головы, и как ни сопротивлялся человек этому голосу, в конце концов он смирился с тем, что паника сильнее разума. Ему хотелось бежать отсюда, и он решился.

Человек взял заранее приготовленный пакет и обвел взглядом кабинет. Из смежной комнаты раздавались голоса, и он продумал, что скажет, когда будет брать пальто из шкафа. У него мелькнула мысль, не стереть ли повсюду свои отпечатки пальцев, но он тут же отругал себя за нее — мысль была бессмысленной и показывала, в каком состоянии он находится.

Он сел за стол, несколько раз глубоко вдохнул и выдохнул, чтобы прийти в себя. Это подействовало. Человек встал, взял сумку, пакет и вышел в соседнюю комнату. Надевая пальто, бросил короткую фразу подчиненным, исчерпывающе объяснявшую его уход. «Думаю, с остальными прощаться не будем», — усмехнулся он про себя, распахнул дверь, ведущую в коридор, и замер.

В коридоре стояли пятеро. Четверо были ему знакомы, а пятого, молодого светловолосого парня лет двадцати пяти, небрежно привалившегося к стене, человек видел впервые. Однако именно этот пятый, усмехнувшись, пожал плечами и сказал:

— Вот видишь, Серега, я же говорил.

И добавил, недобро прищурившись и сразу став лет на пять старше:

— Далеко ли вы собрались, любезная Эмма Григорьевна?

Орлинкова дернула головой, отпустила пуговицу, которую тщетно пыталась продеть в петлю. Кошелев, Капитошин и Викулова смотрели на нее, и лица у них были до смешного глупые.

— Не нравится, как я к вам обращаюсь? — сочувственно спросил парень. — Давайте я задам вопрос иначе: далеко ли вы собрались, любезная Фаина Григорьевна? Не иначе, как в родное Кудряшово? Не торопитесь, вас там не ждут.

Главный бухгалтер повернулась к ним спиной и прошла обратно в кабинет мимо ошеломленно молчавших «девочек». Голос интуиции, которую она все это время ошибочно принимала за панику, молчал: говорить что-то было уже поздно.

— Выкладывайте, — сухо сказала Орлинкова, усевшись в кресло и с вызовом глядя на Кошелева. — У вас есть что мне сказать или я могу пойти домой? Я не очень хорошо себя чувствую.

Макар открыл рот, чтобы съязвить, но тут Катя тихо и неожиданно жалобно спросила:

— Так это вы его убили, Эмма Григорьевна? Но почему? За что?!

Бухгалтер перевела взгляд на девчонку. Личико у той стало не просто глупое, а глупое и очень огорченное, и Орлинкова усмехнулась краешком губ.

— Я вам, милая Катерина, должна спасибо сказать. Но не скажу. Все равно ничего у меня не получилось.

— А что должно было получиться? — встрял медведь-здоровяк.

Эмма Григорьевна, похожая на воительницу под шлемом фиолетовых волос, презрительно фыркнула.

— Вы что же, полагаете, я сейчас стану вам все как на духу выкладывать? Последнее признание? Ошибаетесь, господа. Не стану.

— А не надо, — заметил светловолосый парень. — Мы и без вас все выяснили. Двадцать лет назад вы, Фаина Григорьевна, были замужем за человеком, который вырезал русалку. После его смерти вы уехали из села и обосновались в Москве. Кстати, вы очень изменились, по словам Натальи Котик. Она вас еле узнала. Но все-таки узнала.

Орлинкова наклонила голову, не говоря ни слова.

— Вотчин уехал из Кудряшова с русалкой, а вы, наверное, считали, что она должна достаться вам, — продолжал парень. — И услышав рассказ Катерины о том, что у ее соседа есть русалка, которую он считает исполняющей желания, сразу поняли, кого вам послала судьба. Вычислить по адресу телефон — пустяки, а адрес Викуловой был вам известен. Могу предположить, что вы позвонили по нескольким номерам, прежде чем попали на коллекционера. Не так ли?

Женщина не ответила.

— Интересно, что вы ему сказали? Что вы тоже загадывали желание, которое исполнила русалка? Или придумали что-то другое? Как бы то ни было, вы заинтересовали его, и он открыл вам дверь, когда вы приехали к нему вечером. Должно быть, вы были очень убедительны, потому что Вотчин настороженно относился к посторонним.

— И потом она его убила? — недоверчиво спросил Кошелев, переводя взгляд с Макара на Орлинкову и снова на Макара.

— Да. Убила. Катя, что там следователь говорил о причине смерти Вотчина?

— Ударили тупым предметом по голове, — вспомнила Катя. — Кажется, одной из его скульптур, только очень тяжелой.

— Значит, вы не были уверены в том, что убьете его, — кивнул Илюшин. — Вы, наверное, попросили отдать вам русалку, а Вотчин, разумеется, отказался — потому что он верил в ее силу. Тогда вы ударили его, забрали фигурку и убежали из квартиры. Но по дороге — вот беда, правда? — вы ее выронили.

Бабкин неожиданно рассмеялся, и все вздрогнули, а в соседней комнате что-то с грохотом упало на пол.

— Значит, выронили, — повторил он, смеясь. — Да вам можно приз дать за самое бессмысленное убийство! Убили человека из-за выдумки, красивой деревяшки, а потом потеряли ее!

Орлинкова изменилась в лице, но продолжала молчать.

— Хотите я скажу вам, куда она делась? — любезно предложил Макар. — Вы не поверите: ее подобрал супруг госпожи Викуловой. Он слышал ваши шаги на лестнице, вышел за вами следом и наткнулся на русалку. А потом ее нашла сама Катерина.

Эмма Григорьевна вскочила, глаза ее вспыхнули.

— Она у тебя? — хрипловатым голосом спросила она, уставившись на девушку. — У тебя?! Говори!

Катя отшатнулась. Только сейчас, глядя на высокую красивую женщину с грубоватыми чертами лица, которая, казалось, вот-вот бросится на нее, Викулова окончательно поверила Илюшину.

— Она у следователя, — так же любезно ответил за Катю Макар, и Орлинкова медленно опустилась в кресло. — Вам так хотелось ее получить, что вы убили человека из-за этой игрушки? Или у вас были свои причины мстить старому Вотчину?

Эмма Григорьевна, прищурившись, смотрела на него. Да, они действительно все выяснили. И ничего не узнали.

Она вспомнила, как выла, когда ей сказали о смерти мужа, и как перерывала весь дом, пытаясь зачем-то найти фигурку, которую он вырезал незадолго до смерти. Не нашла и мучилась из-за этого, словно русалка должна была достаться ей, но по какой-то ошибке не досталась. Обыскала всю баню, сарай, искала за банками в погребе, и мать с отцом смотрели испуганно, спрашивали, что она ищет. Фаина не отвечала. Она обшарила две теплицы, день провела на чердаке, роясь в пыли, но все было бесполезно. Русалка исчезла.

Боль, раздиравшую ее изнутри, Фаина начала глушить водкой и в конце концов чуть не подралась с отцом, который спрятал от нее бутылку. По деревне пошли нехорошие слухи, но ей было на все плевать. Она погрузилась в полусонное болезненное состояние, в котором существовали два вопроса: отчего покончил с собой ее Колька, и куда пропала последняя вещь, которую он сделал перед смертью.

А затем на сороковой день Левушин, напившись, рассказал ей обо всем — и о том, что говорил ему Колька перед смертью, и о том, как сбылось его собственное желание... Фаина вспомнила поведение мужа, вспомнила, как он вырезал русалку, словно одержимый, и женское чутье подсказало ей, отчего покончил с собой Николай. «Несбыточное загадал, — нашептывало чутье, — невозможное. Оттого и умер. В нем всегда странное было, в Кольке-то, только не видел этого никто».

В лунную полночь Фаина пошла к Марьиному омуту, сидела на берегу до утра, вглядывалась в черную воду, вслушивалась в шелест ив на другом берегу. И снова вспоминала, вспоминала, вспоминала... Как Николай ушел из дома к омуту. Как он вернулся на следующий день и вырезал фигурку. Какой оглоушенный он был последние три дня.

— Значит, все правда, — шептала Фаина, глядя на свое отражение в воде. — Значит, сделал желанницу, а потом Левушину ее отдал! А тот, значит, жене Котика... Ой, Николай, что же ты наделал?

В черном омуте отражалась диковатого вида женщина с длинными русыми волосами, небрежно заплетенными в косу, и ненавидящим взглядом голубых глаз. Здесь, у воды, Фаина окончательно поверила в то, что рассказал ей Левушин, и поняла, что счастье обошло ее стороной.

Николай должен был оставить русалку ей. Должен был! А он вместо этого подарил ее приятелю, словно забыв о том, что прожил с женой три года, и все три года она кормила-поила его, опекала, любила!

— Я же тебя любила! — с отчаянием сказала Фаина, и ей показалось, что в воде она видит виноватое лицо умершего мужа. — Я ж на все ради тебя была согласная! Как же ты мне не оставил русалку-то, а? Что ж ты меня не пожалел, Коленька?

По воде прошла рябь, и лицо Николая заколыхалось, черты исказились. «Прости меня», — услышала Фаина и поняла, что ей надо делать. Надо все исправить. Коленьку уже не вернешь, но у нее-то самой вся жизнь впереди! Что ж ей, так и жить без счастья, с клеймом вдовы, которая своего мужа до могилы довела?!

Фаина вернулась домой на рассвете, и мать с отцом только ахнули, увидев ее.

— С ума сошла, — прошептала мать. — Что ж ты с собой делаешь, Фая?

Дочь посмотрела на нее диким взглядом и прошла мимо. От нее пахнуло сыростью и травой. Ночи стояли уже холодные, и Григорий со Светланой боялись даже думать о том, где была их Фая.

Переодевшись и умывшись, Фаина отправилась к Наталье Котик. Она ничего не обдумывала: просто знала, что заберет русалку, потому что та должна принадлежать ей по праву. Коля завещал бы ее ей, но забыл, или просто не подумал о своей жене. Ничего, она сама о себе подумает.

Увидев красавицу Наталью, светящуюся от счастья, Фаина решила, что сложностей не возникнет. И так видно было, что свое желание глупая жена Котика уже загадала. Значит, русалка ей больше не понадобится. И когда услышала, что та отдала русалку соседке несколько дней назад, не поверила своим ушам.

У нее хватило силы воли выслушать соболезнования Наташки с непроницаемым лицом. Но когда вдова Николая вошла в соседний двор, мелкий рыжий пес шарахнулся от нее в сторону и только боязливо тявкнул вслед, когда она поднялась на крыльцо.

Но и тут она опоздала. Русалку забрал приезжий из Москвы. Фаина возненавидела его дикой ненавистью, как только увидела, потому что он нагло украл ее счастье, обманул глупую старуху, не заплатив ей ни копейки. Женщина не верила в то, что фигурка понадобилась Вотчину для исследований, а когда узнала, что он, так же как и она сама, приходил к жене Котика, догадка ее стала уверенностью.

«И он тоже знает, — нашептывал ей внутренний голос. — Увезет с собой, загадает свое желание, и ей не найти его никогда. Продаст, продаст за большие деньги то, что Коля должен был тебе оставить. Счастье твое продаст».

Фаина придушила бы мелкого лысого мужичка на месте, но понимала, что действовать нужно иначе. На ее беду, гость вскоре собирался уезжать, а русалку повсюду таскал с собой, поэтому от намерения выкрасть фигурку пришлось отказаться.

Она выследила Вотчина и, увидев, как он выходит из дома Левушина с таким видом, будто в него ударила молния, убедилась в своей правоте окончательно. От ярости Фаина стала просчитывать все на шаг вперед и действовать так быстро, как раньше не умела.

Она метнулась домой, нацепила на себя первые попавшиеся отцовские шмотки — старые спортивные штаны и кофту, схватила марлевый мешок, который мать приготовила для трав, и быстро прорезала две дырки для глаз. Она собиралась убить вора, но понимала, что ее могут увидеть другие люди, и на этот случай нужно было обезопасить себя.

Догнав его почти у дома Марьи Авдотьевны, Фаина увидела, что Вотчин пошел короткой, но темной и нехоженой тропой, и решила, что судьба на ее стороне, раз ведет нового владельца русалки к ней в руки. Но вор сбежал. В последнюю секунду, когда она готова была ударить его отцовским ножом, ни секунды не сомневаясь, что это правильно и справедливо, он почуял что-то и бросился прочь, как трусливый заяц. А на следующее утро исчез из села навсегда, захватив с собой то, что должно было принадлежать ей, Фаине.

Две недели после этого она пролежала на кровати, вставая только затем, чтобы дойти до уборной. Что творилось в ее голове, не знал никто, и даже мать не догадывалась, о чем думала дочь, когда стонала по ночам и впивалась зубами в подушку, раздирая наволочку до дыр. «По мужу страдает. Ой, горе-то какое, горе...»

Спустя две недели Фаина встала со своего дивана, исхудавшая и страшная, и сказала отцу и матери, что уезжает из села. Перекрестившись, Светлана отправила ее к дальним родственникам в город, и с тех пор Фаина Хохлова возвращалась в село один раз — на похороны отца. Когда мать постарела, она забрала ее к себе в Москву, куда переехала к тому времени за мужем, сменив и фамилию, и имя, которое напоминало ей о том, какой глупой деревенской бабой она была раньше.

Став Эммой, она начала ощущать себя иначе. Имя дисциплинировало ее: оно было умным, красивым, сдержанным, и ему нужно было соответствовать. Фаина-Эмма не стала менять профессию, к которой, как выяснилось, у нее были способности, и с тридцати лет со сменой имени окончательно начала новую жизнь, приспосабливаясь к огромному городу и только изредка видя в своих снах... нет, не покойного мужа, а удивительной красоты русалку, которую он показывал ей за несколько дней до смерти.

— Чего же вы испугались тогда в коридоре? — негромко спросила Катя, вырывая Орлинкову из ее воспоминаний. — Вечером, на следующий день после того, как убили Вотчина?

Эмма Григорьевна не хотела ничего объяснять этой красивой девочке, глядевшей на нее растерянно, словно Орлинкова обидела ее. Тем более что случившееся тогда до сих пор вызывало у нее сердцебиение. Идя по коридору, в тени возле лифта она вдруг увидела покойного Вотчина, который ждал ее. В одну секунду все деревенские корни проснулись в ней, и Эмма снова ощутила себя Фаиной, которой бабка рассказывала об оживших покойниках, о призраках убитых людей, что являются убийцам, и прочие страшные истории. Стоя в коридоре, она испытала животный ужас и едва не закричала от страха, увидев, что тень шевельнулась. Но Викулова, оказавшаяся рядом, рассеяла ее страх, хотя Орлинковой пришлось выпить успокоительное, когда девушка ушла. «Призрак... подумать только...» — Она пыталась издеваться над собой, но руки у нее дрожали до тех пор, пока она не села за руль машины. Только тогда Эмма Григорьевна смогла успокоиться.

— Меня, — вдруг сказал Капитошин. — Думаю, что меня.

— А ты здесь при чем?

— Я там стоял, — объяснил Андрей, не сводя глаз с Орлинковой. — Ждал Викулову.

— Что?! — не поверила Катя.

— Тебя ждал, — нехотя повторил Капитошин.

Ему было неприятно признаваться, что он целый час ждал в машине, когда Катя выйдет из офиса, и в конце концов, не дождавшись, поднялся за ней наверх в надежде пригласить ее поужинать. Но оказалось, что, кроме Кати, в офисе осталась Орлинкова, и Андрей, зря проторчав возле лестницы, вынужден был уйти. Капитошин понимал, что вел себя, как мальчишка, стесняющийся пригласить девочку при всех на танец, но признаваться в этом не собирался. Достаточно того, что Кошелев, категорически не одобрявший никаких личных отношений на работе, смотрел на него с подозрением.

— Так это были вы? — поразилась Эмма Григорьевна. — Вы?!

Елена Михалкова

— А вы кого увидели? — немедленно спросил Макар. — Призрак убитого вами человека?

Она вздрогнула и поджала губы. Ей не нравилось выражение «убитого вами». Про себя она предпочитала думать, что воздала вору по заслугам. Орлинковой стало смешно от того, что даже этот проницательный сыщик не догадался, как она заставила старого дурака открыть дверь.

— Я — жена мастера, который сделал вашу русалку, — сказала она по телефону, когда с пятой попытки дозвонилась в нужную квартиру. — Вы знаете, что он сделал три фигурки? Русалка — только одна из них. Две другие хранятся у меня, я собираюсь их продать.

Любопытство старика победило осторожность, а Эмма Григорьевна умела быть очень убедительной. Впрочем, ей не пришлось врать о том, что о коллекционере она случайно услышала от коллеги. Он впустил ее в квартиру, и она поразилась тому, как хорошо выглядит человек, которого она запомнила мелким, незначительным и серым от страха. Орлинкова предположила, что он уже загадал русалке свое желание и у нее не возникнет проблем с тем, чтобы купить ее. Но она ошиблась.

Поняв, что его обманули, Вотчин попытался выгнать ее, но Эмма Григорьевна была моложе, сильнее, и ее поддерживала ярость человека, у которого хитростью отобрали предназначенное ему судьбой. Одного удара тяжелой статуэткой из оникса хватило бы, но она все-таки ударила его второй раз после того, как старик упал, чтобы не оставить ему ни одного шанса.

Дома, обнаружив, что русалки нет, Орлинкова не поверила самой себе. К счастью, муж еще не вернулся, и она поехала обратно и допоздна ходила вокруг дома Вотчина, осознавая, что это может быть опасно, но не в силах остановиться. Безрезультатно. В машине она пыталась заплакать, но не смогла. Слез не было. Было только удивление и тупая боль оттого, что ее второй шанс на счастье окончательно потерян, и отныне исправить это невозможно. Все, что она сделала, было сделано зря.

Эмма Григорьевна встала, одернула пиджак.

— В понедельник меня не будет на работе, Игорь Сергеевич, — сказала она как ни в чем не бывало, накидывая на руку пальто.

— Эй, вы куда собрались? — Здоровяк перегородил ей дорогу.

Орлинкова надменно взглянула на него.

— Вы собираетесь задержать меня? С какой стати? Вы что, представители милиции? С дороги!

Бабкин нехотя отступил в сторону. Эмма Григорьевна прошла мимо молчавших людей, отметила краем глаза, что ее «девочки» в соседней комнате сидят неподвижно, как истуканы.

— Мы... мы так и отпустим ее? — не поверила Катя. — Макар, Сергей, что вы стоите?! Она же убийца!

— Мы не имеем права задержать ее, — пожал плечами Илюшин. — Все, что мы можем, — это предоставить всю найденную информацию следователю. Но реальных доказательств нет и, возможно, не будет.

— Мы знаем, что она совершила преступление, — зло бросил Кошелев. — И можем задержать ее до приезда милиции. Она же сбежит!

— Вы ее задержите? — Макар искоса взглянул на шефа «Эврики». — Попробуйте, если хотите.

Они поспешно вышли из кабинета и обнаружили Орлинкову возле лифта в конце коридора. Она не смотрела в их сторону.

— Ну что? — спросил Бабкин. — Игорь Сергеевич, вы еще успеете ее задержать.

Кошелев взглянул на него, затем на Макара, выругался и махнул рукой.

— Фаина Григорьевна! — неожиданно позвал женщину Илюшин. — Послушайте, у меня к вам только один вопрос!

Услышав обращение, Орлинкова застыла, но затем повернулась к Макару с непроницаемым лицом греческой статуи. Парень сделал несколько шагов по направлению к ней и остановился, показывая, что не собирается ее преследовать.

— Что бы вы загадали? — громко и весело спросил он. — Неужели вы двадцать лет не могли исполнить свое желание и вам нужна была русалка? Или придумали что-то новое?

Двери лифта открылись, но Орлинкова не зашла внутрь.

— Загадала бы быть принцессой, а не лошадью, — ответила она, не повышая голоса, но Макар ее услышал. — Всю жизнь бы перекроила. Жизнь-то моя была беспросветная, что в Кудряшове, что в Москве. Жалко, с судьбой не поспоришь.

Она шагнула в лифт, и двери за ней закрылись.

— Может быть, и поспоришь, — пробормотал Илюшин, вспоминая ровесницу Орлинковой — Наталью Котик, счастливую со своими мальчишками, мужем и котами.

Ближняя к нему дверь распахнулась, и мрачная квадратная женщина в черном вывалилась в коридор.

— Что за столпотворение... — начала она, метнув негодующий взгляд на Капитошина и Катю, но заметила за ними Кошелева и осеклась. — Что происходит?

— От нас только что ушел навсегда еще один сотрудник, — похоронным голосом произнес Кошелев и неожиданно усмехнулся. — Хорошо хоть, никого не угробил.

— Кто ушел? Какой сотрудник? Кого угробил?

Игорь Сергеевич вкратце объяснил, кто ушел и почему. Алла Прохоровна недоверчиво посмотрела на него, думая, что ее разыгрывают, но лица стоявших вокруг сотрудников были серьезными.

— Орлинкова? — с ужасом повторила она. — А я-то...

Она хотела сказать, что собиралась заключить с Эммой Григорьевной пакт о взаимопомощи в деле выживания Викуловой из коллектива, но вовремя опомнилась. Та самая Викулова, которая выводила ее из себя, стояла в двух шагах от нее и смотрела своими большущими карими глазами на Капитошина. «Совсем из-за него голову потеряла, — мысленно фыркнула Шалимова, испытывая удовлетворение хотя бы от того, что Викуловой предстоит лить напрасные слезы по красавцу — все знали, что Таможенник не заводит романов на работе. — Ничего, милочка, тебе только на пользу будет пострадать немного. А то все слишком легко у тебя в жизни получается».

Но, к ее удивлению, Таможенник обернулся к девчонке и сказал:

— Катюха, я могу подвезти тебя до той квартиры, которую ты договорилась посмотреть. Игорь Сергеевич, у нас рабочий день закончился?

— Закончился, — сделав паузу, согласился шеф. — Надеюсь, таких рабочих дней у нас больше не будет. Да идите уже, идите.

Ошеломленная не меньше, чем остальные сотрудники, Алла Прохоровна слышала, как Капитошин сказал Викуловой:

— Я тебя в машине жду. Давай, собирайся.

И пошел за верхней одеждой и ключами, насвистывая о Катюше, выходившей на высокий берег.

Ехали они медленно, то и дело застревая в пробках. Возле книжного магазина Капитошин остановился.

— Подожди, пожалуйста, я себе одну книжку хотел купить на выходные, — попросил он.

Катя осталась в машине. Она сидела, рассматривая витрины магазинов, которые уже украсили перед Новым годом, и слушая шум машин. Улицу сверху перекрывал огромный плакат. «С Новым годом!» — было написано на плакате в окружении снежинок, а под восклицательным знаком стоял улыбающийся снеговик, на голове которого вместо ведра была отчего-то нарисована кастрюля.

Катя улыбнулась и поймала себя на том, что ей нравится и шумная улица, запруженная сигналящими машинами, и яркие витрины с мохнатыми гирляндами, и дома, на которые падает неторопливый снег. Она больше не испытывала ненависти к этому городу, который оказался лишь отражением того, что происходило в ее душе.

«Все будет хорошо, — думала она. — Мне почти все равно, что станет с ними — с Артуром, Седой, Дианой Арутюновной... И с Эммой Григорьевной. Я хочу наконец-то жить своей жизнью, а не чужой. Только для своей жизни нужно кое-что исправить, даже если кажется, что признаться во всем невозможно».

Катя достала телефон, набрала номер.

— Мама? — сказала она. — Мамочка, это я. Прости меня, пожалуйста. Мне нужно тебе кое-что рассказать...

Глава 17

— **С**ережа, ее задержали? — спросила Маша, накрывая на стол.

Сергей сидел на коврике, Макар, вытянув ноги, с удовольствием занял весь диванчик. В кухню незаметно прокрался Костя и спрятался в уголке, слушая взрослые разговоры. Антуанетта расположилась у него на коленях, Бублик лежал на полу и огрызался на каждого, кто ставил ногу ближе, чем в метре от его головы.

— Нет, насколько мне известно. Но это и не наше дело. Мы со следователем поговорили, обо всем рассказали. Доказательства собирать — это его работа, не наша.

— Заказчик доволен?

— Ага. Всем, кроме одного: ему хотелось бы видеть предмет, вокруг которого бушевали такие страсти. Но я честно признался, — Сергей чуть усмехнулся на слове «честно», — что предмет находится в правоохранительных органах, потому как это улика.

— А где русалка, кстати? — заинтересовалась Маша. — Макар, ты ее не оставил в том селе?

— Нет, конечно! Привез обратно в целости и сохранности.

Макар выложил русалку на стол. Маша наклонилась над ней и покачала головой, недоумевая, как Ка-

367

тя могла так доверчиво отнестись к словам Вотчина. Теперь было совершенно очевидно, что это всего лишь искусно вырезанная деревянная фигурка, секрет которой заключался в неодинаковой проработке деталей. Волосы были вырезаны очень тщательно, как и чешуя на хвосте, и тонкие руки, а лицо приходилось домысливать. «Наверное, поэтому она и казалась Кате живой, — подумала Маша. — Это она наделяла ее одушевленными чертами, а вовсе не мастер».

Маша положила фигурку на стол и пристально взглянула на Макара. Он казался похудевшим, но во всем остальном был тем же Илюшиным, которого они знали. «Хорошо, что все закончилось, — подумала Маша. — Наверное, это был лучший выход из всех возможных».

— Расскажи обо всем, — попросила она Илюшина, усаживаясь на стул. — Я так ничего и не поняла. Сергей только сказал, что Вотчин был не виноват в смерти других коллекционеров. Правда?

— Да, — подтвердил Макар. — Вотчин рассказал Катерине чистую правду. Он действительно приезжал в Кудряшово в восемьдесят четвертом году, это было связано с его работой, и тогда и купил у владелицы русалки фигурку. И с тех пор она не покидала его квартиру.

— Как не покидала? — нахмурился Сергей. — А как же смерть Зильберканта в девяносто третьем? Мы с тобой вместе читали в архивном деле описание пропавших вещей, которые забрали Сковородовы.

— Читали. Но не видели.

Макар вышел в коридор и вернулся спустя минуту с папкой.

— Распечатал специально для тебя, — сказал он, выкладывая на стол два листа. — Вот то, зачем я пытался связаться с Еленой Моисеевной, вдовой коллекционера. У нее остались старенькие фотографии, которые она после моей просьбы любезно разыскала, отсканировала и отправила мне. На них видна вся коллекция ее покойного мужа.

На крупной распечатке Бабкин увидел людей с бокалами, а на заднем плане — небольшой столик, на котором стояли фигурки одинакового размера. Вторая распечатка представляла собой сильно увеличенное изображение фигурок на столе. Они были нечеткими, но вполне можно было разобрать в одной из них женщину с рыбьим хвостом, свесившуюся с ветки.

— Это... это не та русалка! — с изумлением сказал Сергей.

Маша выхватила у него лист.

— Не та, конечно. — Она недоуменно посмотрела на Илюшина. — Подождите... Сковородовы украли не ту русалку?

— Рад, что до вас так быстро дошло, — усмехнулся Илюшин. — Помнишь, Серега, я говорил тебе про идею, которой у меня не было подтверждения? Это она и есть. Мне казалось, что что-то здесь не так, со всеми этими исчезновениями русалок, с коллекционером, который якобы нанял Сковородовых... Если предположить, что рассказ Вотчина правдив, то откуда могла взяться русалка у Зильберканта? Ответ был только один — это другая русалка.

Сергей сидел с ошеломленным видом.

— Зильберкант коллекционировал шкатулки с мифологическими сюжетами. И когда он увидел у какого-то мастера несколько фигурок домовых, русалок, водяных и леших, они показались ему забавными, и он скупил их всех. Его вдова написала, что каждая фигурка была изготовлена в нескольких экземплярах, кроме Лешего, и копии до сих пор хранятся у нее. Ее супругу они нравились, и он выставил их на видное место. Сковородов никогда не видел настоящую русалку — ту, за которой он охотился, — так откуда же ему было знать, что найденная им — не та? Он убил старика и забрал фигурку.

— Подожди... А каким же образом Сковородовы нашли коллекционеров? Почему они выбрали именно этих пятерых, а не вышли сразу на Вотчина?

— У меня есть одна догадка... В области вокруг Кудряшова сохранилось очень много старых церквей. Краеведческий музей области помогал вести работы по их реставрации, сохранению, исследованию и так далее. Собственно, Вотчин именно затем и приезжал в Кудряшово, поскольку был довольно известным экспертом. Я предполагаю, что каждый из тех, в чью квартиру забирались Сковородовы, когда-то был приглашен краеведческим музеем для работы или консультации по своей специализации. Только так можно объяснить, что у Сковородовых были их данные.

— Хочешь сказать, братья вышли на коллекционеров через музей?

— Не вижу другого варианта. Им необходимо было выяснить, кто именно приезжал в Кудряшово летом восемьдесят четвертого года, и они не нашли другого способа, кроме как обратиться в музей. Не знаю, почему им назвали сразу несколько имен. Может быть, ленивому музейному сотруднику лень было искать точные данные, и он назвал всех, кто был в области за последние пять лет. А может быть, Кирилл Сковородов решил исключить возможность ошибки... Не знаю.

— Но тогда в музее им должны были назвать и фамилию Вотчина!

— Думаю, что назвали. Но братья до него попросту не дошли. Найдя русалку, они успокоились. Вернее, успокоился Кирилл, а за ним и остальные. Олегу Борисовичу просто повезло. А если говорить о тех, кому еще повезло, то Зинаида Яковлевна Белова уехала из села за полгода до того, как в него вернулся Кирилл Сковородов. Потому она ничего и не знала ни о нем, ни о его братьях.

— Получается, тот мужик, бывший владелец русалки, убил Сковородова...

— Именно потому, что увидел другую фигурку, — закончил за него Макар. — Он, в отличие от Кирилла, знал, как выглядела русалка, и, думаю, не забыл ее за столько лет. Подозреваю, он окончательно сошел с ума, и Наталье Котик очень повезло, что она не стала его второй жертвой. Он пытал Сковородова всю ночь — наверное, добивался ответа, где же тот прячет настоящую русалку. А Кирилл не мог ему ответить, потому что считал эту настоящей. Интересно, понял ли он в конце концов, что ошибался?

Маша поежилась.

— Надо же... сколько смертей. В юности я читала один из рассказов о Маугли, и там люди убивали друг друга из-за ножа с драгоценным камнем, который он взял из сокровищ кобры.

— Вечная тема, — пожал плечами Илюшин. — Только кинжал имел действительную стоимость, а Сковородов и Эмма Григорьевна охотились за миражом. Как и все остальные, кто верил в мистические свойства русалки.

Он пару раз подбросил фигурку в воздух, поймал и вернул на стол.

— Лети-лети, лепесток, через запад на восток... Серега, ты был совершенно прав. Всем хочется чуда. А если чуда не случится, мы его сами придумаем. Собственно, за него сойдет все, что угодно. Беременность, к примеру. Или переменившийся характер тещи. Вовремя найденная работа. Любому самому обыденному событию можно найти мистическое объяснение. Нужно только захотеть и от души поверить. Правда, мне сложно представить, что человек с жизненным опытом

Орлинковой так же охотно включился в эту игру, как и остальные. Она выглядела вполне здравомыслящей теткой, хоть и стала убийцей. Так почему? Не понимаю.

— Кто ее знает, — протянул Бабкин. — Думаю, женщины просто восприимчивы к таким игрушкам. Им хочется, чтобы можно было загадать желание и — хоп! — перед ней принц на белом коне. Или сама стала принцессой. Мужики все-таки рациональнее устроены.

— Думаю, чем обыденнее жизнь вокруг тебя, тем больше хочется найти в ней сказку, — предположила Маша. — А если есть о чем мечтать...

— Мне есть о чем мечтать, — тут же сообщил Илюшин. — Но мне бы и в голову не пришло повестись на нехитрые россказни старичка Вотчина.

— И мне, — присоединился Сергей. — Не говоря уже о том, чтобы убивать людей из-за этого.

— Я рада, что Катин муж не причастен к убийству. Пусть он полное ничтожество, но, во всяком случае, не убийца. Одного не могу понять: почему они так поспешно бежали из Ростова? Почему не попытались остаться, дать взятку следователю? Катя говорила, у Артура там много влиятельной родни...

— Вот именно. Добавь, что родня была влиятельной пару лет назад, и поймешь, почему для них проще было убежать, чем остаться. Ашотян уже задерживался за похожий случай, но тогда пешеход остался жив, и они отделались компенсацией. Оперативник, который работает «на земле», рассказал, что в том районе активно идет передел собственности, кланы пытаются урвать свой кусок. Семья Ашотянов никого не подкупила бы, потому что на их взятку нашлась бы более крупная взятка. Думаю, дядя Артура хорошо это понимал. А дальше — включилась обыкновенная человеческая трусость. Бежать, бежать, бежать — подальше от совершенного и от наказания.

— Но они не могли прятаться в Москве годами! Глупо было даже думать об этом!

— А кто тебе сказал, Машка, что муж и свекровь Катерины — умные люди? Вовсе нет. Ты же их видела и слышала, какую лапшу они вешали девчонке на улице. У них даже не хватило ума придумать что-то более убедительное, и история сработала только потому, что Катерина оказалась очень наивной и к тому же доверяла мужу. Они сидели в московской квартире, как в норе, строили планы, а время шло, и они ничего не могли придумать. Даже не знаю, чем бы все закончилось, если бы Катерина не нашла русалку и не убежала от мужа, думая, что это он убил коллекционера.

— Макар, а ты выяснил, почему мастер, сделавший фигурку, покончил с собой?

— А он никакой не мастер, — поправил Машу Илюшин. — Он был трактористом. Наталья Котик ничего не знает о причинах его смерти, и Левушин тоже не знал.

— Загадал желание, а оно не сбылось? — предположил Сергей.

— Не подходит. По словам Левушина, приятель отдал ему фигурку со словами, что она исполняет желание. Кто его знает... Может, пошутил перед смертью. Но сдается мне, что сам-то Хохлов не верил во всю эту чепуху. И никто другой бы не поверил, если бы он не покончил с собой. Согласитесь, что последние слова человека, сказанные им перед смертью, звучат куда весомее, чем обычно. Сказал бы он Левушину, что русалка волшебная, а потом прожил десять лет — и что тогда? Стал бы Мишка желание загадывать и убеждать самого себя, что оно осуществилось? Нет, конечно.

— Тракторист загадал желание, и оно сбылось, — медленно проговорила Маша, глядя на русалку и представляя себе высокого плечистого парня с загорелым лицом. — И он поверил в то, что в его жизни случилось чудо. А потом понял, что никакого чуда не будет, и все чудеса, которые происходят, происходят сами по себе, а не потому, что мы их загадали. Поэтому мы и не считаем их чудесами.

— И что тогда? — спросил Илюшин, незаметно проникаясь ее настроем.

— И тогда он умер. Не смог больше жить. Он, наверное, был очень талантливым, этот тракторист, только сам об этом не знал. Жил не своей жизнью.

— Сразу видно сценариста, — одобрительно сообщил Сергей, и убежденность Маши в своей правоте тут же рассеялась. — Хорошая история. Только, боюсь, недостоверная. На самом деле все просто: не было у Николая Хохлова никаких мечтаний — это ты, Машка, свои мысли ему приписываешь. Жена его достала, работа опостылела, да и пил он, наверное, по-черному. Решил пошутить перед смертью, подурачить приятеля, а потом взял да утопился. Самоубийство на почве бытовых неурядиц.

— Наверное, — согласилась Маша, вздохнув. — Я это выдумала, конечно. А в действительности все было совсем не так.

Все замолчали, глядя на деревянную фигурку и представляя себе человека, который вырезал ее и покончил с собой.

— Мама, что вы с ней сделаете? — нарушил тишину тонкий голос.

— Костя! — Маша вздрогнула и обернулась. — А ты что здесь делаешь? Ну-ка марш в кровать!

— Мам, я еще не хочу спать! Я хочу вас послушать! Скажи, что вы с ней сделаете?

— Отдадим хозяйке, — вмешался Макар.

Маша отрицательно покачала головой.

— Катя не возьмет, она сама мне сказала. Говорит, следователю ей возвращать русалку стыдно, потому что придется признаться, что она его обманула. А ей самой желанница и подавно не нужна.

— Наследникам Вотчина вернуть? — неуверенно предложил Бабкин.

— Вот его наследница сидит, — показала Маша на собачонку, гревшуюся на коленях у спрятавшегося за дверью Кости. — Насколько мы знаем, других наследников у него нет. Макар, может, ты...

— Мне она не нужна, лишнее барахло я дома не собираю, — отказался Илюшин.

— Ладно, пусть пока у нас остается. А там что-нибудь придумаем.

Когда Макар уже стоял в коридоре, собираясь уходить, Маша вспомнила:

— Постой, а та женщина, которая осталась в живых... Белова... что с ней?

— Ее завтра выписывают.

— Ты у нее был? Рассказал о том, что узнал?

— Был и рассказал, разумеется.

— И как она отреагировала? — спросил Сергей.

Илюшин задумался на секунду.

— Сказала, что теперь будет жить спокойно, — ответил он. — И поблагодарила за яблоки.

Он усмехнулся чему-то, понятному только ему, и открыл дверь, следя, чтобы не выскочили собаки.

Часом раньше Зинаида Яковлевна делилась с соседкой по палате подробностями утреннего визита Макара:

— А под конец я не выдержала и говорю ему: ну что, говорю, отпустило тебя? Перестал виноватых искать? Нету больше виноватых, нету! Жизнь все по своим местам расставила за тебя.

— А он что?

— А он — спасибо, говорит. И за яблоко, говорит, тоже. Схрумкал и пошел.

Эпилог

Шесть месяцев спустя

Май обрушился на город так внезапно, что никто толком и не успел подготовиться к весне. «Пятнадцать градусов в тени», — сообщал прогноз, а на солнце было все двадцать. Шапочки постриженных кленов зазеленели за одну ночь, а тополя блестели глянцевыми вымытыми листиками, и умопомрачительно пахли тополиные почки.

Маша глубоко вдохнула лесной воздух, запрокинув голову, и засмеялась от радости. Весна! Какое счастье! Весна...

— Машка, ты подстилку не забыла? — озабоченно спросил муж, подходя. — Земля еще холодная, мы попы отморозим.

— Не забыла. Ты видел цветы? Там, на полянке?

— Я видел мясо в багажнике. И Макара, который ушел куда-то с пакетом, в котором помидоры и огурцы. А поскольку мне не хочется оставаться без гарнира, я предлагаю найти Илюшина и отобрать у него пакет.

Бабкин помахал Косте, бродившему среди деревьев, и направился к машине.

На пикник этой весной они выехали первый раз, и все словно опьянели от запахов земли, леса, проснувшихся деревьев и трав. Сергей гонялся за Макаром, который сбежал с помидорами и хохотал на весь лес, удирая от приятеля. Маша, присев на корточки, с восхищением рассматривала тонкий стебелек, увенчанный белой чашечкой цветка, по лепесткам которого бежали голубоватые прожилки. Костя искал дупло, в котором, как он считал, должны обитать белки.

— Костя, русалка у тебя? — позвала Маша.

— У меня, мам. Не бойся, я не потеряю!

Фигурка всю зиму пролежала в ящике под документами, и вспомнили о ней только в начале мая, когда Макар познакомился со скульптором, собиравшим изображения нечистой силы. Скульптор жил в сорока километрах от Москвы в большом частном доме и не раз приглашал к себе всю компанию в гости. Очередную поездку было решено совместить с «лесными» шашлыками, а заодно отдать русалку человеку, которому она будет интересна.

Макар с Сергеем вернулись, запыхавшиеся, и сообщили, что река куда ближе, чем они определили по карте.

— Пойдем туда, — предложил Бабкин. — Тут идти недалеко, минут десять.

Стоя на берегу извивающейся черной речушки, Костя лениво бросал в нее травинки, а Маша грелась на солнышке, пока Макар и Сергей разводили костер и готовили шампуры.

— Костя, не свались! — предупредила Маша сына, стоявшего на невысоком обрыве — с этой стороны берег был крутой, а с другой — пологий. — Жалко, на тот берег не перебраться.

— Здесь интереснее. Здесь омуты!

— Вот я и говорю — не свались. И вообще, отойди от края.

Вместо того чтобы отойти, Костя выпросил разрешения спуститься к воде, и Маше пришлось помогать ему слезть по осыпающемуся склону.

— Ноги не промочи. — Она стояла в трех метрах над ним, глядя, как мальчик проверяет палкой глубину. Вода в этом месте была черная, мутная, и Костина палка уходила возле берега почти до конца.

— Глубоко! — восхищенно сказал Костя. — Эх, здесь такая рыба клюет, наверное!

Рассеянно наблюдая за сыном, Маша думала о своем, и мысли ее скакали с одного на другое: «Нужно отправить тетушке Даше витамины для Тоньки и Бублика. До конца праздников я должна написать пять сценариев, а у меня не придуман ни один сюжет... Ботинки Косте малы, придется покупать новые. Ужасно не люблю мерить с ним ботинки... Капитошин звал отметить его день рождения в кафе, нужно придумать подходящий подарок. Бедная Катя так и мучается, боится позволить себе быть счастливой, придумывает все новые препятствия... В чем-то я ее понимаю. Для таких, как она, долг всегда значит больше, чем все остальное. Надо поговорить с девочкой — кажется, ей важно мое мнение. Хорошо, если они с Андреем...»

Не додумав очевидную мысль, она зажмурилась на солнце, ощущая тепло на своем лице, и ее охватило умиротворение. «Ей просто нужно время. У них все наладится. Господи, как же хорошо весной!»

. . . .

На пятнадцатом этаже высотного дома, стоявшего на юге Москвы, женщина закончила мыть окна, но оставила створку распахнутой и подставила лицо солнцу, жмурясь от удовольствия.

Водоворот чужих желаний

— Хорошо-то как, Верка! — выдохнула она. — Весна пришла, наконец-то!

Невысокая рыжая женщина лет тридцати восьми с веснушками, рассыпанными по улыбчивому круглому лицу, отложила в сторону тряпку и встала рядом с подругой.

— Меня сейчас сдует, — поежилась она. — Люб, закрой окно!

Подруга обернулась к ней. Она была красива зрелой женской красотой — зеленоглазая, с высокими скулами, пухлыми красными губами, которым не требовалась помада, ровными широкими бровями.

— С тех пор как вы меня на картошке простудили, я любых сквозняков боюсь, — виновато напомнила рыжая. — А у тебя все окна нараспашку.

Та, которую она называла Любой, прикрыла створку и села на стул, задумчиво крутя на пальце темную прядь вьющихся волос.

— Знаешь, я только недавно вспоминала про ту поездку, — задумчиво сказала она. — Помнишь, когда мы с Володькой начали встречаться?

— Помню, конечно. Что, Любань, ностальгия? Вспоминаешь первые поцелуи с будущим мужем?

Она рассмеялась, но подруга осталась серьезной.

— Я иногда вспоминаю того парня... Помнишь, которого мы встретили в магазине? Он потом утонул...

Рыжая перестала смеяться и сочувственно кивнула.

— Помню, конечно. Знаешь, столько лет прошло, а я его очень хорошо помню. Наверное, потому, что он был странный.

— Да... верно, странный. Он тогда стал меня стыдить за то, что я дразнила рыбака... Нет, стыдить — неправильное слово. Не знаю, как сказать... Он был словно сумасшедший.

Она растерянно замолчала.

— Почему ты вспомнила его, Люб? — осторожно спросила ее подруга. — У вас с Володькой все в порядке?

— Да, у нас все хорошо. Почему вспомнила? Сама не пойму. Знаешь, такая глупость: когда мне сказали, что он утонул, я сразу подумала, что он утонул там, где я купалась.

— И я о том же подумала, — призналась Вера. — Только ведь это было не так.

— Не так. Он утопился в лесном озере. Оно еще так красиво называлось — Марьин омут. А я купалась в заводи на реке. Голубица, кажется... Кто знал, что там тот рыбак будет стоять в кустах? Кстати, помнишь, как он на нас смотрел, когда потом встречал?

Вера хихикнула.

— Помню. Усатый такой дяденька, суровый — ужас! Володька все допытывался, почему мы хохочем, когда видим его. Эх, веселая была картошка! И мы были веселые! Главное — молодые, Любка, вот что главное!

В соседней комнате зашипело, и она спохватилась:

— Ай, суп убегает!

Рыжая бросилась из комнаты, и Люба, оставшись одна, подошла к окну, распахнула его настежь, вдохнула воздух полной грудью. На секунду ее охватило острое сожаление о том времени, когда она была молодой красивой девчонкой и не боялась плавать ночью голышом, смущая местного рыбака. Вот только тот парень...

— Люба, меня продует! — раздался сзади возмущенный голос, и она быстро захлопнула окно, не пуская в комнату ветер, приносящий воспоминания и волнующий сердце.

— Вот так-то лучше, — удовлетворенно сказала Вера. — Выкинь ерунду из головы, пойдем есть.

. . . .

Маша помогала нарезать помидоры и хлеб, раскладывая их на пластиковых тарелках, как вдруг от реки раздался жалобный крик.

— Костя!

Она бросилась к обрыву, но Сергей и Макар опередили ее. Бабкин первым подбежал к краю и наклонился вниз.

— Ты что кричишь? — выдохнул он, и Маша остановилась, перевела дыхание. — Машка, не бойся, он тут сидит живой и невредимый.

— Ты меня испугал, — укоризненно сказала она, подойдя к обрыву. — Что случилось?

Мальчик жалобно смотрел на них снизу.

— Я русалку потерял, — признался он.

— Как — потерял?

— Так. Я ею играл, а она выскользнула и упала в воду. И теперь я ее найти не могу.

Сергей, Макар и Маша по очереди спустились с обрыва, встали на узкой полоске суши возле воды. Макар прошелся по берегу с палкой, поддевая со дна ил и камни, но русалки не было.

— Я не виноват, — чуть не плача, сказал Костя. — Дядя Макар, правда, она сама выскользнула!

— Где она может быть? — Маша прищурилась, вглядываясь в воду. — Она же из дерева!

Макар бросил бесполезную палку, пожал плечами.

— Я догадываюсь, где она может быть, — нехотя сказал Сергей. — Вода мутная, темная. Ее унесло течением, а Костя не заметил. Не видать Петру Васильевичу нового экспоната в коллекции.

— Бог с ней, уплыла — так уплыла, — Маша постаралась утешить расстроенного сына. — На то она и русалка.

Костя вздохнул и полез вверх по обрыву. За ним стали подниматься Макар и Бабкин, помогая Маше.

Наверху Маша на минуту задержалась, глядя на воду. Ей показалось, что в глубине под кустами у берега что-то движется, но как она ни всматривалась, не могла разобрать, что именно.

— Машка, пойдем! — позвал муж. — У нас все готово!

— Да-да, иду, — ответила она, не в силах оторвать глаз от воды.

— Мам!

Маша махнула рукой, отвернулась от реки и пошла туда, где поднимался дым от маленького костерка.

Она не увидела, как матовую гладь прорезал длинный силуэт, задержался на мгновение у поверхности воды, изогнулся...

И мгновенно исчез в черной глубине.

Оглавление

Литературно-художественное издание

16+

Елена Ивановна Михалкова

ВОДОВОРОТ ЧУЖИХ ЖЕЛАНИЙ

Редакционно-издательская группа «Жанры»
Зав. группой *М.С. Сергеева*

Руководитель направления *И.Н. Архарова*
Ответственный редактор *Е.Г. Попова*
Корректор *И.М. Цулая*
Технический редактор *М.Н. Курочкина*
Компьютерная верстка *Ю.Б. Анищенко*

Общероссийский классификатор продукции
ОК-005-93, том 2; 953000 — книги, брошюры

Подписано в печать 30.08.13г. Формат 84x108/32.
Усл. печ. л. 21,84
Тираж 3500 экз. Заказ № 4171/13.

ООО «Издательство АСТ»
127005, г. Москва, ул. Садовая-Триумфальная,
д. 16, стр. 3, пом. 1, ком. 3

Отпечатано в соответствии с предоставленными
материалами в ООО «ИПК Парето-Принт», г. Тверь,
www.pareto-print.ru